Tropisch fruit

Célestine Hitiura Vaite

Tropisch fruit

SIJTHOFF

© 2005 Célestine Hitiura Vaite
All Rights Reserved
© 2005 Nederlandse vertaling
Uitgeverij Luitingh - Sijthoff B.V., Amsterdam
Alle rechten voorbehouden
Oorspronkelijke titel: *Breadfruit*
Vertaling: Karin Breuker
Omslagontwerp: Annemarie van Pruyssen
Omslagfotografie: Getty Images

ISBN 90 245 5378 4
NUR 343

www.boekenwereld.com

Voor mijn moeder, Viola Vaite, die me heeft geleerd dat liefde de sterkste drijfveer is die er bestaat.
En in liefdevolle nagedachtenis aan mijn peettante, Henriette Estall, die me heeft leren geloven in wilskracht en me heeft geleerd dat je iedere keer als je valt, weer overeind moet krabbelen.

Een romantische film

Materena houdt van films die gaan over de liefde.

Als er zo'n film op tv is, zit ze op de bank, met haar armen over elkaar en haar ogen strak op het scherm gericht. Ze veegt niet de vloer, ze knipt niet haar teennagels, ze strijkt niet, ze vouwt geen wasgoed op. Ze concentreert zich alleen maar op de film.

Films over de liefde ontroeren Materena en soms stelt ze zich voor dat zij de heldin is.

De film van vanavond gaat over een vrouw die hartstochtelijk houdt van een man, maar helaas moet trouwen met een ander – haar ouders hebben dat zo gepland. Haar toekomstige man is niet lelijk of gemeen. Ze voelt alleen niets voor hem. Als ze naar hem kijkt, is het net of ze naar een boom kijkt. Als ze de man van wie ze houdt ziet, bonst haar hart. Ze wil hem kussen en stijf tegen zich aan drukken.

De vrouw in de film ontmoet de man van wie ze houdt voor de laatste keer. Het is de dag voor haar prachtige bruiloft. Hij gaat weg naar een ver land en hij komt nooit meer terug, omdat hij het niet kan verdragen bij haar in de buurt te blijven. Het is gemakkelijker voor hem om gewoon te verdwijnen.

De minnaars treffen elkaar achter een dikke heg. Ze kussen en omhelzen elkaar en dan valt hij op zijn knieën en verklaart: 'Ik zal van je houden tot de dag van mijn dood, dat zweer ik je bij de naam van God. Jij bent het middelpunt van mijn bestaan, mijn lichtende ster, mijn grote liefde.'

De heldin verbergt haar gezicht in haar handschoenen en barst in tranen uit. Er klinkt vioolmuziek en er glijdt een traan uit Materena's ooghoek. Ze heeft medelijden met de vrouw. Ze voelt haar pijn.

'Ach, wat zielig,' zucht ze.

'Flutfilm! Allemaal flauwekul!' Dat is het commentaar van Pito.

Naar zijn idee wordt er in die film veel te veel gehuild. Het zeurt maar door, er gebeurt niets. En dan die man. Wat een *bébé la la* – kom op, zeg.

'Nou, ga dan je Akim-strip lezen, in de keuken.' Materena veegt haar ogen af met de slip van haar *pareu*.

Maar Pito zit lekker op zijn gemak op de bank en wil het einde van die stomme film zien. Materena wou maar dat hij ergens anders ging zitten. Al sinds het begin van de film zit hij haar te irriteren met zijn commentaar en zijn gezucht.

Pito houdt niet van dit soort films. Hij heeft liever cowboyfilms, films met veel actie en zo min mogelijk gepraat.

De film is bijna afgelopen en ze hoopt dat hij het einde niet gaat bederven met een stomme opmerking. Ze wil dat het stil is. Het einde van een romantische film is heel belangrijk. Het is spannend. Als Materena haar zin krijgt, wordt de heldin herenigd met de man van wie ze houdt, maar films lopen niet altijd af zoals ze graag zou willen.

De prachtige bruiloft begint en Materena ziet zo dat de bruid niet met haar gedachten in de kerk is. Ze kijkt steeds achterom, in de hoop dat de man van wie ze houdt binnenkomt om haar te redden. Materena voelt het precies aan. Zij verwacht dat de man ieder moment de kerk binnen komt stormen, maar hij zit een heel eind verderop op zijn paard. Ze zegt: 'Eh, je houdt van die vrouw. Ga haar dan halen, idioot.' Maar hij blijft maar doorrijden op dat paard.

Tot verdriet van Materena trouwt de vrouw intussen met de man van wie ze niet houdt.

Voor de kerk wordt het pasgetrouwde stel met confetti bestrooid en worden er duiven losgelaten. De heldin ziet hoe de duiven in de grijze lucht verdwijnen.

Dat is het einde van de film en Materena heeft er flink de smoor in. Zij houdt van een goede afloop. Ze luistert naar de zachte pianomuziek bij de aftiteling en leest de namen van de hoofdrolspelers. Dat herinnert haar eraan dat het verdrietige verhaal maar een film is en geen werkelijkheid.

Als de laatste namen van het scherm zijn verdwenen, zet ze de tv uit.

'Flutfilm!' Pito staat op van de bank alsof hij minstens honderd kilo weegt.

Materena ruimt de huiskamer op.

'Flutfilm!' Pito maakt het zich gemakkelijk in bed.

Materena trekt de deken naar haar kant en rolt zo ver mogelijk bij hem vandaan.

'Ik zal je vertellen, Materena, als ík de man in die film was, als ík hem was...'

Pito zegt dat hij de vrouw dan had weggegrist en met haar was ontsnapt op zijn paard.

'Ja, hoor. Goed. Welterusten.' Materena luistert al niet meer naar hem.

Ze doet haar ogen dicht en valt in slaap. En ze droomt dat ze moet trouwen met de man in de film, maar dat de man van wie ze houdt, Pito is. Ze is in de kerk en ze staat net op het punt 'ja' te zeggen, als de kerkdeur openzwaait. Het is Pito.

Hij zit op een paard en draagt cowboykleren en een cowboyhoed.

Mensen staren naar Pito, die zich een weg baant naar het altaar. Ze staren ook naar het paard.

Pito pakt haar om haar middel en zegt tegen de man met wie ze zou gaan trouwen: 'Hé, luister, die vrouw is van mij – zoek jij maar een ander, oké?' Hij heeft een woeste uitdrukking op zijn gezicht.

Ze rijden de kerk uit, heel ver weg, helemaal naar de woestijn.

Als Materena wakker wordt, lacht ze.

Het aanzoek

Als Materena die avond om elf uur het fornuis staat te boenen, moet ze nog steeds lachen om haar droom – het gedeelte dat Pito op een paard de kerk binnenstormt, met een cowboyhoed op! Stel je voor!

Nou, ze kan nu nog maar beter even lachen, want als hij straks thuiskomt uit de kroeg, zal het lachen haar wel vergaan. Dan is hij dronken, kletst zoals gewoonlijk een heleboel onzin en werkt haar op de zenuwen. De laatste keer dat hij dronken was, liep hij te zwetsen dat hij zoveel moeite had om zich de vrouwen van het lijf te houden. Ze zwermden voortdurend om hem heen, terwijl hij alleen maar een biertje wilde drinken en met zijn collega's wilde praten over vissen.

Daar komt hij aan, ze hoort hem rommelen bij de deur.

'Materena!' brult hij, terwijl hij naar binnen wankelt. 'Ahhh, Materena.'

Hij praat met dubbele tong, hij heeft rode ogen en hij zwaait op zijn benen.

'Trouw met me, Materena.'

Materena glimlacht alleen maar even naar hem en gaat intussen gewoon door met boenen.

'Trouw je nou nog met me, of niet?' Pito ziet eruit alsof hij ieder moment over haar heen kan vallen.

'Goed, oké.' Materena laat de borstel vallen terwijl hij haar in zijn armen klemt. Ze moet hem in bed zien te krijgen, voor hij de kinderen wakker maakt.

Vijf minuten later ligt hij bewusteloos te snurken in zijn bed. En Materena is blij. Ze is niet van plan zijn huwelijksaanzoek serieus te nemen. O nee. Voor haar is die ring om haar vinger geen heilig moeten. Voor haar gevoel zijn ze al net een getrouwd stel – ze slapen in hetzelfde bed en zitten aan dezelfde keukentafel. Hij is haar man en zij zijn *woman*. Het is niet anders dan als ze officieel 'man en vrouw' zouden zijn. Ze hoeft geen ring om haar vinger en een huwelijksakte in een lijstje aan de muur.

Materena loopt terug naar haar fornuis. Ze schrobt en denkt terug aan de dag dat ze Pito leerde kennen.

Toen ze zestien was, werkte Materena in de schoolvakanties in de plaatselijke snackbar. Op een middag kwam Pito daar samen met zijn vriend Ati naartoe.

Aue, toen ze hem voor de eerste keer zag, vond ze hem meteen leuk. Hij was niet de knapste man die ze ooit had gezien, maar hij hád iets.

Pito wilde een hamsandwich, dus Materena maakte die voor hem. Hij pakte de sandwich aan en gaf haar zijn geld. Hij keek haar aan, maar het was alsof ze niet bestond. De andere vent keek wel geïnteresseerd, maar zij was niet geïnteresseerd in hem. Ze bediende hem en ging door met de andere klanten, maar af en toe dwaalden haar ogen belangstellend af naar de sexy man in het gerafelde t-shirt.

Toen Pito vertrok, wilde Materena het liefst achter hem aan. Zijn vriend knipoogde naar haar, maar ze keek vuil terug. Ze wilde hem niet de indruk geven dat ze in hem geïnteresseerd was, want dan zou hij dat tegen Pito zeggen.

De volgende dag probeerde Materena voor de spiegel in plaats van de gebruikelijke wrong iets ingewikkelds te doen met haar haar. Maar het was hopeloos. Ze had nog nooit iets bijzonders met haar haar gedaan, vanaf haar achtste had ze altijd diezelfde wrong gedragen. Ze trok haar haren er bijna uit van frustratie. Uiteindelijk versierde ze haar wrong met *Tiare*, de nationale bloem van Tahiti. Loana was daar kwaad om, omdat de bloemen bestemd waren voor de Maagd Maria. Materena moest alle bloemen uit haar haar halen en terugzetten in de vaas naast het Mariabeeld.

Pito kwam die dag niet naar de snackbar. Het duurde een hele week voor hij zijn gezicht weer liet zien. Toen dat gebeurde, was Materena erg zenuwachtig.

'Een hamsandwich?' vroeg ze, om Pito te laten merken dat ze hem nog niet vergeten was.

Hij glimlachte naar haar.

Daarna was het voor Materena onmogelijk haar werk te doen. De middag was een ramp en de bazin gaf haar een paar keer een flinke uitbrander.

Maar de volgende dag kwam Pito terug.

En de dag daarna ook.

Een beetje lachen, een beetje giechelen, hun ogen ontmoeten elkaar en er kwamen allerlei ideeën in hun hoofd. De bazin moest Materena eraan herinneren dat het haar werk was om sandwiches te maken, niet om te giechelen. Ze keek vuil naar Pito, maar ze kon hem niet verbieden naar de snackbar te komen, enkel omdat Materena zaagsel in haar hoofd kreeg als hij in de buurt was. Bovendien at hij veel sandwiches. Hij was een erg goede klant.

Uiteindelijk maakte Pito een afspraakje met Materena, om negen uur bij de rode jasmijn achter de bank. Zodra Materena uit haar werk kwam, rende ze naar de badkamer om de uienlucht van haar handen te boenen.

Om halfnegen lag ze in bed.

Om kwart voor negen glipte ze het raam uit en klom ze over de schutting naast het huis.

En daar stond Pito op haar te wachten onder de rode jasmijn – met een opgerolde deken in zijn armen.

Ze praatten ongeveer twee seconden.

Toen raakte zijn mond de hare… en het was afgelopen met Materena, het goed katholieke meisje.

Ze ontdekte de zinnelijke liefde.

Loana had Materena gewaarschuwd dat er siroop zou vloeien als ze ooit via de 'kokosnotenradio' te horen zou krijgen dat Materena een vriendje had. Met andere woorden: dan zou Materena een paar klappen in haar gezicht krijgen.

Materena besteedde geen aandacht aan het dreigement van haar moeder. Ze was te verliefd op Pito om zich zorgen te maken over klappen en andere straffen. Wat haar betrof zou ze hem onder de rode jasmijn blijven ontmoeten tot… nou ja, tot hij besloot serieus te worden.

Drie weken na het begin van hun geheime ontmoetingen deelde Pito aan Materena mee dat hij uit Tahiti wegging om in Frankrijk in militaire dienst te gaan. Hij zou twee jaar wegblijven.

Ze was stomverbaasd. 'Wanneer ga je?'

'Morgen,' antwoordde hij.

'Morgen!' Ze was verbijsterd.

Ze klampte zich aan hem vast en beloofde dat ze naar het vliegveld zou komen om afscheid te nemen. Maar hij zei dat ze beter thuis kon blijven, omdat er al heel veel familie kwam.

Materena drong niet aan. Het was haar duidelijk dat Pito niet wilde dat ze op het vliegveld al zijn familie zou ontmoeten en vooral niet zijn mama. Het was nog veel te vroeg voor een officiële kennismaking met zijn mama.

'Hoe laat vertrekt je vliegtuig?' vroeg ze.

Pito's vliegtuig vertrok om twee uur in de ochtend.

'En zul je me schrijven?' Ze hoopte dat hij zou zeggen: 'Natuurlijk zal ik je schrijven!'

'Ik zie wel,' zei Pito.

Materena begon te huilen.

'Ik moet naar huis om in te pakken.' Pito rolde de deken op.

Hij gaf Materena een zoen en zij zoende hem met heel haar hart en ziel terug.

'Pas goed op jezelf,' zei Pito.

'Ik zal op je wachten.' Materena kon haar tranen niet inhouden.

Toen ze thuiskwam, zat Loana nog tv te kijken. Materena wilde haar vragen wat ze ervan zou vinden als ze naar het vliegveld zou gaan om Pito gedag te zeggen, maar in plaats daarvan glipte ze haar slaapkamer in en dook ze diep weg tussen de kussens. Ze kon haar moeder geen raad vragen over Pito, omdat Loana niet eens wist dat hij bestond.

Om middernacht had Materena haar beslissing genomen. Ze pakte een schelpenketting van de spijker in de huiskamer en rende naar het vliegveld.

Er stond een hele menigte: slapende baby's in de armen van hun moeder, kinderen die rondrenden om tikkertje te spelen, maar vooral huilende mama's die zich vastklampten aan glimlachende jongemannen met veel te veel schelpenkettingen om hun nek.

En daar stond Pito.

Een dikke mama klemde hem huilend in haar armen. Af en toe probeerde een familielid hem een schelpenketting om te doen, maar de dikke mama liet hem niet los.

Pito zag er zo knap uit in zijn marineblauwe broek en zijn witte overhemd. Materena wilde dolgraag naar hem toe, maar ze bleef naar hem kijken, half verscholen achter een pilaar. Pito had zijn handen al vol aan zijn huilende moeder.

Materena bleef op het vliegveld tot het vliegtuig opsteeg. Toen ze na afloop met de schelpenketting in haar handen geklemd naar huis rende, dacht ze aan de komende twee jaar. Het leek haar wel een eeuwigheid.

Twee jaar gingen voorbij, twee jaar waarin ze onafgebroken aan Pito dacht. Ze maakte haar school af en begon een carrière als professionele schoonmaakster. Op een dag stond ze te wachten op een vrachtwagen die haar van de markt naar huis zou brengen, toen ze Pito langs zag lopen. Hij was magerder en bleker geworden.

'Pito!' Materena was verrukt. Ze kon haar ogen niet geloven.

Pito bleef staan en draaide zich om. Materena stond op het punt naar hem toe te rennen en in zijn armen te springen, maar een stemmetje in haar hoofd waarschuwde haar. Ze kon zich maar beter niet belachelijk maken voor het oog van al die mensen die op de vrachtwagen stonden te wachten, want het zag er niet naar uit dat Pito haar in zijn armen zou nemen. Hij liet geen enkele emotie blijken toen hij haar zag. Materena dacht dat hij haar misschien niet herkende.

'Ik ben het, Materena.' Ze straalde.

'Dat weet ik,' zei Pito. 'En, hoe is het met je?'

'Met mij is het goed,' antwoordde Materena. 'En jij? Hoe is het met jou?'

'Ook goed.'

'Dus je bent weer terug uit Frankrijk?' vroeg ze. Meteen kon ze zich wel voor haar hoofd slaan voor die domme vraag. Ze zag hem met haar eigen ogen staan. Natuurlijk was hij terug uit Frankrijk.

'Ik ben twee dagen geleden teruggekomen,' zei Pito en toen verontschuldigde hij zich. Hij moest snel ergens naartoe.

'Oké,' zei Materena, alsof ze het helemaal niet erg vond dat Pito geen vijf minuten kon missen om met haar te praten. 'Ik heb ook haast.'

Ze sprong op de eerste de beste vrachtwagen die voorbij kwam en dacht aan de twee jaar die ze had verspild met wachten op Pito, die *fa'aoru*, die arrogante bal. Twee jaar had ze gewacht op een brief van hem, een pakje, een telegram, en geen enkele keer had ze naar een andere man gekeken! Ze was hem trouw geweest.

Ze wist nu waar ze met hem aan toe was. Hij behoorde tot het verleden en zij ging op zoek naar iemand voor de toekomst.

Maar hoe kon ze Pito vergeten als ze hem voortdurend tegen het lijf liep? Het was alsof God hem op haar pad bracht. Als ze bij de markt op een vrachtwagen stond te wachten, liep Pito pal langs haar, of ze zag hem staan aan de andere kant van de straat. Als ze in een winkel stond, kwam Pito dezelfde winkel binnenwandelen. Als ze ergens iets zat te eten, dook Pito daar op. Hij trok altijd zijn wenkbrauwen op, bij wijze van begroeting. En Materena glimlachte naar hem. Maar ze spraken niet met elkaar.

Op een nacht vroeg Materena aan God of het zijn plan was om aldoor Pito op haar pad te brengen. Als dat zo was, kon God haar dan een klein teken geven? De volgende dag botste Materena letterlijk tegen Pito op toen ze van de vrachtwagen stapte. Dit teken was voor haar genoeg. Terwijl hun gezichten elkaar bijna raakten, vroeg ze: 'Heb je vanavond iets te doen?'

Zo begonnen ze elkaar weer te ontmoeten, midden in de nacht, bij de rode jasmijn achter de bank.

Deze geheime afspraakjes gingen wekenlang door. Materena vertelde Pito alles over haar familie: haar hardwerkende moeder, haar broer die werkte bij een parelkwekerij op Manihi, haar Franse vader die ze nooit had ontmoet. En Pito vertelde Materena over zijn drie broers, zijn vader die was overleden en zijn moeder die graag bladeren raapte met een bladprikker. Ze praatten nog over allerlei andere dingen, bijvoorbeeld over het weer en over vissen.

Na een poosje kreeg Materena de indruk dat het Pito ernst begon te worden met haar en begon ze erover dat hij misschien eens moest kennismaken met haar moeder. Ze was het een beetje *fiu* om steeds stiekem haar slaapkamer uit te glippen en haar vriendje alleen in het donker te ontmoeten. Ze vond het tijd worden dat haar moeder wist van Pito. Ze was nu achttien en ze meende het serieus met hem.

'Ik ben er nog niet aan toe,' zei Pito.

'Mamie zal je echt niet opeten, ze is hartstikke aardig.'

'Dat is het niet, Materena. Ik ben er gewoon nog niet aan toe.'

'Waar ben je niet aan toe? Je hoeft alleen maar *Ia'ora'na* te zeggen tegen mijn moeder. Even gedag zeggen. Dat is toch niet zo erg?'

'Eh!' Pito had nu de pest in. 'Ik wil niet kennismaken met je moeder, oké? Als je dat doet, is het afgelopen. Dan wordt het serieus.'

'Oké dan,' zei Materena. 'Dan doe je het niet. Ik ga je niet dwingen.'

'Je kunt me toch niet dwingen. Ik hou er niet van om gecommandeerd te worden.'

'Dat zei ik toch. Ik ga je niet dwingen.' Materena stond op om naar huis te gaan. Ze was een beetje nijdig, maar dat duurde niet lang. Ze begreep dat Pito alleen maar wat tijd nodig had om te wennen aan het idee dat hij kennis ging maken met haar moeder.

Een week of wat later had Materena het vermoeden dat ze in verwachting was. Ze kocht een zwangerschapstest en sloot zichzelf op in de badkamer. Ze ging op de wc zitten en las de instructies. Dat kostte haar bijna een uur, want ze had nog nooit eerder een zwangerschapstest gedaan. Toen ving ze een beetje urine op in een potje en zette de teststrip erin. Ze telde tot zestig, haalde de strip eruit en legde hem voorzichtig op de grond.

Toen begon ze te bidden. Maar ze wist niet zeker waar ze nu precies voor moest bidden. Aan de ene kant wilde ze graag zwanger zijn. Ze hield van Pito. Maar aan de andere kant wilde ze het ook weer niet.

De test was positief. Materena huilde tranen met tuiten, omdat ze enerzijds blij was en anderzijds niet.

Loana nam het nieuws van haar dochters zwangerschap niet goed op. Ze had vaak tegen Materena gezegd: 'Maak me geen oma voor ik op zijn minst vijftig ben.' En nu werd ze bijna oma terwijl ze nog maar net veertig was en ervan uitging dat Materena nog maagd was.

Loana dwong Materena te vertellen wie haar zwanger had gemaakt en twee uur later zaten Materena, Loana en Pito's moeder, Mama Roti, bij elkaar om de zaak te bespreken.

'Pito heeft me niet verteld dat hij een meisje zwanger heeft gemaakt.' Mama Roti keek Materena recht aan en Materena had veel zin om onder de bank te kruipen.

Loana keek Mama Roti recht aan, om te laten merken dat ze niet onder de indruk was. 'Hij weet er nog niet van.'

'Wat verwachten jullie van mijn zoon?' vroeg Mama Roti.

'We verwachten niets. We zijn hier alleen om te praten,' antwoordde Loana rustig.

Dus praatten de beide moeders met elkaar, en ze raakten steeds meer geïrriteerd, tot Mama Roti zei: 'Nou, misschien moet je je dochter 's nachts aan een boom vastbinden.'

Dat was het eind van het gesprek. Loana stond op en beval Materena hetzelfde te doen.

Precies op dat moment kwam Pito binnen. Hij keek naar Materena, naar Loana en toen naar zijn moeder. Die legde de situatie uit, maar Pito begon niet te schreeuwen van blijdschap, zoals in de film gebeurt.

'Zo, dus jij bent Pito.' Loana nam hem van top tot teen op, alsof ze geen hoge dunk van hem had. 'Goed, je weet nu dat je mijn dochter zwanger hebt gemaakt. Ik wens jullie nog een fijne dag, samen.'

Materena ging die avond en de avonden daarna niet naar de rode jasmijn. Ze wachtte tot Pito haar zou komen opzoeken. En iedere dag weer zei Loana: 'Meisje, als je op een man wacht, kun je net zo goed wachten tot een kip tanden krijgt.'

Toen Pito Materena een week later kwam vragen bij hem in te trekken, deelde Loana hem mee dat haar dochter bleef waar ze was.

'Met alle respect,' zei Pito, 'maar ik heb het tegen Materena, niet tegen u.'

'Zie ik eruit als een moeder die niet om haar dochter geeft?' snauwde Loana.

Daarop keken ze allebei naar Materena, om te horen wat zij ervan dacht. Ze voelde zich net een tomaat tussen de sla en de komkommer.

'Jullie gaan samen praten,' zei Loana tegen Materena. 'Ik ga naar buiten. Maar als je besluit dit huis uit te gaan, verwacht dan niet dat ik je help pakken.'

Pito ging naast Materena op de bank zitten. Ze wilde niets liever dan dat hij haar in zijn armen zou nemen, maar ze zag dat hij door de hele toestand uit zijn doen was. Dus praatten ze over hun woonsituatie. Materena voerde aan dat ze niet bij haar moeder vandaan kon en Pito dat hij zijn moeder niet alleen kon laten.

Na een poosje stond Pito op om weg te gaan. Hij zei: 'Ik kom je wel gewoon opzoeken.'

Pito was bij Materena toen ze om halftien 's morgens haar eerste weeën kreeg. Hij nam snel de vrachtwagen naar huis en kwam terug met zijn mama en een neef, die Materena en Loana in zijn auto naar het ziekenhuis bracht.

In het ziekenhuis aangekomen bracht een verpleegster Materena naar de verloskamer voor onderzoek. Pito, zijn mama en Loana zaten op de bank in de gang. Uren later, nadat Loana al verschillende keren naar haar dochter was gaan informeren, kwam een verpleegster hun eindelijk vertellen dat de baby vandaag zeker zou komen.

'Ik zou maar naar Materena toe gaan,' zei Loana tegen Pito.

'Nee, dat hoeft niet, ze redt het wel,' antwoordde hij.

Mama Roti besloot haar zoon bij te vallen. 'In mijn tijd bleven mannen gewoon buiten wachten.'

'Ja,' snauwde Loana. 'In jouw tijd... maar we zijn nu niet in jouw tijd.'

Loana beval Pito naar Materena toe te gaan, omdat een man zulke dingen moet zien.

'Nee, het komt wel goed,' hield hij vol.

Maar toen kwam een verpleegster Pito halen, omdat Materena wilde dat hij de baby geboren zou zien worden.

Dus zag Pito hoe zijn zoon geboren werd. Iedere keer als de verloskundige schreeuwde: 'Persen, meid. Pers alsof je een grote *caca* moet doen. Persen!' werd Pito een beetje groener. En toen Materena kreunde: 'Ah *hia hia*, het doet zo'n pijn,' wist hij niet wat hij moest doen.

Tamatoa werd 's middags om achttien over twee geboren. Toen Pito zijn zoon in zijn armen hield, huilde hij tranen met tuiten en zei tegen Materena: 'Jij bent mijn woman.'

Een week later nam hij een baan bij een houtopslag, pakte zijn koffers en trok bij Materena in.

De eerste paar dagen ging alles goed, maar het werd Materena al gauw duidelijk dat Pito en Loana nooit met elkaar overweg zouden kunnen. Ze wilden allebei baas zijn over de baby.

Als Pito Tamatoa op zijn eigen manier in slaap wiegde, zei Loana tegen hem: 'Zo wieg je een baby niet. Lieve hemel, jongen, ik kan wel zien dat jij nog nooit een baby hebt gewiegd. Weet je wel dat mijn kleinzoon zo schade kan oplopen?'

Loana pakte Tamatoa iedere keer als hij huilde op en dan zei Pito tegen haar: 'Laat dat kind toch een beetje huilen. Dat is het enige waarvoor hij zich hoeft in te spannen. Mijn zoon wordt nog een flikker op die manier.'

En zo ging dat maar door.

Dag in dag uit.

Maandenlang.

Pito zei tegen Materena dat haar moeder een bazige kolonel was. En Loana zei dat Pito een typische man was.

Materena is klaar met het boenen van het fornuis. Zij en Pito zijn nu bijna twaalf jaar bij elkaar. Zij is nog steeds een professionele schoonmaakster en ze houdt van haar werk. Pito werkt nog steeds bij de houtopslag. Hij houdt niet van zijn werk, hoewel hij wel blij is dat hij een baan heeft. Ze hebben nu hun eigen huis.

Ze kunnen het goed met elkaar vinden, maar er zijn dagen dat ze hem wel kan vermoorden. Ze kan hem nu horen snurken.

Ze ruimt op, controleert of het gas uit is en gaat haar kinderen een nachtzoen geven.

Dat doet ze altijd voor ze naar bed gaat.

Ze geeft haar dochter Leilani een heel zacht zoentje op haar voorhoofd, omdat ze snel wakker wordt.

'Hoe laat is het, Mamie?' vraagt Leilani.

'Ga maar weer slapen, meisje.' Leilani is altijd bang om de vrachtwagen naar school te missen. Voor ze 's avonds naar bed gaat, controleert ze altijd haar wekker. Ze is tien jaar.

Nu is Materena in de kamer van haar zoons. Ze slapen op matrassen op de grond, omdat ze dat graag willen. Materena bukt en geeft het oudste kind van het gezin, Tamatoa, een zoen. Hij beweegt niet eens. Hij is twaalf jaar en drie maanden en op sommige dagen denkt hij dat hij de baas is in huis.

Materena's jongste kind, Moana van acht, ligt op de grond. Materena tilt hem op en legt hem terug op zijn matras. Hij is erg licht – of misschien heeft zij gewoon sterke armen. Toen ze van hem in verwachting was, dacht ze dat de baby een meisje zou worden.

Net als met de andere kinderen had ze de naaldtest gedaan. Je steekt een draad in een naald en houdt de naald boven je navel. Als hij van links naar rechts slingert, is de baby een jongen. Als hij rondjes draait, is het een meisje. De naald draaide rondjes, dus noemde Materena haar ongeboren kind Loana, naar haar moeder. Maar toen werd er in plaats van een meisje een jongen geboren. Materena verving de L door een M en de naam werd Moana: Oceaan.

En nu gaat ze naar bed.

De lichten gaan uit in het kleine triplex huisje. Het staat achter de benzinepomp, dichtbij het vliegveld, de kerk, de begraafplaats en de Chinese winkel.

Pito ligt nog steeds te snurken en Materena geeft hem een zetje. Hij beweegt en mompelt wat. Meestal knijpt ze zijn neus dicht of geeft ze hem een tik op zijn hoofd. Niet altijd, maar meestal wel. Materena kruipt tegen Pito aan. Ze kan niet geloven dat hij haar dat aanzoek heeft gedaan. In al die veertien jaar dat ze bij elkaar zijn, hebben ze het nooit over trouwen gehad. Het huwelijksaanzoek van vanavond is echt een grote verrassing, maar Materena houdt zich voor dat Pito dronken was. Dat betekent dus dat dat aanzoek niks voorstelt. Zij vindt dat verder prima. De kinderen zeuren er niet over dat ze moeten trouwen. Materena is Mamie en Pito is Papi en dat is genoeg. Pito's moeder, Mama Roti, vindt het niet erg dat haar zoon niet met Materena getrouwd is. En Materena's moeder, Loana, zet haar niet onder druk om haar situatie met Pito officieel te regelen.

Iedereen is heel tevreden zoals het is.

Maar Materena begint erover na te denken hoe het zou zijn om getrouwd te zijn. Het lijkt haar wel leuk.

Ze voelt aan haar blote handen en stelt zich voor dat ze een gouden ring om haar vinger heeft. Ze ziet dat lijstje met de huwelijksakte aan de woonkamermuur hangen. Ze hoort zichzelf tegen mensen zeggen: 'Ik ben het, Madame Tehana.'

O, ja, Materena zou het best leuk vinden om een Madame te zijn. Ze is al vaak Madame genoemd, maar alleen door de *popa'a's*, de buitenlanders, en ze vindt dat een beetje gênant, want ze is geen Madame. Het is net of ze haar identiteit verloochent. De Polynesische mensen noemen haar *Mama* of *Vahine*. Haar neven en nichten noemen haar Materena of nicht.

Materena begint na te denken over een huwelijksplechtigheid. Pito zou zijn marineblauwe pak kunnen aantrekken, dat hij altijd draagt naar bruiloften en begrafenissen. Materena kent hem – zodra ze uit de kerk komen, zal hij het willen omruilen voor iets gemakkelijks, zoals zijn gerafelde T-shirt.

Materena stelt geen hoge eisen aan haar trouwjurk, als hij maar nieuw is.

Ze begint al helemaal opgewonden te raken.

De man met wie Loana

zou trouwen

Ze is zo opgewonden dat ze er niet van kan slapen. Ze weet dat het een beetje gek is om opgewonden te raken over Pito's dronken huwelijksaanzoek, maar ze denkt dat hij het misschien echt meende. Sommige mensen moeten eerst bier op hebben voor ze over serieuze zaken durven praten. Hoe zat het ook weer met die droom die ze gisteren had? Ze probeert hem te analyseren. Zij zou gaan trouwen met de man uit de film en Pito kwam op een paard de kerk binnenstormen en redde haar!

Materena kust Pito in zijn nek en drukt haar lichaam tegen hem aan. Meestal als ze dit doet terwijl hij ligt te slapen, wordt hij wakker en springt hij meteen bovenop haar. Maar hij is dronken, dus hij blijft gewoon liggen.

Materena denkt eraan wat haar moeder zou zeggen als ze haar zou vertellen dat ze gaat trouwen.

Misschien zou ze zeggen: 'Het zal tijd worden dat Pito besluit met je te trouwen, na alles wat je voor hem hebt gedaan.'

Of: 'Weet je zeker dat je nu met hem wilt trouwen? Wil je niet wachten tot jullie wat ouder zijn?'

Of: '*Oish*, wat is zo'n huwelijk waard?'

Of zelfs: 'Ik heb je nooit gezegd dat je huwelijksdag de gelukkigste dag van je leven zou zijn!'

Loana heeft Materena vaak verteld over een huwelijksaanzoek dat ze kreeg toen ze zeventien was. De jongeman heette Auguste.

Nog maar een paar maanden geleden heeft Loana haar verteld over de allereerste keer dat ze Auguste terugzag nadat ze zijn huwelijksaanzoek had afgewezen. Loana herkende hem meteen. Hij was lang en slank, maar zijn haar was grijs.

Hij liep langs het postkantoor en Loana zei dat ze op het punt stond om te roepen: 'Hé, Auguste, gaat het goed met je?' Maar ze bedacht zich op het laatste moment.

Wat zeg je tegen een man die vijfendertig jaar geleden geprobeerd heeft zelfmoord te plegen om jou?

Dus, zei Loana, bleef ze gewoon staan kijken terwijl Auguste doorliep. Een goedgeklede man met een aktetas in zijn hand – een zakenman of misschien een professor. En Loana voelde zich raar.

Dit is het verhaal van Loana's huwelijksaanzoek.

Nadat haar moeder was overleden, ging Loana bij een verre tante en haar Ierse man wonen. De tante en haar man waren toegewijde kerkgangers. Nou ja, tante was de toegewijde kerkgangster en haar man moest wel mee, anders kreeg hij het met tante aan de stok.

Ze gingen naar de kerk in Sainte Thérèse en tante dwong Loana bij het kerkkoor te gaan, omdat ze vond dat ze een prachtige stem had. En een meisje dat voor God zingt, moet wel een goede man vinden – in de kerk. Tante had haar man niet in de kerk leren kennen, maar hij was toch een goede partij. Ze had geluk gehad.

Dus zong Loana iedere zondagmorgen in het kerkkoor.

Op een zondag kwam Auguste met zijn familie naar de mis in Sainte Thérèse – vroeger gingen ze altijd naar de kathedraal.

Auguste werd op slag verliefd op Loana. Iedere zondag zat hij op de voorste rij in de kerk om haar te bewonderen. Loana merkte hem niet op, omdat ze te geconcentreerd bezig was met zingen.

Op een dag, meteen na de mis, sprak de moeder van Auguste Loana's tante aan. Ze wilde het een en ander over Loana weten en tante zei: 'Ah, mijn nicht is een heel goed meisje. Ze gaat iedere zondag naar de kerk – het is geen meisje dat gekke dingen doet.' De twee vrouwen praatten een poosje met elkaar en toen ze afscheid namen, omhelsden ze elkaar alsof ze elkaar goed kenden.

De zondag daarna werden Auguste en Loana officieel aan elkaar voorgesteld.

En vijf zondagen lang maakten ze na de mis inderdaad een praatje met elkaar.

Op een dag, toen ze van de kerk naar huis liepen, zei tante giechelend en knipogend tegen Loana: 'Je hebt een mooie vis aan de haak geslagen, meisje.'

Al gauw kwam er een huwelijksaanzoek. De tante verwachtte natuurlijk dat Loana het aanzoek zou accepteren, want Auguste kwam uit een zeer respectabele familie en hij had een fantastische toekomst als onderwijzer voor zich. Hij was een toegewijde kerkganger en had bovendien een knap gezicht en onberispelijke manieren. Onberispelijk.

Tante zei tegen Loana: 'Denk over dat huwelijksaanzoek na, meisje. Denk er ernstig over na.'

Intussen werd geregeld dat de jongeman op bezoek kwam. Tante bepaalde de datum en de tijd.

Auguste verscheen klokslag zes uur, zoals tante had bevolen. Hij had een potplant voor tante meegenomen. Ze was helemaal verrast door dit geschenk.

Ze gingen aan de keukentafel zitten: Auguste en tante aan de ene kant en Loana aan de andere. De Ierse oom hield zich achter het huis bezig met een fles whisky.

Auguste kwam de volgende dag weer. En de dag daarna weer. En de dag daarna weer. Twee weken gingen zo voorbij. Toen eiste hij een antwoord. Tante bekende Loana dat het huwelijk haar veel rust zou geven.

'Ik ben niet jong meer, meisje,' zei ze. 'Ik kan ieder moment het hoofd neerleggen.'

Tante wilde sterven in de wetenschap dat Loana goed verzorgd achterbleef, met een dak boven haar hoofd, eten op tafel en een goede, hardwerkende man.

Loana accepteerde het huwelijksaanzoek.

Auguste liet zich op zijn knieën vallen en zei tegen haar: 'Ik zweer je dat ik een gelukkige vrouw van je zal maken.'

Maar toen Loana op een avond op de veranda zat na te denken, besefte ze opeens dat ze niet Augustes vrouw wilde worden. Ze voelde niets voor hem en ze wist dat je iets moest voelen voor de man met wie je ging trouwen. Loana wist bijvoorbeeld dat tante, toen ze Gordon voor het eerst ontmoette, dacht: 'Dat is de man voor mij. Die man wil ik hebben!'

Loana vertelde tante dat ze had besloten niet met Auguste te gaan trouwen.

'Ik kan je niet dwingen, meisje, maar je maakt een grote fout,' zei tante teleurgesteld. 'Op een dag krijg je er spijt van. Nou, ga het Auguste maar vertellen. Ik trek mijn handen ervan af.'

Auguste begon te huilen toen Loana het hem vertelde. Hij liet zich op zijn knieën vallen, smeekte, en dreigde een eind aan zijn leven te maken.

De volgende ochtend probeerde hij zichzelf op te hangen. Gelukkig had een buurman die zijn hond buiten eten ging geven, hem in de gaten. Hij sprong over de schutting, maar toen hij bij de broodvruchtboom aankwam, lag Auguste al op de grond – levend en wel. De tak was afgebroken. Hij was niet voorbestemd om die dag te sterven.

Augustes moeder was er zo kapot van dat ze haar zoon naar Frankrijk stuurde.

Loana moest met tante en haar man van kerk veranderen. Het was onverdraaglijk om in dezelfde kerk te zitten als de moeder van die arme, zeventienjarige jongen die om Loana zelfmoord had willen plegen.

Tante dwong Loana niet om in de nieuwe kerk bij het kerkkoor te gaan.

Aue… Loana vertelde Materena dat ze zich maandenlang schuldig had gevoeld. Toen werd ze verliefd en was ze blij dat ze niet met die Auguste was getrouwd. Later werd haar hart gebroken en had ze er spijt van dat ze niet met die Auguste was getrouwd. En toen werd ze weer verliefd.

Ze was vele keren verliefd geweest en twee van haar minnaars gaven haar kinderen. De een was een Franse militair die terugging naar zijn land en de ander was een Tahitiaan die terugging naar zijn vrouw.

Loana zegt dat ze het nu heeft gehad met de mannen. Ze is tevreden met haar leven. Ze kan gaan en staan waar ze wil, niemand hoeft haar ergens toestemming voor te geven. Niemand vraagt haar waar ze heen gaat, wanneer ze terugkomt, met wie ze weggaat, *patati patata…*

Niet dat ze ergens naartoe gaat. Ze vindt het fijn om thuis te blijven.

Maar als ze zin heeft om op de mat in de huiskamer te slapen, dan doet ze dat en als ze zin heeft om op te blijven, dan kijkt ze tv of luistert ze naar de muziek op de radio.

Ze is alleen, maar ze is vrij.

Aue, het leven is simpel.

Maar er zijn dagen dat ze het fijn zou vinden om iemand te hebben.

Materena rolt naar de andere kant van het bed. Het is te warm om tegen Pito aan te liggen. Bovendien hangt er een sterke alcohollucht om hem heen. Materena zegt tegen zichzelf dat ze maar beter kan gaan slapen, ook al hoeft ze morgen, zaterdag, niet te werken. Maar het huwelijksaanzoek

speelt door haar hoofd. Ze hoort Pito steeds zeggen: 'Trouw met me.'
Trouw met me.
Ga slapen, Materena, zegt ze tegen zichzelf.

Wie zal Materena naar
het altaar brengen?

Materena kan niet slapen.

Ze weet dat er een heleboel mensen naar haar bruiloft zullen komen, want ze heeft honderden neven en nichten – en die gaan allemaal graag naar doopplechtigheden, eerste communies, heilige vormsels en verjaardagen, zelfs als ze niet zijn uitgenodigd.

En als er een ongenode gast naar je feest komt, kun je niet zeggen: Wat doe jij hier? Ik heb je niet gevraagd. Ga maar weer naar huis. Dat hoort niet. Op een dag heb je die neef of nicht misschien nodig. Bovendien nemen ongenode neven en nichten altijd eten en drinken mee en dat is fijn. Materena heeft er dus geen moeite mee dat ze naar haar bruiloft komen.

Maar de echte gasten krijgen een uitnodiging – zoals haar zwangere nicht Giselle, neef Mori, nicht Tepua, tante Stella… en Rita wordt bruidsmeisje, want zij is Materena's lievelingsnicht.

Mama Teta zal Materena naar de kerk en door Papeete rijden, nicht Moeta zal de bruidstaart maken (een chocoladetaart natuurlijk) en nicht Georgette, een professionele dj, zal zorgen dat er voor jong en oud liedjes zijn om op te dansen.

Materena denkt eraan hoe jammer het is dat een moeder haar dochter niet naar het altaar kan brengen. Voor de honderdste keer in haar leven vraagt ze zich af wat er gebeurd zou zijn als haar vader niet naar zijn land was teruggegaan.

Hij heette Tom Delors. Hij kwam naar Tahiti om zijn militaire dienstplicht te vervullen. Loana en hij waren achttien toen ze elkaar ontmoetten. Ze leerden elkaar kennen in de Zizou-bar in Papeete, de bar waar de Franse militairen en de plaatselijke vrouwen elkaar ontmoeten. Loana stond samen met een vriendin druk te kletsen aan de bar toen Tom haar ten dans vroeg. Ze ging erop in omdat ze zin had om te dansen en omdat Tom een knap gezicht had. Ze was echt niet van plan de hele avond met haar vriendin te blijven praten!

Ze dansten de hele avond door, met kleine rustpauzes, waarin ze even samen kletsten en een *whisky Coca* dronken. Aan het eind van de avond maakten ze een afspraakje voor de zaterdag daarna, omdat ze elkaar erg leuk vonden. Loana vond dat Tom fantastisch kon dansen en ze vond hem grappig. Tom was helemaal verrukt van Loana's exotische schoonheid: haar lange, zwarte haar en het korte pareu-jurkje met de dunne bandjes.

Binnen drie maanden na hun eerste ontmoeting woonden ze samen in een klein huisje bij Arue. Er woonden daar nog drie andere stellen – militairen en Tahitiaanse vrouwen.

Loana's oudere zus schaamde zich dat Loana scharrelde met een popa'a – erger nog, met een militair. In die tijd hadden plaatselijke vrouwen die scharrelden met militaire popa'a's een slechte naam. Ze werden sletten genoemd, vrouwen die alles over hadden voor een vliegticket naar Frankrijk. Maar Loana was helemaal niet uit op een ticket naar Frankrijk – zij hield gewoon van haar Tom.

Als Tom werd uitgezonden naar een van de eilanden verderop, ging Loana uit dansen met haar vriendinnen om iets te doen te hebben, maar dat kwam niet vaak voor. Tom vond dat niet prettig. Hij was een jaloers type, de vader van Materena.

'Hé, Tom,' zie Loana dan tegen hem. 'Ik hou van jóú.'

Jazeker, ze hield zielsveel van hem. En hij was goed voor haar.

Ze waren zes maanden samen toen ze uit elkaar gingen.

Dat ging heel raar.

Ze hadden die dag gasten te eten en Loana had extra moeite gedaan om kip te maken – kip met spliterwten.

Toen de kip op tafel kwam, zei Tom: 'Zo hoor je kip niet klaar te maken.' Een paar gasten zeiden nog dat ze Loana's kip met spliterwten heerlijk vonden. Maar Tom bleef erbij dat de kip niet te eten was. Loana, die zich vernederd voelde door zijn beledigende opmerkingen, gooide hem een bord naar zijn hoofd. Hij dook weg en lachte. Maar nog voor hij de kans had gehad om het goed te maken, pakte Loana haar koffers en een van de gasten bracht haar op zijn Vespa naar het huis van haar zus.

Het ís natuurlijk mogelijk dat de kip inderdaad niet lekker was en dat Loana toen nog niet zo goed kon koken als nu. Maar Materena vindt toch dat als je van iemand houdt, je niet haar kookkunst bekritiseert en haar niet voor het oog van een heleboel mensen voor schut zet.

Loana wachtte tot Tom haar zijn excuses zou komen aanbieden. Dan zou zij hem ook haar excuses aanbieden en dan zouden ze weer bij elkaar komen.

Maar hij kwam nooit opdagen.

Loana was er kapot van. Én ze was drie weken zwanger, maar dat wist ze toen nog niet.

Toen Loana erachter kwam dat er een kindje in haar buik groeide, huilde ze tranen met tuiten. Haar zus zei: 'Ik heb je voor die mensen gewaarschuwd. Kijk nou eens naar jezelf. Wat voor naam ga je op het geboortecertificaat zetten, eh? Het wordt een bastaard. Sta het af voor adoptie. Je hebt geen geld, geen baan, geen papieren – je hebt niets. Ik heb het je gezegd. Maar jij moest je zo nodig vergooien aan een popa'a, alsof we zelf niet genoeg goede mannen hebben om uit te kiezen.'

Iedere keer als Loana kip met spliterwten klaarmaakt, moet ze denken aan Tom en de gekke manier waarop ze uit elkaar zijn gegaan.

En als Materena kip met spliterwten maakt, moet ze er ook aan denken.

Ze was acht toen ze voor het eerst haar geboortecertificaat zag, met 'vader onbekend' erop. Ze vroeg aan haar moeder: 'Weet je niet wie mijn vader is?'

Loana reageerde gepikeerd. 'Wat?' zei ze. 'Denk je dat ik mijn benen spreid voor een man die ik niet ken? Natuurlijk ken ik de man die jou heeft gemaakt.'

Materena wilde nog wat meer weten, maar Loana wilde op dat moment alleen de nationaliteit van de man kwijt. 'Hij is een popa'a – en verder basta.'

Materena was vijftien toen ze het hele verhaal te horen kreeg. Ze moest huilen, omdat het voor haar een vreemd gevoel was om te weten wie haar vader was.

Ze heeft geen foto. Vroeger was er wel een van hem, in zijn zwembroek bij het strand, maar een van Loana's minnaars heeft die verscheurd, omdat hij jaloers was. Loana had hem zeker verteld hoeveel ze van Tom had gehouden.

Volgens Loana heeft Materena haar amandelvormige ogen en het kuiltje in haar linkerwang van haar vader.

Materena sluit haar ogen en als ze ze weer opendoet, is het zaterdagmorgen. Het eerste waar ze aan denkt is de bruiloft. Ze besluit het voorlopig stil te houden. Ze wil niet dat haar bruiloft uitdraait op een familiecircus, met familieleden die haar gek maken met zaken als wie naast wie moet zitten enzovoort. Een bruiloft mag een bruid geen stress bezorgen, het hoort een feest te zijn. Een nieuw begin.

Kika

Met het geheimhouden van een bruiloft gaat het net als met andere geheimen. Het is niet moeilijk. Het komt erop neer dat je, als je een familielid tegenkomt, eerst even op je tong bijt en dan snel een oppervlakkig praatje begint. In een halve dag tijd is Materena tot nog toe zes familieleden tegengekomen en ze heeft hun niets verteld over haar geheime plan. Als ze haar vroegen: 'En, is er nog nieuws?' antwoordde ze met haar gewone stem: 'Nee, hoor, nicht, geen nieuws. Alles is nog hetzelfde. En hoe is het met jou?'

Maar nu komt haar moeder op bezoek, en Materena zou het liefste roepen: 'Eh, Mamie! Je raadt het nooit! Pito heeft mijn hand gevraagd!' In plaats daarvan bijt ze echter op haar tong.

Loana was eigenlijk van plan om maar vijf minuutjes te blijven (ze was van een gebedsbijeenkomst onderweg naar huis), maar uiteindelijk zit ze met haar kleinkinderen te knuffelen op de bank en kijken ze samen naar *Inspector Gadget* op tv. Na de film gaan de kinderen naar bed, en omdat Pito op stap is met zijn vriend Ati, besluit Loana haar dochter nog wat langer gezelschap te houden.

'Pito en Ati lijken wel een getrouwd stel,' zegt Loana. Materena grinnikt, terwijl ze haar moeder een glas rode wijn inschenkt.

Ze praten over planten, het rare weer, de verkeersdrukte en de menopauze. Loana drinkt haar wijn.

En vervolgens vertelt Loana over haar moeder Kika, want daar heeft ze zin in, en Materena luistert.

Het is niet de eerste keer dat Loana zin heeft om over haar moeder te praten, maar het is wel de eerste keer dat ze wil dat wat ze vertelt opgenomen wordt. Materena pakt de radiocassetterecorder van de koelkast en gaat in haar slaapkamer batterijen en een leeg cassettebandje halen. Nu staat de radio op de keukentafel en Materena wacht op een teken van haar moeder om de opnameknop in te drukken.

Maar eerst wil Loana nog wat wijn. Materena pakt het kannetje rode wijn van de koelkast en schenkt het glas van haar moeder nog eens vol. Loana drinkt. Er rollen nu al tranen over haar wangen. Als ze alleen maar aan haar moeder denkt, moet Loana al huilen.

Loana hield van haar mama – Materena weet dat.

Het is voor Loana heel gewoon om naar het kerkhof te gaan en een praatje te maken met haar moeder. Ze doet dat ieder moment van de dag, soms zelfs midden in de nacht. Ik ga naar mama, zegt ze dan, en uren later komt ze pas weer terug. Sommige nachten slaapt ze op haar moeders graf.

Er zit geen wijn meer in het glas.

'Klaar?' Materena heeft haar vinger op de knop. Loana knikt en Materena drukt op RECORD.

Na een paar minuten begint Loana eindelijk te praten.

'We zijn in de kerk en het is communie. Ik kan het lichaam van Christus niet eten, want ik ben pas vijf en ik heb nog geen communie gedaan. Ik blijf zitten en ik kijk hoe de mensen in de rij gaan staan voor het lichaam van Christus. Mama blijft ook zitten. Zij kan het lichaam van Christus niet eten, omdat ze samenwoont met een man met wie ze niet getrouwd is. Haar man, mijn vader, is er met een andere vrouw vandoor gegaan naar Tahiti en mama moest een andere man zoeken, om haar te helpen op de kopraplantage. Mama kijkt niet naar de mensen in de rij, zij kijkt naar haar handen. Dan kijkt ze naar mijn stiefvader, aan de andere kant van het gangpad. Mannen en vrouwen zaten in die tijd apart. Het lijkt of mijn stiefvader ook naar zijn handen kijkt, maar hij heeft zijn ogen dicht. Hij is moe.

Ik wil naar de wc en het is nacht. De wc staat een eind bij het huis vandaan, voorbij de varkensstal, in de kokosplantage. Ik zeg tegen mezelf: wacht tot het dag wordt, wacht tot het dag wordt, maar ik kan niet wachten. Mama ligt te slapen en ik maak haar wakker.

Ik zeg: "Mama, ik heb buikpijn." Ze zegt: "Ah hia," en ik denk dat ze blijft liggen, maar ze komt uit bed. Ze houdt me bij mijn hand terwijl we naar de wc lopen en ik ben niet bang. Ik voel me beschermd.

Een andere keer zijn we op Otepipi-eiland om limoenen te plukken, maar ik heb geen zin meer. Ik wil gewoon een beetje rondlopen. Ik loop rond en dan trap ik ergens op. Ik kijk naar beneden en dan zie ik drie schedels. Er zit wat gras overheen, maar ik kan ze zien. Ik gil. Meteen is mama bij me. Ze heeft schrammen op haar armen, omdat ze door de limoenenplantage is gerend. Ze geeft me een klap. En dan slaat ze haar armen om me heen. Ik vertel haar over de schedels. Ze zegt: "Je kunt beter bang zijn voor mensen die leven."'

Loana wil nog wat wijn. Ze drinkt haar glas in één teug leeg en gaat verder.

'Het is een tijdje later en ik krijg binnenkort een test om het heilig vormsel toegediend te krijgen. We zitten onder de *tau*-boom. Mama kijkt in mijn haar of ik luizen heb. Ik heb geen luis, maar mama wil gewoon met haar handen bezig zijn. Zij stelt me vragen en ik geef antwoord. Als het antwoord goed is, zegt ze niets. Als het fout is, geeft ze me een tik op mijn hoofd of trekt ze er een haar uit. Het is een grote schande om te zakken voor de test voor het heilig vormsel en Kika wil geen schande meer meemaken sinds haar man er met een andere vrouw vandoor is gegaan. Ik slaag voor de test en mama geeft me een kus op mijn voorhoofd. Ze zegt: "Je hebt me vandaag erg trots gemaakt."'

Loana wil nog een glas wijn, maar ze drinkt het niet leeg. Ze houdt het alleen vast.

'Mama gaat naar Tahiti om bij mijn oudere zus op bezoek te gaan. Mijn stiefvader gaat terug naar zijn eiland om zijn familie te bezoeken. Een heel goede vriendin van mama, de grootmoeder van Teva, zal voor me zorgen. Mama is heel gelukkig. Ze neuriet. Ze telt de munten die ze heeft gespaard in de melkfles, geld van het werken op de kopraplantage. Mama gaat nieuwe jurken kopen voor mijn zus, en ik ben jaloers, want ik heb maar twee jurken en die zijn oud. Ik ben ook jaloers omdat mama me niet meeneemt naar Tahiti.

Ik huil als ze op de boot stapt en ze draait zich van me af. En Teva's grootmoeder moppert op me. Ze zegt: "Hou op met dat gehuil." Ze zegt dat het veiliger voor me is om hier te blijven, omdat Kika zal sterven van verdriet als die *titoi*, die klootzak, ooit de wet zou gebruiken om mij te stelen, net zoals hij mijn zus heeft gestolen. Ik mis mijn mama. Ik denk: stel je voor dat ze niet terugkomt. Teva's grootmoeder is erg aardig, maar ze is niet mama.

Als mama terugkomt, ren ik naar haar toe. Ze pakt me niet vast. Ze geeft me een kus op mijn voorhoofd, alsof het een verplichting is. Het is net of ze niet blij is me te zien. Ik verstop me dus in de struiken. Ik blijf daar een hele tijd zitten. Mama roept me en ik geef geen antwoord. Ze roept me weer en ik roep: "Jaa!" Ze komt me achterna met de bezem en ze slaat me. Teva's grootmoeder komt aanhollen om me te redden. Mama zegt tegen haar vriendin dat ze zich met haar eigen zaken moet bemoeien. En de vriendin schreeuwt: "Loana kan er ook niks aan doen dat die titoi van een Tahitiaanse kerel van je wil scheiden!"'

Loana drinkt van haar wijn en er komen tranen in haar ogen.

'Ik ben veertien als mama bij me weggaat.' Haar stem beeft.

'We zijn dit keer allebei in Tahiti. We logeren in het huis van een familielid in Faa'a – bij de grootmoeder van Rita. We zijn in Tahiti om een bezoek te brengen aan mijn stiefvader, die in Mamao in het ziekenhuis ligt.

Ik lig in bed als Rita's grootmoeder me wakker komt maken. Het is ongeveer tien voor halfzeven. Ik doe mijn ogen open. Ze fluistert: "Loana, kom naar de keuken." Ik ga naar de keuken en ik zie mijn moeder op de keukentafel liggen. Haar handen zijn samengevouwen in gebed en er liggen munten op haar oogleden. Ik begrijp het niet. Rita's moeder zegt: "Loana, zeg maar *adieu* tegen je mama. Ze is dood."

Ik wil gillen, maar het familielid legt haar hand over mijn mond. Ze zegt: "Niet huilen, de ziel van je moeder is nog in de keuken. Je moet je tranen nog een uur inhouden." Ze zegt dat het maar goed is dat mama op Tahiti gestorven is en niet op Rangiroa. Ja, het is goed dat ze hier alleen is gestorven, zonder haar tweede man. Dan wordt haar dode lichaam tenminste toegelaten in de kerk. Hier is ze Madame Mahi, terwijl ze daar Mito's woman is. Het familielid zegt: "We zullen je mama een mooie begrafenis geven. Het koor zal voor haar zingen en we zullen de accordeon voor haar spelen. Wees maar niet te verdrietig."'

De tranen stromen nu over Loana's wangen en Materena slaat haar armen om haar moeder heen.

'Ik mis mijn mama,' huilt Loana. 'Ze is al achtendertig jaar dood, maar ik mis haar nog steeds.'

Materena zegt niets. Ze houdt haar moeder alleen heel stevig vast.

Loana trekt zich zachtjes terug en veegt haar tranen weg met de rug van haar hand. 'Schenk me nog eens in, kind.'

Materena wil haar moeder eigenlijk geen wijn meer geven, omdat ze vindt dat wijn en verdriet niet goed samengaan. 'Mamie,' zegt ze zacht.

'Misschien heb je genoeg wijn gehad, eh? Zal ik een kopje koffie voor je zetten?'

'Wil je dat ik de hele nacht wakker lig?' Loana grijpt de wijnkan en schenkt haar glas vol. Ze neemt genietend een slok en zucht. 'Je weet dat de scheiding van mijn ouders een vreselijk trauma voor me is geweest.' Ze kijkt op. 'Ja, dat is het juiste woord. Een trauma.'

'Ah, *oui*,' zegt Materena instemmend. 'Voor de kinderen is het erg, maar soms is het beter om te scheiden.'

'De scheiding was niet het ergste trauma. Het is mijn... het is mijn mama.' Loana bijt op haar trillende lip. 'Het is dat mijn mama geen gescheiden vrouw wilde zijn. Vandaag de dag gaan er zoveel mensen uit elkaar dat het heel normaal is om een gescheiden vrouw te zijn. Het kan niemand iets schelen.'

Materena knikt langzaam.

'Maar in de tijd van mijn mama,' vervolgt Loana, 'ging niemand scheiden. Je bleef je hele leven bij elkaar, dat hoorde zo. Dat werd van je verwacht. Weet je, toen mijn vader mijn mama in de steek liet voor een andere vrouw, werd de krans van het heilig vormsel van mijn moeder van de kerkmuur gehaald. Het was net een veroordeling.'

'Maar grootmoeder was niet degene die haar man in de steek liet,' zegt Materena.

'Dat deed er niet toe.' Loana schudt haar hoofd. 'Mijn mama stierf met haar trouwring om haar vinger. Haar trouwfoto zat in haar koffer geplakt en ik heb zo vaak gezien dat ze ernaar zat te kijken... zo vaak. Het was een obsessie voor haar.'

'Haar man?'

Loana kijkt Materena aan. 'Het getrouwd zijn.' Ze slaakt een diepe, verdrietige zucht. 'Het huwelijk,' zegt ze. 'Het is...' Maar ze praat niet verder. Ze staat op.

Ze gaat naar het kerkhof om met haar mama te praten. Materena stelt voor om met haar mee te gaan, maar Loana wil alleen het gezelschap van haar mama en van niemand anders.

'We gaan een andere avond wel verder met opnemen,' zegt ze. 'Ik zie je zaterdagmorgen bij het kerkhof.'

'Ja, mamie.' Materena omhelst haar moeder nog een laatste keer.

Over twee dagen is Kika's verjaardag. Ze zou eenentachtig zijn geworden.

Materena plakt een etiket op het bandje: Kika, mijn grootmoeder. Dan legt ze het bandje in haar doos met dingen die erg belangrijk zijn – zoals de geboortecertificaten van haar kinderen.

De knijper

Kiki is vandaag eenentachtig jaar geworden.

'Eh, eh,' fluistert Materena, terwijl ze een boeket bloemen maakt voor haar grootmoeder. 'Als *grandmère* nog maar leefde. Dat zou zo fijn zijn voor mamie.' Ze doet een stap achteruit om het boeket goed te bekijken. Ze vraagt zich af of ze de rode *opuhi* misschien een beetje naar links moet verschuiven, of dat ze er misschien wat meer witte *pitate*-bloemen bij moet doen. Ze kijkt aandachtig.

Er ontbreekt iets aan dit boeket. Het is een prachtig boeket, met liefde en aandacht gemaakt met bloemen uit Materena's tuin, maar het is nog niet af. Er ontbreekt iets aan. Dus blijft ze het boeket bestuderen, tot ze merkt dat haar oudste zoon met zijn hand voor haar gezicht zwaait.

'Zit je te dromen, mamie?' vraagt hij.

'*Non*, ik was…'

Tamatoa onderbreekt zijn moeder om haar het vreemde nieuws te vertellen. 'Leilani heeft een knijper op haar neus. Ze is in haar slaapkamer. Ik heb het met mijn eigen ogen gezien.' Tamatoa laat zijn moeder zijn ogen zien om te bewijzen dat hij de waarheid spreekt.

Wat moet dat kind met een knijper op haar neus? Materena maakt zich zorgen. Het eerste wat in haar opkomt is dat Leilani een spelletje doet dat met ademhaling te maken heeft.

Ze gaat poolshoogte nemen. De deur staat halfopen en ze loopt met grote stappen de slaapkamer binnen. Leilani ligt op haar bed, met een roze knijper op haar neus. Zodra ze haar moeder ziet, haalt ze het ding eraf.

'Wat hoor ik daar van een knijper op je neus?' vraagt Materena.

'Niks.' Leilani werpt Tamatoa een *tiho-tiho parau*-blik toe: dat heb jij zeker verklikt?

'O, dus je had vandaag zomaar zin om een knijper op je neus te doen, eh?' Materena weet dat Leilani ja gaat zeggen, omdat het verhoor dan is afgelopen.

Leilani mompelt een antwoord. 'Ja.'

Materena begrijpt dat haar kinderen niet ieder kleinigheidje aan hun mamie kunnen uitleggen, omdat sommige dingen geheim zijn. Maar dat van die knijper op de neus, daar wil ze meer van weten.

'Vertel nou maar hoe dat zit met die knijper. Ik zal niet boos worden.'

Stilte. Leilani staart naar het plafond.

Materena wil per se weten of de knijper op de neus iets met ademhaling te maken heeft.

'Een spelletje dat met ademhaling te maken heeft?' Leilani moet bijna lachen.

'Niet dus?' vraagt Materena.

'Non!'

'Oké. Hoe zit het dan?' Materena gaat op het bed zitten.

Tamatoa, die bij de deur staat, brengt zijn moeder op de hoogte. De knijper heeft ermee te maken dat Leilani een puntige neus wil hebben.

'Hou je kop!' Leilani kijkt alsof ze haar broer met haar ogen wil doodsteken.

Materena beveelt Tamatoa te vertrekken en de deur achter zich dicht te doen. Ze waarschuwt hem dat als ze ooit merkt dat hij weer een privégesprek afluistert…

De deur gaat dicht.

Materena kijkt naar Leilani, die nu haar neus met haar handen bedekt. Materena haalt haar handen weg. 'Kom nou toch, kind. Er mankeert niets aan jouw neus.'

Maar in Leilani's ogen is haar neus te plat. Net de neus van een bokser.

Materena wil bijna gaan lachen, maar dit is een serieuze zaak. Ze kent een heleboel nichten voor wie hun neus een gevoelig onderwerp is. Je kunt alles tegen hen zeggen, maar als je over hun platte neus begint, zorgen ze dat jíj er een krijgt. Loma zei bijvoorbeeld tijdens de mis een keer tegen Tapeta: 'Wat heb jij toch een ongelofelijk platte neus!' Tapeta zong rustig door, maar na de mis gaf ze Loma meteen een stomp op haar neus.

'Hoe komt het dat je je opeens zorgen maakt over je neus, Leilani?' Materena praat en kijkt ernstig. 'Je hebt er nooit eerder over geklaagd.'

Leilani geeft toe dat ze er vanmorgen een hele tijd naar heeft staan kijken in de spiegel en dat het haar toen opviel dat hij plat was.

'Hoe kwam je op het idee om zo'n tijd naar je neus te gaan staan kijken?

Dat weet Leilani niet. Ze had er gewoon zin in.

Ah, *hia, hia*...

'Je neus ziet er leuk uit,' zegt Materena.

'Jok je niet, mamie?'

'Ah, non, ik jok niet. Zie ik eruit als iemand die jokt?'

Leilani streelt zachtjes over haar neus.

'Als je een grote neus wilt zien, moet je de mijne maar eens bekijken.' Materena wijst op haar neus.

Leilani voelt zich nu een stuk beter.

Materena kan teruggaan naar de keuken. Maar ze heeft een vraag voor haar dochter, gewoon uit nieuwsgierigheid. 'Zeg eens, kind, dat foefje met die knijper, werkt dat echt? Heb je dat op school geleerd? Als je een knijper op je neus doet, wordt je neus dan puntig?'

Leilani weet het niet honderd procent zeker. Ze is haar uitvinding nog aan het uitproberen.

Materena gaat terug naar de keuken. Maar eerst gaat ze bij de spiegel even naar haar neus kijken. Ze kijkt altijd naar haar neus als ze voor de spiegel staat, omdat hij midden in haar gezicht zit, maar nu kijkt ze er niet zomaar naar. Ze bestudeert hem.

'Ik heb een platte neus.' Nou, Materena heeft altijd geweten dat ze een platte neus had. Ze is ermee geboren.

Haar tante Stella, die hielp bij de bevalling, schijnt tegen Loana te hebben gezegd: 'Dát is een platte neus. Kom, meid, je moet hem snel masseren, voor de botten hard worden.' Maar Loana zei tegen Stella dat ze zich beter met haar eigen neus kon bemoeien.

Loana was trots dat haar dochter net zo'n platte neus had als zijzelf. Zij beschouwde het als een teken van karakter. In de loop der jaren herhaalde ze dat regelmatig tegenover Materena, dus toen die een tiener werd, was ze erg trots op haar platte neus.

Op een keer zei Loma tegen Materena: 'Ongelofelijk, wat heb jij toch een brede neusgaten!' En Materena zei: 'Loma, dat komt omdat ik karakter heb, daar wordt niet iedereen mee geboren. Ik hou van mijn platte neus.'

Maar toen Materena beviel van Leilani en haar platte neus zag, besloot ze hem toch te masseren, vóór de botten hard werden. Ze was inmiddels een beetje fiu van haar platte neus. Maar Loana sloeg haar hand weg en zei: 'Ik ken een vrouw van wie de neus meteen na de geboorte is gemasseerd en wat denk je? Hij staat helemaal scheef. Ze heeft zelfs moeite met ademhalen.'

Materena trekt haar neus omhoog. 'Ah, wat zie ik er zo belachelijk uit!' Nou ja, er zijn in het leven wel andere dingen om je druk over te maken.

Giechelend haast ze zich om het boeket van haar grootmoeder af te maken. Goed, wat mankeert eraan? Terwijl ze met haar vinger tegen haar neus tikt om beter te kunnen nadenken, staart ze naar het boeket. Dan, opeens, ziet ze het.

Er moet alleen nog een beetje geel bij!

Eeuwige slaap

Loana en Materena zitten onder de rode jasmijn naast het witgewassen, met wit zand bedekte graf waar Kika begraven ligt en bewonderen elkaars boeketten. Ze zijn met liefde gemaakt en hebben allebei een vleugje geel.

'Je boeket is prachtig, mamie,' zegt Materena.

'Het jouwe ook, kind.' Loana neemt de hand van haar dochter in de hare en knijpt erin. Dat betekent: *maururu*, heel erg bedankt dat je dit prachtige boeket hebt gemaakt voor mijn mama's verjaardag. Mijn zus is het zoals gewoonlijk weer vergeten.

Leilani en Moana spelen tikkertje op het pad. Soms onderbreken ze hun spel om de naam van een overledene te lezen, die in een van de witte betonnen kruisen staat gegraveerd. Als ze een foto zien, kijken ze en zeggen: 'Arme zij – ze is dood.'

Materena roept: 'Pas op jullie, niet op de graven lopen!'

De kinderen roepen terug: 'Oui, mamie!'

Het is fijn om onder de rode jasmijn te zitten. Hij geeft schaduw en hij ruikt zoet.

Loana en Materena hebben Kika's graf schoongemaakt. Ze blijven onder de rode jasmijn zitten uitrusten tot Loana besluit dat het tijd wordt om op te stappen.

'Ik wilde zand van Rangiroa hebben voor mijn mama,' zegt Loana.

'Ah – en heb je het gekregen?' vraagt Materena.

'Non. Ik heb Poiro gebeld om te vragen of hij me een zak kon sturen,' zegt Loana. 'Ik wilde hem betalen voor het zand en voor de tijd die het hem kostte om het zand in de zak te scheppen en naar de boot te brengen, maar hij heeft het te druk met zijn bungalows.'

Materena kent Poiro niet, maar hij is vast familie.

'Volgens mij,' vervolgt Loana, 'gaat het dit jaar vast niet goed met zijn bungalows. Is het nou zo moeilijk om wat zand in een meelzak te stoppen, mijn naam erop te zetten en die zak in de boot te gooien? Als ik bedenk wat mijn mama allemaal voor zijn mama heeft gedaan... en dan is dit zijn dank.

We zullen eens zien wie er moet huilen als niemand die bungalows wil huren. Ik wilde mijn mama zo graag zand geven van haar eiland om te zorgen dat ze zich wat meer thuis zou voelen. Een dezer dagen ga ik het zand zelf wel halen.' Loana zucht. 'Op een dag doe ik het – maar wanneer? Ieder jaar zeg ik dat ik naar huis ga, op bezoek, maar er komt altijd iets tussen. Iets wat ik moet betalen.

Je broer belde me gisteravond.'

'Gaat het goed met hem?' vraagt Materena. 'Alles goed met de kinderen?'

'Ah oui,' antwoordt Loana. 'De kinderen maken het goed, maar... hij zit krap bij kas.'

Materena weet dat haar broer Loana heeft gebeld om geld te vragen. Eigenlijk belt Tinirau zijn moeder alleen maar op als hij geld nodig heeft.

'Eh,' zegt Loana. 'Ik zou allang naar huis zijn gegaan als mijn mama daar begraven lag.'

'Ah oui, mamie. Ik kan me niet voorstellen dat je grootmoeder niet zeker drie keer per jaar zou bezoeken.'

'Ah oui. Ik zou mijn moeder nooit zomaar alleen laten liggen, met onkruid op haar graf. Het is goed dat mijn mama op Tahiti begraven ligt.'

'Ah oui,' zegt Materena.

'Zo kan ik naast mijn mama begraven worden.'

'Oui.'

'Ik weet dat ik het je al eens verteld heb, maar ik zeg het nog maar eens: jullie moeten mij naast mijn mama begraven.'

'Oui.'

'Waag het niet me te begraven naast mijn vader. Jullie begraven me naast mijn mama.'

'Oké, mamie.'

Het is stil op de begraafplaats. Leilani en Moana weten dat als je tikkertje speelt op de begraafplaats, je niet gaat schreeuwen en lachen. Dan speel je zonder lawaai te maken.

Er zit een vrouw stilletjes te huilen bij een babygrafje. Een oude man zit met gebogen hoofd te roken bij een graf.

En Materena en Loana zitten nog steeds onder de rode jasmijn.

'Ik bid dat ik oud mag sterven,' zegt Loana. 'Niet zo oud dat ik niet meer alleen naar de wc kan en dat jullie me fijngemalen eten moeten voeren met een lepeltje. Non, niet zo oud dat jullie het moment afwachten dat ik doodga omdat ik zo lastig ben.'

'Mamie! Wij zullen nooit denken: schiet op, ga nou eens dood.'

'En breng me niet naar de Capa.'

'Ah non, dat doen we niet.'

'Als je naar de Capa gaat, is het afgelopen met je. Na de Capa komt het kerkhof. In de Capa zit je alleen maar te wachten tot je familie eraan denkt om bij je op bezoek te gaan. Je zit en je denkt en je wordt verdrietig. Dat gebeurt als je te veel denkt – dan word je verdrietig. Het beste is om iets te doen te hebben, iets om handen te hebben. Ik heb wel duizend keer jullie billen afgeveegd – wagen jullie het niet me naar de Capa te brengen. Ik zweer je, als ik daar moet sterven, ben ik niet gelukkig. Ik wil in mijn eigen huis doodgaan. In mijn tuin, bij mijn planten zou nog beter zijn, maar ik kan niet te veel van God verlangen. Maar ik wil niet doodgaan in de Capa.'

Er komen tranen in Materena's ogen. Waarom praat haar moeder over doodgaan? Is ze ziek en wil ze het niet vertellen? 'Mamie, je gaat toch niet dood?'

Loana lacht. 'Ah non!' Ze steekt haar benen naar voren. 'De oude benen zijn een beetje stijf als ik 's morgens opsta, maar verder ben ik gezond. Wat is dat nou voor vraag?'

'We hadden het over het zand, toen over mijn broer en nu heb je het over doodgaan.'

Loana haalt haar schouders op. 'We zitten op de begraafplaats. Waarom zouden we het dan niet over doodgaan hebben?'

'Ah.' Ja, Materena begrijpt het. Je praat niet over doodgaan als je aan het strand bent, of in de keuken. Over doodgaan praat je op de begraafplaats. Dat is logisch.

'Het is niet zo dat we nooit doodgaan,' zegt Loana. 'Het is goed om over je dood te praten. Kijk, als ik doodga, wil ik de volgende dag worden begraven. Leg me niet in de koelcel, ik wil niet in de koelcel. Dat is verschrikkelijk.'

'Maar als Tinirau nou nog steeds in Frankrijk woont als je doodgaat? Dan moet je in de koelcel.'

'Ah non, waag het niet me in de koelcel te stoppen. Je moet me begraven, niet wachten.'

Het is voor Materena erg moeilijk om over de begrafenis van haar moeder te praten, maar deze kwestie van de koelcel moet opgelost worden. 'Wil je dan niet dat al je kinderen bij je begrafenis zijn?' vraagt ze.

'Ik wil niet in de koelcel, punt uit. Als ik doodga, hou je een wake en dan begraaf je me. En huil niet om mijn dode lichaam. Geef mijn ziel de vrijheid om deze wereld te verlaten. Waag het niet mijn ziel te verstoren met jullie gehuil. Huil maar om me als ik nog leef, niet als ik dood ben.'

Loana houdt haar dochters hand vast. 'Eh, kind, de dood is verdrietig. Maar het is niet het einde. We worden weer met elkaar herenigd. Daar, op die plek. En jij wordt hier ook begraven, kind – naast je mamie en je grootmoeder.'

Materena kijkt naar de lucht, maar ze zegt niets.

'Toch, kind? Jij wordt toch naast mij begraven?'

Materena aarzelt. 'Oké.'

'Wat? Wil je niet naast mij begraven worden?'

'Ja, ja, dat is prima.'

Ja, voor Materena is het prima om naast haar moeder en grootmoeder begraven te worden, maar hoe moet het met Pito?

Op de viering van de Dag der Doden gaat Materena bidden op de begraafplaats van Faa'a en Pito op de begraafplaats van Punaauia. Het zal voor de kinderen veel gemakkelijker zijn als Pito en Materena op hetzelfde kerkhof liggen – zo mogelijk in hetzelfde graf.

Dus vraagt Materena aan Loana of zij het goed vindt als Pito hier ook begraven wordt.

Er valt een stilte en Materena heeft meteen spijt van haar vraag. Pito hoort niet bij de familie, beseft ze. Hij hoort alleen bij haar leven. Materena vraagt zich af of haar moeder eerder bereid zou zijn Pito hier te laten begraven als ze met hem getrouwd was.

'Denk je niet dat Pito liever begraven wil worden bij zijn familie in Pinaauia?' vraagt Loana.

Materena bekent dat ze nog nooit over hun begrafenis hebben gesproken.

'Daar moeten mensen wel over spreken,' verklaart Loana. 'Er was eens een oude vrouw die stierf zonder dat ze afspraken had gemaakt over haar begrafenis. Nou, er was tijdens haar wake heel veel ruzie tussen de kinderen die ze had met haar eerste man en de kinderen die ze had met haar tweede man. Er vlogen woorden over en weer, over het dode lichaam. De ene familie was ervan overtuigd dat hun moeder hier thuishoorde, de andere vond dat ze ergens anders naartoe moest. De arme vrouw moest de koelcel in en het duurde een hele maand voor haar lichaam eindelijk te ruste werd gelegd.'

'Waar werd ze uiteindelijk begraven?'

'Naast haar eerste man.'

Volgens Loana had de oude vrouw naast haar moeder begraven willen worden, maar ze had er nooit aan gedacht dat tegen haar kinderen te zeggen.

'Het is fijn om naast je moeder begraven te worden. Iedereen wil naast zijn moeder begraven worden,' zegt Loana.

'En als Pito nou wil dat ik naast hem word begraven, in Punaauia?'

Loana laat de hand van haar dochter los en snauwt: 'Doe wat je wilt. Het is jouw dode lichaam.'

Materena voelt zich net een tomaat tussen de sla en de komkommer. Dat is altijd zo als Loana en Pito in het spel zijn.

'Eh, mamie. Niet boos zijn,' smeekt ze.

'Ik ben niet boos. Als jij naast Pito begraven wilt worden, dan doe je dat maar. Ik ga niet zeggen dat je niet naast hem begraven mag worden.'

'Goed, dan komt Pito hier. Ik zal het hem vertellen.'

Loana haalt diep adem. 'Goed. Bespreken jullie in ieder geval maar eens hoe jullie je begrafenis willen regelen. Eh, misschien heeft Pito wel andere plannen.'

Die avond liggen Materena en Pito in bed. Materena weet dat Pito niet slaapt. Als hij slaapt, snurkt hij en dat doet hij nu niet.

'Pito, slaap je?'

Pito geeft geen antwoord.

Misschien slaapt hij zonder te snurken. Materena doet haar ogen dicht, maar ze wil echt over hun begrafenis praten en dit is precies een goed moment om zo'n onderwerp te bespreken. De kinderen kunnen hen niet storen.

'Pito?'

Pito geeft geen antwoord.

'Pito, ik weet dat je niet slaapt, want je snurkt niet. Pito?'

Pito doet met tegenzin zijn ogen open. 'Oké, wat is er?'

'Ah, je bent wakker. Ik wist wel dat je niet sliep. Als ik doodga...' Materena zwijgt even. Het is moeilijk voor haar om in de slaapkamer en in het donker over haar dood te praten, maar het moet. Ze gaat verder. 'Ik weet niet waar ik begraven moet worden.'

'Ik ga je begraven in Faa'a,' zegt Pito.

'Wil je niet dat ik begraven word in Punaauia?' Materena staat er versteld van dat Pito het onderwerp zo goed opneemt.

'Jouw familie is niet in Panaauia,' zegt Pito. 'Waarom zou ik je daar dan begraven? Loana wordt toch ook in Faa'a begraven, non?'

'Oui, naast haar mama.'

'Nou, dan kun jij naast hun tweeën begraven worden.'

Materena moet de volgende vraag stellen, maar ze aarzelt. Pito zegt altijd dat ze naar zijn deel van het eiland moeten verhuizen (als hij grond had gehad, zouden ze daar vanaf het begin al naartoe zijn gegaan). Hij vindt dat hij Loana een beetje te veel ziet, dat er hier gewoon te veel familie van Materena woont. Pito's familie van zowel zijn vaders als zijn moeders kant komt uit Punaauia, ongeveer vijftien minuten rijden met de vrachtwagen. Pito zal niet accepteren dat hij in Faa'a begraven wordt en Materena wil niet van hem worden gescheiden.

'Stel dat jij eerder doodgaat dan ik, wat moet ik dan met jou doen?' vraagt Materena en dan voegt ze er snel aan toe: 'Mamie vindt het goed als jij in Faa'a begraven wordt. Ze zei tegen me: "Ah, het is prima als Pito naast ons begraven wordt, geen probleem."' Materena streelt Pito nu over zijn hand.

Ja, maar Pito wil niet naast Loana begraven worden. Sterker nog, hij wil helemaal niet begraven worden. Hij wil niet in een gat worden gestopt en opgegeten worden door de wormen. Hij wil niet begraven worden.

Materena is geschokt. Wat is dit nou weer? Wat moet ze met hem als ze hem niet mag begraven?

'Niet begraven?' vraagt ze, alsof ze het niet goed verstaan heeft.

'Niet begraven,' herhaalt Pito. 'Cremeer me maar en gooi mijn as in de zee.'

Cremeren? Materena kent niemand in haar familie die gecremeerd is.

En in Pito's familie ook niet. Iedereen wordt begraven. Dat is traditie. Er is een wake en dan komt de begrafenis. Op het witte kruis wordt de naam geschreven met de geboortedatum, de datum van overlijden en een paar woorden van liefde. Cremeren? Wat is dat voor flauwekul?

'Hoe moeten de kinderen en ik bij je bidden als je niet in een graf ligt? Ik kan je niet cremeren, Pito. Denk ná!'

'Materena, luister. Je gaat me niet begraven. Als je me begraaft, ben ik niet gelukkig. Je cremeert me en dan doe je voor jezelf en de kinderen een beetje van mijn as in een kistje.'

Materena is nu heel verdrietig. Als je wordt gecremeerd, is het voor haar net of je nooit hebt bestaan. Met een graf kunnen je kinderen en je kleinkinderen en je achterkleinkinderen naar je toe komen. Er is een bewijs dat je bent geboren en gestorven.

Ze gaat soms naar haar betovergrootmoeder. Dan gaat ze op haar graf zitten en zegt Ia'ora'na.

Nou ja, je kunt tegen de as praten, maar dat is niet hetzelfde als praten op het graf. Daar kun je ondertussen onkruid weghalen en het zand netjes maken.

Of misschien kan het ook wel, Materena weet het niet. Ze heeft nog nooit tegen as gepraat. En zo'n kistje kan vallen, kapot gaan, kwijt raken. En wie moet het kistje met Pito's as bewaren als zij doodgaat? Er zijn drie kinderen.

Ze gaat Pito niet cremeren – ah non. Ze gaat hem begraven, in Faa'a. Haar besluit staat vast. Ze weet nu hoe het moet met de begrafenis. Het beste kan ze het allemaal opschrijven en in haar speciale doos stoppen, zodat de kinderen weten wat ze moeten doen.

Nu de zaak is opgelost, gaat Materena slapen.

'Materena,' zegt Pito.

Ze geeft geen antwoord.

'Zweer me dat je me zult cremeren.'

Ze hoort niets – ze slaapt. Maar Pito laat zich niet voor de gek houden. Hij stapt uit bed en doet het licht aan. Materena bedekt haar gezicht met het kussen.

Pito grist het kussen weg. 'Zweer me dat je me als ik doodga zult cremeren, zoals ik gezegd heb. Ik heb hier nooit eerder aan gedacht, eh? Jij hebt me aan het denken gezet. En ik zeg het je nog eens: ik wil niet begraven worden, oké?'

Pito ziet eruit alsof dat cremeren voor hem een heel ernstige zaak is. Materena knikt langzaam. 'Oké, Pito. Ik zal je cremeren – maak je geen zorgen.'

Koekenpan

Morgen is Mama Roti jarig en ze wil een cadeau.

Ze heeft er de hele week al op gezinspeeld – eigenlijk al de hele maand.

'Nog maar negenentwintig dagen, dan ben ik jarig.'

'Nog maar twintig dagen, dan ben ik jarig.'

'Nog maar vijf dagen, dan ben ik jarig.'

Ze moet een cadeautje hebben op haar verjaardag, anders spreekt ze dagen niet met je. Dan loopt ze te mokken. Mama Roti vindt het fijn als haar kinderen aan haar verjaardag denken. Ze zegt vaak: 'Ik heb al die jaren jullie billen afgeveegd – denk erom dat je me op mijn verjaardag een cadeautje geeft.'

Wat voor cadeautje maakt haar niet zoveel uit, als ze maar iets heeft om uit te pakken en als ze maar een kaart krijgt met 'Gefeliciteerd met je verjaardag, mama' erop. Ze heeft dozen vol verjaardagskaarten.

Meestal kiest Materena het cadeautje uit en dan verpakt ze het in mooi, kleurig verjaardagspapier. Maar dit jaar wil Pito er om een of andere reden bij betrokken zijn. Hij wil meer doen dan op de kaart schrijven: 'Gefeliciteerd met je verjaardag, mama, van je zoon Pito, Materena en de kinderen.' Dus gaan hij en Materena naar Euromarché om een cadeautje te kopen voor Mama Roti. En Materena heeft wel een paar ideetjes.

Ze stelt voor een handbedrukte pareu te kopen, die Mama Roti bij speciale gelegenheden kan dragen. Maar daar is Pito het niet mee eens. Volgens hem heeft zijn moeder genoeg pareus – honderden, om precies te zijn.

'Ah, heb je ze geteld?'

'Het hele huis ligt vol met pareus,' zegt Pito.

Het schijnt dat Mama Roti soms zelfs een pareu gebruikt om te dweilen. Dus stelt Materena voor haar een cadeaubon te geven voor een manicurebehandeling, met een paar potjes nagellak erbij.

Pito kijkt haar vreemd aan. 'Mama? Een manicurebehandeling?'

'Of een broche. Een broche is leuk. Geen grote, maar een kleintje. Een vogeltje bijvoorbeeld, of een bloem.'

Pito trekt een gezicht en Materena begrijpt dat het niet gemakkelijk wordt om een cadeautje uit te zoeken voor Mama Roti als Pito zich ermee bemoeit.

Het is nooit gemakkelijk om voor haar een cadeautje uit te zoeken. Ze zegt dan wel dat het haar niet uitmaakt wat ze krijgt, als ze maar iets heeft om uit te pakken, maar in haar hart maakt het haar wel uit – Materena weet dat.

Ze begint altijd al een paar weken voor Mama Roti's verjaardag een cadeautje te zoeken. Daarom heeft ze nu ook zoveel ideetjes. Maar aangezien Pito dit jaar wil uitmaken wat zijn moeder krijgt...

'Wat wil je zelf aan je mama geven?' vraagt Materena aan hem.

Hij wil iets nuttigs geven, iets praktisch. Hij weet nog niet wat het moet worden, maar hij vertrouwt op zijn intuïtie.

Zijn intuïtie zal het hem vertellen. Dit is iets voor mama.

Pito zet koers naar de schoonmaakafdeling en Materena loopt achter hem aan. Ze loopt een beetje langzaam, want in haar ogen koop je geen cadeautje op de schoonmaakafdeling, zeker niet voor een vrouw.

En al helemaal niet voor Mama Roti!

Mama Roti heeft een hekel aan schoonmaken. Haar huis is een puinhoop en ze zegt altijd: 'Ah hia, ik wou maar dat ik een toverstaf had om het huis schoon te maken.'

Vorig jaar had Materena voor Mama Roti een cadeaubon van vijfduizend franc gekocht, voor de kapper. Mama Roti nam een permanent en was dolblij. Ze bedankte haar zoon keer op keer, hoewel ze heel goed wist dat het idee voor de cadeaubon niet bij Pito vandaan kwam.

Vorig jaar was Materena heel blij dat Pito aan haar verjaardag had gedacht. Hij gaf haar een doos met een krant eromheen en zei: 'Hier.'

Materena trok heel voorzichtig het krantenpapier weg en maakte langzaam de doos open (het was een kale doos, die niets met het cadeau te maken had). Toen zag ze de koekenpan en ze zei met een glimlach: 'Ah, een koekenpan.'

Mama Roti, die er ook bij was, zag haar teleurgestelde blik. Ze schudde haar hoofd en mompelde: 'Wat moet een man tegenwoordig wel niet doen om zijn vrouw blij te maken?' Ze sloeg haar ogen ten hemel en bleef er maar over doorzeuren dat haar zoon zo'n goede keus had gemaakt en dat een vrouw altijd een goede koekenpan kon gebruiken. Ze inspecteerde de koekenpan en knikte verscheidene keren. Ze tikte ertegen met haar vingers en verklaarde: 'Dit is geen goedkope pan, dit is er een van goede kwaliteit. Niet te groot, niet te klein, precies ertussenin.'

Materena was teleurgesteld, omdat ze een paar nieuwe schoenen had verwacht. Een paar dagen voor haar verjaardag had ze tegen Pito geklaagd dat haar schoenen een beetje versleten raakten en pijn deden aan haar voeten.

Dit jaar was het erger, omdat Pito haar verjaardag helemaal was vergeten.

Op de schoonmaakafdeling valt Pito's keus op geparfumeerde paddestoelen, die worden gebruikt om in huis een lekker luchtje te verspreiden.

'Pito. Meen je dat, of maak je een grapje?' Materena weet niet of ze boos moet worden of moet gaan lachen.

Pito meent het. Waarom niet? Geparfumeerde paddestoelen zijn toch leuk?

Materena vertelt hem (met gedempte stem, vanwege de andere klanten) dat zijn moeder altijd met haar deodorant door het huis gaat als ze het lekker wil laten ruiken en dat ze heel tevreden is met die methode. Bovendien ruiken de paddestoelen afschuwelijk.

'En dit dan?' zegt Pito.

Materena vertelt hem dat zijn moeder beslist niet blij zal zijn met een gezinsverpakking wasmiddel.

Hij loopt door naar de tuinafdeling en pakt een hark. Materena herinnert hem er (weer met gedempte stem) aan dat zijn moeders dol is op haar bladprikker. Het geeft haar veel voldoening om de bladeren er een voor een aan te prikken. Heel langzaam, urenlang.

Materena besluit nu het heft in handen te nemen. Ze heeft genoeg onzin gezien van Pito. Ze loopt met grote stappen naar de parfumafdeling. Daar brengen ze een uur door. Ze ruiken aan vijftien flessen eau de cologne en iedere keer klaagt Pito over de lucht. Het is óf te zoet, óf te kruidig, óf te sterk, óf het stinkt bedorven.

'Sinds wanneer heb jij zoveel verstand van luchtjes?' Materena praat nu niet zachtjes meer.

'Geef je eigen moeder maar eau de cologne,' snauwt Pito terug. 'Mama krijgt geen eau de cologne.'

Materena komt met het idee om Mama Roti een pot met pepermuntjes te geven. Die kan ze dan opeten terwijl ze in de bijbel leest, of tv-kijkt, of op de mat ligt. Ze kan de pot ook gebruiken om er iets anders in te bewaren. Maar volgens Pito eet zijn moeder veel liever Chinese lolly's. Bovendien heeft ze al meer dan genoeg potten in huis. Daar heeft ze er echt niet nóg een van nodig.

'Wat vind je van dat kristallen wijnglas?' Materena begint de hoop te verliezen.

'Dat wijnglas blijft bij mama geen dag heel. Mama breekt alles.'

Materena is het beu. Ze stelt voor een koekenpan te kopen – als grapje.

Pito's ogen lichten op. 'Nou spreek je verstandige taal, woman.'

De laatste keer dat hij bij zijn moeder thuis was, was het hem inderdaad opgevallen dat ze geen steel aan haar koekenpan had. Ze had zelfs haar hand gebrand aan die pan – ze had hem het litteken laten zien. Mama Roti had Materena het litteken op haar hand ook laten zien, maar toen had ze gezegd dat het was gebeurd met het uit de oven halen van de ovenschotel.

Pito grijpt een koekenpan. Het is een honderd procent roestvrijstalen pan. Het is er net zo een als Materena heeft, maar dan kleiner. Materena raadt hem aan een grotere te nemen.

'Mama heeft maar een kleine pan nodig. Ze doet er niet zoveel in,' zegt Pito.

Materena blijft erbij dat hij de grote moet nemen. Pito wil weten waarom ze dat nodig vindt, terwijl hij haar toch duidelijk zegt dat zijn moeder er niet zoveel in doet. Maar Materena gaat hem niet vertellen dat zijn moeder anders gaat mokken en eindeloos zeuren dat ze twee hele dagen pijn heeft moeten lijden om Pito op de wereld te zetten.

Pito zou voor zo'n gevoelige situatie geen begrip hebben. Hij zou waarschijnlijk zeggen: 'Ah, vrouwen. Jullie doen altijd zo moeilijk.'

Materena pakt de kleine koekenpan uit zijn handen en zet hem terug op de plank. Dan geeft ze hem de gezinspan.

'Voor als de kinderen bij je mama op bezoek gaan,' zegt ze. 'Als ze zin hebben in een omelet, kan Mama Roti een grote omelet maken. Dat is gemakkelijker voor haar. En in prijs maakt het weinig uit.'

Pito schudt zijn hoofd, alsof hij Materena's uitleg niet kan bevatten. 'Mijn mama krijgt een grotere koekenpan dan mijn vrouw. Ik dacht dat het andersom moest zijn.'

Materena grijnst. 'Eh? Ben ik tegenwoordig je vrouw? Ben ik geen woman meer?'

Maar Pito is al op weg naar de kassa. Hij heeft Materena nog nooit zijn vrouw genoemd. Hij noemt haar Materena of woman. Soms noemt hij haar mama, maar dan zegt ze altijd tegen hem dat hij die naam maar voor zijn eigen mama moet bewaren.

Maar vrouw! Nog nooit!

Het is twee weken geleden dat Pito zijn huwelijksaanzoek heeft gedaan en volgens Materena probeert hij te wennen aan het idee om getrouwd te zijn. Een man noemt zijn woman niet zomaar vrouw, behalve als hij heimelijk wil dat ze zijn vrouw wordt.

Als ze het winkelcentrum uit zijn, loopt Materena nog steeds met een brede glimlach op haar gezicht.

'Waarom lach je zo?' vraagt Pito.

'Ik ben gewoon blij met het verjaardagscadeautje voor Mama Roti,' antwoordt Materena.

'Ah oui,' zegt Pito. 'Ze zal haar ogen niet geloven.'

'Hartelijk gefeliciteerd, mama.'

Pito geeft zijn mama haar cadeau. Het zit verpakt in krantenpapier. Mama Roti drukt haar beide handen tegen haar borst en doet net of ze verbaasd is. Ze scheurt het krantenpapier los en trekt de doos open (gewoon een kale doos, die niets met het cadeau te maken heeft). Intussen zit ze aan een stuk door te lachen en kijkt ze naar haar zoon alsof hij haar voor de gek heeft gehouden.

Dan ziet ze de koekenpan en heel even is het niet duidelijk hoe ze zal reageren. Het lijkt alsof ze naar de juiste woorden zoekt.

Maar ten slotte roept ze: 'Een koekenpan! Hoe wist je dat ik die nodig had? Nu kan ik de oude weggooien!'

Ze inspecteert haar koekenpan. Ze tikt erop met haar vingers. 'Dit is geen goedkope pan, dit is er een van goede kwaliteit.'

Dan, later…

Als ze denkt dat niemand haar ziet...

Mama Roti staat in de keuken en vergelijkt haar koekenpan met die van Materena. 'Eh, eh, mijn pan is groter,' grinnikt ze bij zichzelf.

Het kleurige overhemd

Nu Mama Roti's verjaardag achter de rug is, kan Materena zich concentreren op Pito's verjaardagscadeau. Maar het probleem is dat Pito haar nadrukkelijk heeft gevraagd dit jaar niets voor hem te kopen.

Vorig jaar heeft ze een cassettebandje met liefdesliedjes voor hem gekocht en daar was hij niet blij mee. Hij zei: 'Waarom koop je nou zoiets voor me? Je weet dat ik daar niet van hou.' Het is zo, Pito houdt niet van liefdesliedjes. Ze irriteren hem, of hij moet erom lachen. Materena luistert wel naar dat bandje – zij is dol op liefdesliedjes.

Pito zei tegen Materena dat ze altijd iets heel anders voor hem koopt dan hij graag wil hebben, dus dat ze maar beter helemaal niets kan kopen.

Materena gaat dit jaar dus geen moeite doen. Ze is er een beetje verdrietig om, want ze vindt het leuk om verjaardagscadeautjes te geven, maar het is nu eenmaal niet anders.

Nu loopt ze echter langs een kledingzaak en haar blik wordt gevangen door een overhemd aan het rek bij de ingang. Ze stopt even om het te bekijken.

Het is een prachtig overhemd – geel en groen, met rode bloemen. Materena gaat de winkel binnen en voelt aan de stof. Die is zacht en zijdeachtig en voelt heerlijk op de huid.

'Ia'ora'na,' zegt de verkoopster.

'Ia'ora'na, ik kijk alleen even.'

'Oké, dat is goed, hoor. Kijk maar.'

Materena loopt de winkel uit. Ze blijft staan om het kleurige overhemd nog even te bewonderen. De verkoopster verschikt de kleding aan het rek. Ze kijkt naar Materena en glimlacht. Materena glimlacht terug en wenst in stilte dat de verkoopster bij een ander rek gaat staan. Ze staat een beetje in de weg.

'Er is vijftig procent van af,' zegt de verkoopster.

'Ah, oké.'

'Normaal kost dat overhemd drieduizend franc, maar nu is het maar vijftienhonderd,' vervolgt de verkoopster.

'Eh, oui, dank u wel.'

'Het is het laatste dat we hebben. Het komt van Hawaii. Het is erg populair, de hele voorraad was in een week uitverkocht.'

'Ah oui?' Materena's belangstelling is nu gewekt.

Maar ze heeft geen geld bij zich en dat vindt ze erg vervelend. Ze wil dat overhemd kopen – voor Pito's verjaardag. Het doet er niet toe dat hij haar heeft bevolen nooit meer een verjaardagscadeau voor hem te kopen. Ze wil hem een cadeautje geven. Ze wil hem dat overhemd geven. Met zoiets kun je nooit de mist in gaan. Pito kan het dragen bij speciale gelegenheden, bijvoorbeeld als er een feestje is op zijn werk. Hij kan het niet aan naar de kroeg. Dat wil ze niet hebben. Zo'n overhemd trekt de aandacht van de vrouwen, en voor je het weet gaan ze werk maken van de man die het draagt – zelfs als hij getrouwd is. Ze zullen zich niets aantrekken van een trouwring om Pito's vinger, want hij zal er in dat overhemd zó knap uitzien. Als ze het nu niet neemt, neemt een andere vrouw het mee voor haar man.

'Eh, accepteert u een aanbetaling?' vraagt Materena. Ze legt uit dat ze meestal een paar bankbiljetten in haar portemonnee heeft. Vandaag is een uitzondering.

De verkoopster is bereid een aanbetaling te accepteren. Materena gaat de winkel weer in en haalt het overhemd uit het rek.

Ze strijkt met de stof over haar wang. Het is zó zacht. Het voelt als een streling. Ze loopt achter de verkoopster aan naar de kassa. Die opent een zwart boek. Ze vraagt de naam en het bedrag van de aanbetaling.

'Materena Mahi, tweehonderd franc.'

'Eh, kunt u niet wat meer aanbetalen? Tweehonderd franc is niet genoeg om dat overhemd voor u vast te houden.'

'Driehonderd franc.'

'Nog iets meer, lukt dat?'

'Vijfhonderd franc.'

De verkoopster schrijft Materena Mahi en 500 franc in het zwarte boek.

'Wanneer komt u het overhemd halen en de rest betalen?'

'Morgen, als ik mijn salaris heb.' Materena telt haar munten uit en geeft ze aan de verkoopster.

Die telt ze na en stopt ze in de kassa.

Materena vraagt of ze haar handtekening in het boek moet zetten.

'Non, dat is niet nodig. Waarom wilt u dat?' vraagt de verkoopster.

Materena wil het niet per se, ze doet het alleen als het nodig is. Nee, haar handtekening is niet nodig.

'Dat overhemd is voor mijn man,' zegt Materena. Ze kan er niets aan doen, ze moet steeds aan Pito denken als haar man. Ze zijn nog niet getrouwd, maar in haar hoofd en in haar hart zijn ze dat wel. 'Hij is over drie dagen jarig.'

'Ah, dat is mooi. Heel veel vrouwen hebben dat overhemd gekocht voor hun man.'

Materena is blij dat te horen. Dat overhemd is écht populair.

Materena gaat het overhemd de volgende dag meteen halen. Ze verpakt het in zilverkleurig cadeaupapier en doet er een rood lint omheen. Ze verstopt Pito's prachtige cadeau onder de matras en duwt de matras in. Ze is blij. Pito denkt dat ze dit jaar geen verjaardagscadeau voor hem gaat kopen. Wat zal hij verrast zijn.

Over twee dagen is Pito jarig.

Maar ze gaat hem zijn cadeau nu meteen geven. Twee dagen wachten duurt te lang. Ze popelt van ongeduld om Pito in dat overhemd te zien. En stel je voor dat het hem niet past. Daar kan ze beter nu achter komen dan over twee dagen, want dan moet ze terug naar de winkel om het te ruilen. Ze hoopt dat het past. Het zal hem prachtig staan. Ze kan zich precies voorstellen hoe hij er zal uitzien.

Daar staat ze dan, achter de bank, met het speciaal verpakte cadeau achter haar rug. Pito zit tv te kijken.

'Pito,' zegt Materena.

'Ik zet de vuilnis morgenochtend wel buiten,' zegt hij, voor ze verder kan gaan.

'Ah oui, dat is goed.'

Hij draait zich om om haar aan te kijken en ze schenkt hem een tedere blik. Ze weet dat hij dacht dat ze zou gaan zeuren over de vuilnis.

Meestal dramt ze net zolang door tot Pito 's avonds de vuilnis buiten zet, want als je het 's morgens doet, heb je kans dat je de vuilniswagen mist. Die komt niet altijd om dezelfde tijd. Soms komt hij laat en soms juist heel erg vroeg. En als hij erg vroeg komt, blijft Materena zitten met een volle vuilnisbak en moet ze op de plastic zakken springen om ruimte te maken in de bak.

Meestal hebben ze er ruzie over en Pito wint altijd, omdat niemand hem kan dwingen de vuilnis 's avonds buiten te zetten. Hij doet het liever 's morgens. Als je het 's avonds doet, gooien de honden de vuilnisbakken om en wordt het een smeerboel. En die smeerboel moet je *illico presto* opruimen, want iedereen in de buurt weet welke vuilnisbak van wie is.

Materena giechelt.

'Wat heb jij?' vraagt Pito.

Ah, het is zo leuk als je een cadeautje hebt voor iemand die dat niet verwacht.

Ze geeft Pito het pakje.

'Wat is dit?' vraagt hij.

'Het is je verjaardagscadeau.'

'Eh, had ik niet tegen je gezegd…'

Ze laat hem zijn protest niet afmaken. 'Maak nou maar open, je zult het leuk vinden.'

Haar hart bonst van opwinding. Ze popelt om de blijdschap in Pito's ogen te zien.

Hij voelt aan het pakje. 'Is het een handdoek?'

Ze vraagt zich af waarom hij denkt dat ze hem een handdoek voor zijn verjaardag zou geven. 'Hoezo, wil je een handdoek dan?'

Nee, hij wil niet echt een handdoek. Hij raadde alleen maar.

'Het is geen handdoek. Maak maar open, dan zul je het zien.' Materena's ogen glinsteren.

Pito scheurt het zilverkleurige cadeaupapier open. Hij krabt op zijn hoofd en trekt een gezicht. Er is geen blijdschap in zijn ogen.

'Wat? Vind je het niet mooi?' Materena kijkt nu woedend.

'Materena, dít… het is mijn stijl niet,' begint Pito.

In Pito's ogen schreeuwen de kleuren: *Bewonder mij! Ik ben prachtig! Ik ben een bloem!*

Naar Pito's idee dragen alleen *raerae* zo'n soort overhemd. Een raerae is een travestiet en toevallig heeft Pito gisteren in de stad een raerae in net zo'n overhemd zien lopen. Pito wil niet voor een raerae worden aangezien en hij wil ook niet de indruk wekken dat hij op raerae valt.

Hij gaat dat overhemd nooit dragen, nog voor geen *cent mille* franc.

Materena rukt het overhemd uit zijn handen. 'Eh, dat hoef je helemaal niet te zeggen. Je weet heel goed dat niemand jou honderdduizend franc gaat betalen om dat overhemd te dragen.'

Ze is teleurgesteld en kwaad. Ze frommelt het overhemd in elkaar en werpt Pito een vuile blik toe.

'Heb ik je ooit gevraagd een overhemd voor me te kopen?' vraagt Pito. 'Nee, dat heb ik nooit gedaan, want jij vindt heel andere dingen mooi dan ik.'

Hij koopt graag zelf zijn overhemden. Hij weet het beste wat bij hem past.

'Het is net als met dat bandje met liefdesliedjes dat je me vorig jaar hebt gegeven,' zegt hij.

'Dat heb je me al gezegd, van dat bandje,' snauwt Materena.

'En die strooien hoed die je het jaar daarvoor hebt gekocht. Ik draag hem nooit. Jíj draagt die hoed altijd. Je weet dat ik liever een pet draag, dus waarom geef je me dan een strooien hoed – en dan nog een vrouwenhoed ook?'

'Dat heb je me al gezegd, van die hoed.'

'Breng dat overhemd maar terug naar de winkel en geef me het geld, dan kan ik een krat Hinano kopen.' Pito gaat verder met tv-kijken.

Materena draagt de strijkplank de slaapkamer in om het overhemd te strijken, want je kunt geen gekreukeld overhemd naar de winkel terugbrengen. Het moet keurig gestreken zijn.

Ze had Pito dat prachtige overhemd willen zien dragen naar het verjaardagsfeestje bij Mama Roti zaterdag. Maar dat gaat niet door, want hij denkt dat alleen raeraes dat soort overhemden dragen.

Materena steekt de stekker van de strijkbout in het stopcontact en scheldt inwendig zichzelf en Pito de huid vol. Het is de laatste keer dat ze een verjaardagscadeau heeft gekocht voor Pito! Ze is stom geweest. Ze weet best wat hij graag voor zijn verjaardag wil hebben: een speedboot. Eh, alsof ze daar geld voor hebben. Een speedboot kost veel geld. En dan krijg je nog de reparaties en de benzine en de motor. Bovendien, wat moeten ze ermee?

De volgende morgen brengt Materena op weg naar haar werk het overhemd terug naar de winkel. Ze schenkt de verkoopster een brede glimlach. 'Eh, ia'ora'na, mooie dag vandaag, eh? Ik dacht dat het zou gaan regenen, maar het ziet er toch niet naar uit. En hoe maakt u het verder?'

De verkoopster werpt alleen een blik op het overhemd.

'Ik moet u helaas dat overhemd teruggeven. Het past mijn man niet. Het is te klein.'

De verkoopster kijkt Materena aan alsof ze wil zeggen: ken ik u?

'Ik was hier gisteren in de winkel,' zegt Materena. 'Kijk maar in uw zwarte boek.'

Ah, ja, de verkoopster weet het weer. Maar ze kan het overhemd niet terugnemen – regels van de zaak.

Ah, nu krijgt Materena de smoor in. 'Kan ik dit overhemd niet ruilen voor een jurk?'

De verkoopster kijkt haar spijtig aan.

Materena wil zeggen dat dit de laatste keer is dat ze hier iets heeft gekocht, maar de verkoopster kan er ook niets aan doen dat dit de regels van de zaak zijn. Ze werkt hier alleen – de winkel is niet van haar.

Materena gaat weg.

Ze zou dat overhemd aan haar neef Mori kunnen geven. Het geld is niet weggegooid. Maar eerst gaat ze het zelf aanpassen. Zodra ze op haar werk is, trekt ze het aan. De stof voelt echt heerlijk.

In de kamer van haar baas bekijkt ze zichzelf in de spiegel. Eh, de kleuren staan haar mooi. Het overhemd is een beetje groot, maar het staat haar goed. Materena tilt haar armen op. Het zit een beetje als een blouse. Ik kan het als werkkleding dragen, denkt ze. Een blouse en een pareu – dat kan goed bij elkaar.

Ze houdt hem aan. Hij werkt lekker. Ze zweet er niet zo in. Ze bekijkt zichzelf weer in de spiegel voor ze weggaat. Zeker het is haar stijl.

Terwijl ze bij de markt op de vrachtwagen staat te wachten, merkt ze dat de mensen – vooral mannen – naar haar kijken. Ze weet dat het komt door het kleurige overhemd. Niemand kijkt naar haar als ze haar schoon gestreken, wijde t-shirt aan heeft.

Een lange, slanke vrouw loopt Materena voorbij en glimlacht haar vrolijk toe. Materena glimlacht terug. Ze hebben hetzelfde overhemd aan. De lange, slanke vrouw draagt er echter een felrode panty onder – ze heeft mooie benen. Niemand kijkt meer naar Materena. De lange, slanke, gespierde vrouw is interessanter, omdat ze met haar heupen wiegt en haar feloranje handtas uitdagend heen en weer zwaait.

Dan rijst bij Materena langzaam het vermoeden dat de vrouw een man is.

Ze zijn niet altijd duidelijk te herkennen – raeraes. Soms weten ze zich heel slecht te vermommen en zie je in één oogopslag dat het mannen zijn – aan hun stekelige haar.

Maar sommigen zijn er echt goed in. Het enige wat hen verraadt is hun diepe mannenstem.

Er is een straat in Papeete waar raeraes hun klanten oppikken. Materena is een keer op een avond door die straat gekomen. Haar neef Mori zat achter het stuur. Hij schreeuwde uit het raampje: 'Hoeveel is het?' En de raerae schreeuwde terug: 'Kom maar hier, lekker ding, dan laat ik je zien wat liefde is.'

Het zijn opvallende figuren, de raeraes. Ze proberen graag op te vallen.

Ze houden van kleur.

Was die vrouw een raerae?

Materena kijkt langs haar lichaam naar beneden. Je kunt met dat overhemd de vorm van haar borsten niet zien.

Eh – zouden de mensen denken dat zij een raerae is?

Materena giechelt en stapt in een vrachtwagen.

Als ze uitstapt, zit Mori samen Teva, een andere neef van Materena, onder de mangoboom bij de benzinepomp bier te drinken. Mori speelt 'Stille nacht' op zijn accordeon en Teva zit erbij te neuriën. Ze stoppen even en roepen naar Materena: 'Ia'ora'na, nicht.'

'Ia'ora'na,' zegt Materena. Ze wil eraan toevoegen: 'Zitten jullie nog steeds te wachten tot er een baan uit de lucht komt vallen?' Maar het zijn aardige neven. Ze drinken alleen te graag. Er staan aardig wat lege Hinano-flesjes in de krat.

'Eh, Materena, wat zie jij er vandaag opvallend uit,' zegt Mori.

Teva lacht.

Materena blijft staan. Ze wil weten wat Mori bedoelt met opvallend. 'Nou, je ziet er zo kleurig uit. Ik kan je heel goed zien,' zegt Mori. 'Je ziet eruit als, hoe zal ik het zeggen, je ziet eruit…' Ten slotte vindt Mori het woord dat hij zoekt. 'Je ziet eruit als een pauw, nicht Materena.'

Mori ligt nu in een deuk van het lachen. Zijn dreadlocks schudden ervan. Materena kijkt eerst naar hem en dan naar Teva. Ze ziet aan hun rode ogen dat ze niet alleen Hinano hebben gedronken, maar er ook marihuana bij hebben gerookt.

Ze zet haar handen in haar zij. 'Nou, ik zie er liever uit als een pauw dan als een nietsnut. Zitten jullie nog steeds te wachten tot er een baan uit de lucht komt vallen?'

Ze loopt met grote stappen weg en ze hoort haar neven zeggen: 'Wat mankeert Materena vandaag?'

'Ah, ze is gewoon in een slechte bui. Soms kun je maar beter geen ia'ora'na zeggen. Soms kun je maar beter je bier drinken en je mond houden.'

Materena loopt weer terug naar de mangoboom en vraagt haar neven of ze er in het overhemd uitziet als... als een raerae.

De neven weten niet wat ze met de vraag aan moeten. Mori zegt: 'Nou ja, we weten dat je een vrouw bent... dus...'

Teva zegt: 'We weten dat je geen raerae bent... dus...'

Materena maakt een ongeduldig gebaar met haar hand. 'Ah – wat kan het mij ook schelen wat jullie ervan vinden.' Stampend loopt ze weg.

Terwijl Materena naar huis loopt, denkt ze erover na hoe moeilijk het is om cadeautjes te geven. Je hebt geen zekerheid. Het lijkt erop dat wat mensen geven en wat ze verwachten, twee heel verschillende dingen zijn.

Materena weet dat dit met haar huwelijkscadeaus ook zo zal zijn. Maar zij zal ze dankbaar aannemen, want dat hoort zo als iemand eraan denkt om je een cadeau te geven. Materena vindt dat Pito het kleurige overhemd, dat ze met zulke goede bedoelingen voor hem heeft gekocht, gewoon had moeten aannemen. Hij had het thuis kunnen dragen, als hij zich zoveel zorgen maakt over zijn imago.

Terwijl ze voor de spiegel staat, vraagt ze zich af of ze er in dat kleurige overhemd uitziet als een raerae. Geen enkele vrouw wil voor een man worden aangezien.

'*Alors*,' zegt ze hardop. 'Zie je eruit als een vrouw of als een man?'

Later stelt nicht Rita, die op bezoek komt, haar gerust. 'Nicht, je hoeft je nergens zorgen over te maken. Je ziet eruit als een vrouw, want je bént een vrouw. Je bent in dat overhemd even mooi als in alles wat je draagt.'

Nieuw bed – nieuw begin

Materena maakt het bed op. Het is een oud bed. Het komt bij Pito vandaan, want Materena had vroeger een eenpersoonsbed. Ze heeft nooit iets over de achtergrond van Pito's bed willen weten, maar vandaag kwam Rita op bezoek en vertelde haar dat ze een nieuwe matras had gekocht.

Nou ja, het is niet echt een níéuwe matras die Rita heeft gekocht, hij komt niet uit de matrassenwinkel. Ze heeft hem gekocht bij de tweedehandswinkel. Maar al is hij dan niet gloednieuw, volgens Rita ziet hij er wel zo uit. Volgens haar zal de vorige eigenaar hem hooguit een week hebben gebruikt.

Eigenlijk is het niet echt een matrás die ze heeft gekocht. Het is meer een Japans bed. Het is laag en het ligt een beetje hard, maar Coco zal er wel aan wennen. Coco zegt dat hij zijn oude bed mist, maar Rita vindt het nieuwe bed fijner dan het oude.

Het ging zo.

Rita wist dat Coco veel vrouwen had gehad voor hij op haar verliefd werd. Ze had dat nooit erg gevonden, tot Coco's moeder vorige week tegen haar zei: 'Ah, mijn zoon heeft toch zoveel vrouwen gehad. Ze glipten altijd stiekem zijn kamer binnen.' Blijkbaar had Coco's mama het geklik van hun hoge hakken gehoord. Die vrouwen kwamen niet op hun blote voeten.

Coco's mama lachte kakelend en Rita lachte hard mee. En ze zei tegen Coco's mama: 'Eh, ik weet precies hoe het is om de slaapkamer van een man binnen te glippen. Ik heb dat zelf ook heel wat keren gedaan. Ach, wij vrouwen glippen wat af.'

Coco's mama keek haar aan en Rita zag wel dat ze haar niet geloofde. Iedereen in Coco's familie wist dat Rita nog maagd was toen ze Coco leerde kennen. Coco had het zijn mama verteld en die had dat nieuws met-een via de kokosnotenradio verspreid. Ze was erg trots dat haar zoon een maagd aan de haak had geslagen.

Ze heeft het altijd over Rita's maagdelijkheid. Op een keer vroeg Rita haar: 'Waarom praat u er toch altijd over dat ik nog maagd was?' En Co-co's mama antwoordde: 'Omdat het zo zeldzaam is, daarom.'

Rita wou maar dat ze geen maagd meer was geweest toen ze Coco leer-de kennen.

Enfin, terug naar het verhaal over de matras.

Binnen twee dagen nadat Rita had gehoord dat er zoveel vrouwen stie-kem Coco's kamer waren binnengeglipt, ontwikkelde ze een allergie voor de matras die Coco op zijn zeventiende verjaardag van zijn mama had ge-kregen.

Ze probeerde zich ertegen te verzetten. Het is een beetje raar om al-lergisch te zijn voor een matras, enkel omdat andere vrouwen er vóór jou op hebben gelegen. Het is maar een matras en er ligt een laken overheen. Ze probeerde het verstandig te bekijken, maar het had geen zin. Er zaten gewoon te veel vrouwen aan die matras vast.

Rita bekende haar allergie aan Coco en hij schaterde het uit. Hij voer-de aan dat het maanden geleden was dat er een andere vrouw op die ma-tras had geslapen, dus dat hij nu vast wel schoon was. Rita's zweet en par-fum hadden hem gereinigd.

Ja, dat kon dan wel zo zijn, maar Rita's allergie werd toch erger.

In het begin had ze alleen een vaag ongemakkelijk gevoel, zoals je hebt als een matras te hard of te zacht is, maar binnen een paar dagen kreeg ze uitslag over haar hele lichaam.

Rita smeerde zich in met crème, maar dat hielp niet. Ze sliep een nacht op de mat (Coco zei dat ze zich niet zo moest aanstellen) en de uitslag ging weg. Maar zodra ze weer op de matras ging slapen, kwam hij terug.

Toen stelde Rita voor om een nieuwe matras te kopen en Coco werd nijdig. Hij zei: 'Rita, er zijn dagen dat ik doodmoe word van jouw geza-nik.' Hij zei dat haar allergie verbeelding was. Dus liet ze hem de uitslag zien en zei: 'En deze rode vlekken dan – is dat verbeelding?'

Op een ochtend sleepte ze de matras naar de achtertuin, zette er de tuinslang op, boende hem af met wasverzachter met lavendelgeur en sprenkelde hem vervolgens in met lavendelolie. Ze deed dit allemaal ter-wijl Coco weg was. Toen hij thuiskwam en de natte matras buiten zag staan, zei hij: 'Waar moet ik nu slapen?' Hij was echt verbijsterd.

Ze sliepen op de mat en de hele nacht klaagde Coco over de harde grond. De volgende ochtend regende het. En de dag daarna ook, en die daarna ook. Iedere ochtend keek Rita naar de grijze lucht en glimlachte. Zij vond het prima dat de matras buiten stond te bederven. Maar Coco was erg op het ding gesteld en hij vond het vervelend om op de grond te slapen. Iedere dag dat het regende vervloekte hij Rita. Het bleef een volle week regenen.

Op een middag besloot nicht Rita dus een nieuwe matras te kopen.

Zij vond dat een man en een vrouw dat horen te doen als ze samen gaan wonen. Een matras is erg belangrijk: hij is er om op te vrijen, om lieve dingen tegen elkaar te zeggen – een matras is er voor intimiteit.

Dus ging ze op zoek naar een nieuwe matras. Maar toen zag ze in een tweedehandswinkel dat Japanse bed staan. Ze ging er ongeveer een uur op liggen en besloot toen dat ze niet alleen een nieuwe matras wilde, maar een heel nieuw bed. Dus kocht ze het Japanse bed.

Een nieuw bed – een nieuw begin.

Neef Mori regelde dat het bed bij Rita thuis werd afgeleverd. Toen Coco het Japanse bed zag, zei hij: 'En waar is mijn bed gebleven?' Rita vertelde hem voorzichtig dat haar neef Mori het samen met de natte, bedorven matras had meegenomen voor een vriend die geen bed had, maar alleen een hele oude, versleten mat. 'Wat!' Coco was razend en het duurde even voor Rita hem had gekalmeerd.

Nu heeft ze het prima naar haar zin.

Soms denkt ze eraan dat er misschien iemand in haar bed is overleden, maar ze heeft veel liever een bed van iemand die is overleden dan een bed dat haar doet denken aan duizenden zwetende vrouwen.

Dat is dus het verhaal van Rita's nieuwe bed. Materena is net Pito's bed aan het controleren als hij de slaapkamer binnenkomt om een Akimstrip te pakken.

'Wat sta jij aan de matras te ruiken?' vraagt hij.

'Heeft Mama Roti dit bed voor je verjaardag gekocht?' Materena kijkt hem recht aan.

'Wat? Waar heb je het over?'

'Of heb jij het zelf gekocht?'

'Wil je weten hoe ik aan dat bed gekomen ben?' vraagt Pito uitdagend.

'Oui,' antwoordt Materena, hoewel ze niet weet of ze wel echt wil weten hoe Pito aan dat bed is gekomen, wanneer hij het heeft gekregen en hoeveel vrouwen erin hebben geslapen.

Pito vertelt dat het bed van een oom is geweest. Die oom is in zijn bed (Pito wijst het aan) overleden, maar het heeft dagen geduurd voor ze hem hebben gevonden, omdat hij alleen woonde. Het bed zat vol braaksel en poep. De familie moest er niets van hebben, dus toen heeft Pito het meegenomen en schoongemaakt. Hij had een nieuw bed nodig en je krijgt niet iedere dag een gratis bed aangeboden.

Materena's ogen worden steeds groter en plotseling begint Pito te lachen.

'Ach, sufferd, mijn tante Agathe heeft me haar bed gegeven toen ze naar Frankrijk ging.'

Pito pakt een stripboek. Materena staat op het punt door te vragen, maar bij nader inzien besluit ze dat ze er niets meer over wil weten.

Er is niemand overleden in Pito's bed en wat haar betreft is dat het belangrijkste.

Maar nu is ze in de Conforama-winkel, waar ze werkelijk heel mooie bedden verkopen. Als je er nu een mee naar huis neemt, hoef je pas over drie maanden te beginnen met afbetalen. Materena is van haar werk onderweg naar huis en ze wil alleen even snel een kijkje nemen. Er staat een jong stel, dat op zoek is naar een heel hard bed. Ze gaan soms even op een bed zitten, wippen giechelend een beetje op en neer en dan zegt een van de twee: 'Non, het is te zacht.' Materena vindt het een schattig stel.

Maar de verkoopster denkt er anders over. 'Eh, jullie daar,' roept ze vanuit haar kantoortje. 'Koop het maar, dan kun je het thuis uitproberen!'

Het stelletje barst in lachen uit en loopt de winkel uit.

Dan krijgt de verkoopster Materena in de gaten en ze is het jonge stel meteen vergeten. Materena staat vol bewondering te kijken naar een houten queensize-bed met een gebeeldhouwd hoofdeinde. Ze heeft nog nooit zo'n mooi bed gezien en kan zich helemaal voorstellen hoe heerlijk ze erin zou slapen. Ze wil er graag even op gaan zitten, maar na het commentaar op het jonge stel, streelt ze er alleen even met haar hand over.

'Goedemiddag.' De verkoopster staat nu naast haar.

Materena glimlacht naar haar. 'Ik kijk alleen even,' zegt ze beleefd. Ze is altijd beleefd tegen verkopers, vooral als ze ouder zijn dan zij. Ze schat dat deze verkoopster al boven de vijftig is.

'Waarom zou je alleen kijken?' zegt de verkoopster. 'Ga er maar even lekker op liggen. Toe maar.'

'Weet u het zeker?'

'Natuurlijk. Daar is de showroom voor. Onze topkwaliteit bedden zijn niet alleen om naar te kijken.'

Materena doet haar slippers uit, veegt haar voeten schoon met haar handen en wipt op het bed. Ah, heerlijk is dit.

'Het ligt geweldig,' zegt ze. 'Het voelt zo lekker aan je rug.'

'Neemt u van mij aan: na een dag hard werken is een goed bed heel belangrijk voor een vrouw.'

'Ah, oui, dat is waar.' Materena moet zich dwingen overeind te komen.

'Blijf nog maar even liggen,' zegt de verkoopster. 'Dat geeft niets.'

Materena laat zich weer op het bed vallen.

'Bedden zijn er niet alleen voor de voortplanting,' zegt de verkoopster. 'Ze zijn er ook om de batterij op te laden. Vooral wij als vrouw hebben dat nodig, met alle dingen die we doen. Heeft u kinderen?'

'Oui, drie.'

'Dan heeft u het vast druk.'

'Ah, oui, er is altijd wel iets te doen.'

'Ik heb vijf kinderen,' zegt de verkoopster. 'Ze zijn nu volwassen, maar toen ze nog klein waren, rende ik altijd van de een naar de ander. Begrijpt u wat ik bedoel?'

Materena knikt.

'Ik zal u vertellen,' vervolgt de verkoopster. 'Als ik mijn bed niet had, zou ik niet iedere morgen aan een nieuwe dag kunnen beginnen. Ik heb nooit veel geld gehad, maar ik heb nooit bespaard op mijn bed. Voor mij is mijn bed altijd een investering geweest en dat is het nog steeds. Als je goed slaapt, kun je er de volgende dag beter tegen. En goed slapen, écht goed slapen bedoel ik, kun je niet in een goedkoop bed.'

'Dat is zo.'

'Heeft u op het ogenblik een comfortabel bed? Slaapt u goed?'

'Ah, het gaat wel.'

'Hoe lang heeft u uw bed al?'

'Ik slaap al meer dan twaalf jaar op dat bed,' zegt Materena.

De verkoopster kijkt ontzet. 'Twaalf jaar!' Ze schudt haar hoofd. 'Je moet zeker een keer in de vijf jaar een nieuw bed kopen, want je lichaam verandert. Is het een één- of een tweepersoonsbed?' De verkoopster praat nu met gedempte stem. Materena vermoedt dat ze haar niet in verlegenheid wil brengen. De grootte van een bed kan veel zeggen over de situatie van een vrouw.

'Het is een queensize,' zegt Materena. 'Het was van mijn man, maar…' Ze aarzelt. Ze wil de verkoopster niet het hele verhaal vertellen van een nieuw bed en een nieuw begin. De verkoopster wacht tot ze verder gaat.

'Nou,' begint Materena. 'We gaan dit jaar trouwen en…'

'Gefeliciteerd!'

'Dank u wel,' zegt Materena verlegen. 'We zijn al meer dan twaalf jaar bij elkaar, dus het wordt tijd, eh.'

'Beter laat dan nooit.' De verkoopster gaat op het bed zitten. 'Ik begrijp heel goed waarom u een nieuw bed wilt, want het is voor u en uw man een nieuw begin. Waarom zet u dat prachtige topkwaliteit bed niet op uw geschenkenlijst?' Ze geeft een paar liefdevolle klopjes op het bed.

'Een geschenkenlijst?' Materena heeft daar nog nooit van gehoord. Het enige wat zij weet is dat je gewoon accepteert wat je krijgt. Je accepteert de slabakken, de beddenspreien, de lakens, de borden… een cadeau is een cadeau.

'Heeft u nog nooit van een geschenkenlijst gehoord?' vraagt de verkoopster.

'Non.'

'Ah, de Chinezen en de popa'a's gebruiken geschenkenlijsten en ik vind het een fantastisch idee. Zo krijgt een pasgetrouwd stel wat het graag wil hebben.'

Materena vraagt zich af wie zich kan veroorloven om dat bed voor haar te kopen. Het ziet er duur uit. Ze kan niemand bedenken, behalve misschien haar moeder. 'Misschien is het een beetje te duur voor mijn gasten,' zegt ze.

'Het is mogelijk om meerdere mensen te laten meebetalen,' zegt de verkoopster. 'Maar dan moet het bij levering wel contant worden betaald, want een afbetalingsregeling is alleen mogelijk op één bankrekening.'

'Hoe moet ik dat dan doen?' Materena is echt heel erg geïnteresseerd.

'Dat zal ik u uitleggen.' De verkoopster schraapt haar keel. 'U doet ons een aanbetaling en dan houden we dit bed voor u vast. Als u niet aanbetaalt, kan ik u namelijk niet garanderen dat het er nog is als u gaat trouwen. Maar wanneer is dat? Dit jaar nog? We kunnen het bed niet onbeperkt vasthouden.'

'Dit jaar nog,' bevestigt Materena.

'Oké,' vervolgt de verkoopster. 'U doet een aanbetaling. Dan krijgt u van mij een kwitantie. Daar maak ik kopietjes van en die geeft u aan de mensen die uw wilt laten bijdragen aan uw nieuwe begin. Die mensen zullen heel vereerd zijn dat u hen hebt uitgekozen.'

Muggenspiraal

Na het enthousiaste verhaal van de verkoopster over huwelijksgeschenken – wat voor geschenken je graag zou willen krijgen – zette Materna haar naam in een blauw boek, waarmee ze Conforama toestemming gaf om de aanbetaling voor het nieuwe bed van haar rekening af te schrijven. Drie maanden lang vijfduizend franc per maand, te beginnen met volgende maand. Nu ligt ze half comfortabel in het oude bed, naast Pito, die klaagt over de muggen. Ze probeert familieleden te bedenken die zich vereerd zullen voelen om aan hun nieuwe begin te mogen bijdragen. Wie zal ze vragen?

Pito schopt tegen de quilt, maar Materena is niet van plan aandacht aan hem te besteden.

Ze is vergeten een nieuw pakje muggenspiraaltjes te kopen. Er zat er nog maar één in het pakje, dus die heeft ze in de kamer van de jongens gehangen en Leilani heeft daar vanavond ook haar matras naartoe gesleept.

Materena vertelt Pito niet dat er nog een muggenspiraal over was, want als hij dat weet, zou hij hem in zijn eigen kamer gehangen hebben. Hij weet niet beter dan dat er geen muggenspiralen meer in het pakje zitten en dat Materena is vergeten een nieuw pakje te kopen.

Materena wikkelt zich van top tot teen in de quilt, zodat alleen haar mond en neus niet bedekt zijn. Ze vindt het niet prettig om in de quilt te ademen. Dan krijgt ze last van claustrofobie.

Ze hoort het irritante gezoem van de muggen en ze houdt zich stil als een kokosboom. Ze denkt: straks merken die muggen vanzelf dat ze niet door de quilt heen kunnen prikken. Ze richt haar gedachten weer op de familie en het nieuwe bed.

'Eh hia – die muggen!' gromt Pito. Hij stopt zijn hoofd onder het kussen. 'Die muggen!'

'Eh Pito,' zegt Materena. 'Hoe meer je aan die muggen denkt, hoe meer last je ervan hebt.'

Pito geeft een mep op het kussen en schopt weer tegen de quilt. 'Hoe kun je nou vergeten om een nieuw pak muggenspiralen te kopen?'

'Denk je dat je met je geklaag de muggen wegjaagt?' vraagt Materena. 'Die verdomde muggen,' antwoordt Pito.

'Neem een biertje,' zegt Materena.

'Wat bier? Er is geen bier.' Pito gaat rechtop zitten en trekt de quilt van Materena af om hem uit te schudden.

'Pito, je begint nu vervelend te worden.' Materena trekt de quilt terug. Pito stapt uit bed en doet het licht aan.

'Wat ga je nou weer doen?' zucht Materena. Pito trekt de quilt weer van haar af en begint ermee in de richting van de open luiken te wapperen. 'Wat doe je?' vraagt Materena. Hij antwoordt dat hij de muggen de kamer uit jaagt. Hij wappert een poosje met de quilt in het rond, trekt dan het luik dicht en doet het licht uit.

'Oké,' zegt hij, terwijl hij weer in bed stapt. 'Probeer nu de slaapkamer nog maar eens binnen te komen, rotmuggen.'

Maar met het luik dicht is het te warm en Materena krijgt geen adem. Ze stikt bijna. Ze heeft lucht nodig. Ze staat op en zet het luik weer open, zonder zich iets van Pito's klaagzang aan te trekken.

Ze stapt weer in bed en wikkelt zich in de quilt.

En de muggen komen de kamer weer binnen.

Pito slaat zichzelf op zijn wangen. 'Die muggen! *Merde!*

Zo, nu is het genoeg geweest. Materena blijft geen seconde meer in deze kamer. Ze neemt die komedie van Pito niet langer. Ze stapt uit bed. 'Als je nog niet eens een mug, een kleine, miezerige mug kunt verdragen… stel je dan eens voor wat wij vrouwen doorstaan als we een kind op de wereld zetten!'

'Eh-oh,' protesteert Pito. Hij legt uitvoerig uit dat hij al sinds zijn babytijd een muggenspiraal bij zijn bed heeft. Als je vijfendertig jaar met een muggenspiraal bij je bed hebt geslapen, kun je niet opeens zonder. Als hij gedronken had, had hij het misschien nog uitgehouden, maar nu is hij nuchter. En hij voelt hoe die vervloekte muggen hem in zijn vlees bijten.

Materena stormt de kamer uit en glipt de slaapkamer van de jongens binnen. Ze gaat naast Leilani liggen, doet haar ogen dicht en geniet van de heerlijke geur van de muggenspiraal.

'Hebben jullie ruzie?' vraagt Leilani.

Materna vertelt haar dat Pito niet kan slapen zonder muggenspiraal en dat zij niet kan slapen van zijn geklaag.

'Ah… Maar kan papi de muggenspiraal niet ruiken?'

'Ga nou maar slapen, kind,' zegt Materena. 'Je moet morgen naar school.'

De volgende ochtend zit Pito's gezicht onder de muggenbulten.

Hij ziet er erg grappig uit. Iedereen aan tafel moet lachen, maar Pito kijkt vreselijk chagrijnig, dus ze kijken maar niet naar hem. Materena móét hem echter aankijken en ze barst ten slotte in lachen uit. De kinderen rennen snel van tafel om in de kamer te kunnen lachen zoveel ze willen.

Pito werpt Materena een vuile blik toe.

'Aue, man van me,' zegt Materna tussen twee lachbuien door. 'Je ziet er zo grappig uit.'

'Eh,' snauwt hij. 'Ik ben je man niet. Ik zie geen trouwring aan mijn vinger.'

Materena lacht door. Ze besteedt geen aandacht aan Pito's opmerking. Ze weet heel goed dat iemand die 's nachts niet goed heeft geslapen, de volgende ochtend chagrijnig is. Zelf heeft ze een prima nacht gehad. Ze heeft geen last gehad van muggen en ze heeft voor ze in slaap viel, nog even lekker kunnen nadenken. Ze heeft nu een lijst met mensen die misschien aan het nieuwe bed willen bijdragen.

De geboorte van Isidore
Louis Junior

Nicht Giselle is een van degenen die misschien aan Materena's nieuwe bed kunnen bijdragen en kijk eens, wat een geluk: ze loopt haar net tegen het lijf! Maar voorlopig is Materena (die net met dochter Leilani bij de Chinese winkel vandaan komt) meer geïnteresseerd in Giselles pasgeboren zoon.

Ze zet haar boodschappentassen op de grond en steekt haar armen uit, alsof ze wil zeggen: laat me eens gauw die baby vasthouden. Giselle geeft haar de baby. Zelf steekt ze een sigaret op.

'En hoe is het met jou, meisje?' vraagt Giselle aan Leilani.

'Goed, tante Giselle.' Leilani kijkt niet eens naar de baby.

Giselle is prachtig aangekleed en ziet er goed uit voor een vrouw die pas een week geleden is bevallen. Zo gaat dat met een eerste kindje, denkt Materena. Dan ben je je buikje zo weer kwijt. Maar na baby nummer drie zie je er twee weken na de geboorte nog steeds uit alsof je zwanger bent.

Hij is zo mooi, Giselles baby, met zijn bruine huid en zijn platte neusje. Hij is ook prachtig aangekleed in een blauw babypak met een bijpassend blauw mutsje. Het mutsje ziet er leuk uit, maar het is een beetje warm. Materena trekt het een beetje omhoog – dat arme kind zweet helemaal. Ze zou eigenlijk tegen Giselle moeten zeggen dat het vandaag geen goede dag is om een baby een muts op te zetten. Maar zoiets kan alleen Giselles mama tegen haar zeggen en zelfs dan is het niet gezegd dat ze ernaar zal luisteren.

Materena wrijft met haar neus langs het neusje van de baby. Hij ruikt naar talkpoeder. Materena denkt terug aan de tijd dat ze zelf talkpoeder gebruikte bij haar baby's. Aue, dat is al zo lang geleden. Ze voelt zich helemaal raar van binnen – ze heeft het gevoel dat ze die baby de borst moet geven. Dat gebeurt altijd als ze een pasgeboren baby in haar armen houdt en dat doet ze regelmatig. Er is altijd wel een nicht met een pasgeboren baby.

'Wil je de baby een zoentje geven?' vraagt Materena aan Leilani.

Leilani geeft de baby een klein kusje op zijn voorhoofd.

'En waar gaan jullie naartoe, met z'n tweetjes?' vraagt Materena aan Giselle.

'Naar de stad. Spulletjes kopen. Ik heb net mijn kinderbijslag gekregen, dus dat ga ik uitgeven.'

'Ik wacht wel even tot je vrachtwagen er is,' zegt Materena en ze kijkt weer naar de baby in haar armen. Hij is zo mooi. Alle baby's zijn mooi. Haar baby's waren prachtig. Er was altijd wel een zuster die zei: 'Wat een prachtige baby.'

'En hoe heet die mooie baby?' vraagt Materena.

Giselle schenkt haar een stralende glimlach. 'Ah, Materena. Jij zegt altijd zulke lieve dingen over mijn baby. James, die niksnut, zei nota bene dat hij een beetje lijkt op een chimpansee. Ik praat nooit meer met hem. Hij was dronken, maar dat is geen enkel excuus – ik wil nooit meer iets met hem te maken hebben.'

'Ah oui alors!' Materena begrijpt die neef niet. Je gaat toch niet tegen een moeder zeggen dat haar baby op een chimpansee lijkt. Wat een idioot!'

'En hoe heet die mooie baby?' vraagt ze weer.

'Isidore Louis Junior,' zegt Giselle. Ze kijkt Materena recht in de ogen, alsof ze een opmerking verwacht.

En heel even denkt Materena: Isidore Louis Junior! Wat is dat nou voor naam? Waarom heeft Giselle haar baby in hemelsnaam zo genoemd?

Maar ja, we noemen onze baby's zoals we zelf willen.

'Het is een mooie naam,' zegt Materena.

Giselle blaast haar rook uit. 'Een mooie naam, zeg je? Eh, ik vind het niet echt een mooie naam.'

'Maar waarom heb je hem dan zo genoemd?'

'Ik had geen keus.'

Materena weet dat ze een poosje zal moeten wachten om het te weten te komen, omdat Giselle een verhaal altijd van het begin af aan moet vertellen.

'Heb je haast?' vraagt Giselle.

'Nee. Ik ben net naar de winkel geweest en nu ben ik op weg naar huis,' antwoordt Materena.

'Zitten er geen spullen in die tassen die kunnen smelten?'

'Ah, het gaat toch geen uren duren?'

'Mamie, ik kan de boodschappen wel naar huis brengen,' zegt Leilani.

Materena zet zo onopvallend mogelijk grote ogen op naar Leilani, alsof ze wil zeggen: wat zeg jij nou! Ze ergert zich groen en geel aan Leilani. Als een moeder je haar baby laat zien, loop je niet zomaar weg. Dan neem je op zijn minst een kwartier de tijd om het kind te bewonderen.

Maar Leilani is nog niet geïnteresseerd in baby's en verhalen over bevallingen en ze gaat zich zo meteen natuurlijk verschrikkelijk vervelen. Bovendien gaat de boter straks smelten. 'Goed dan, kind,' zegt Materena. 'Ga jij maar naar huis, dan zie ik je straks. En zet de boter in de koelkast.'

Nadat ze de baby nog een paar kleine kusjes op zijn voorhoofd heeft gegeven, gaat Leilani er snel met de boodschappentassen vandoor.

'Oké, nicht,' begint Giselle. 'Daar komt het… Mijn weeën begonnen om een uur of acht.'

''s Avonds of 's morgens?' Materena vraagt dat, omdat er 's avonds maar weinig vrachtwagens rijden. Als dan je auto het begeeft, of als degene die je weg zou brengen te veel gedronken heeft, kun je flink in de problemen komen.

'Acht uur 's avonds,' antwoordt Giselle. 'Ik stond de keuken te boenen.'

Materena knikt begrijpend. 'Als je gaat boenen, weet je dat de baby eraan komt.'

'Ja, goed, maar ik dacht dat het nog niet de echte weeën waren, omdat ik Isidore Louis Junior pas over twee weken verwachtte. Volgens mijn dokter zou hij vandaag geboren worden.'

Materena glimlacht naar de slapende baby. 'Jij had haast, eh?'

'Toen de weeën begonnen, raakte ik niet in paniek,' vervolgt Giselle. 'Ik dacht dat het nog maar voorweeën waren. Eh, hoe moest ik weten dat het echte weeën waren? Het is mijn eerste kind.'

'Ah oui,' zegt Materena. 'Met de eerste is dat moeilijk. Dan heb je nog geen ervaring.'

'Precies. Dus ik ging naar bed. Ik had geen zin in echte weeën, want ik was alleen thuis.'

'En Ramona, waar was die dan?' Materena vraagt het, maar ze weet het antwoord al.

'Die zat te drinken met zijn vrienden.'

'En je broer?' Daar weet Materena ook het antwoord al op.

'Die zat te drinken met Ramona.'

'En mama?'

'Die zat bij iemand thuis te bidden.'

'Dus jij was helemaal alleen, eh-eh.'

Giselle knikt. 'Als er iemand thuis was geweest, had ik de keukenvloer met plezier harder geboend om die baby eruit te krijgen. Ik was het onderhand een beetje beu om zwanger te zijn.'

'Ah oui, zo is dat in de laatste maand. Je wilt gewoon die baby hebben.'

'Je wilt gewoon je voeten weer zien.' Giselle kijkt naar haar slippers.

'Je wilt je weer licht voelen,' zegt Materena.

'Je wilt weer op je buik slapen.'

'Dus je ging naar bed,' dringt Materena aan.

'Ja, en ik deed mijn ogen dicht om te gaan slapen,' zegt Giselle. 'Ik dacht: als ik ga slapen, gaan de weeën wel weg. Maar ik kon niet slapen.'

'De weeën deden te veel pijn.' Materena trekt een gezicht. Hoewel het al jaren geleden is dat zij voor het laatst weeën heeft gehad, herinnert ze ze zich nog goed. Niet hoe de pijn precies was, maar het feit dat ze moest steunen en kreunen, omdat de weeën zo'n pijn deden.

'Ah oui, ze deden pijn,' zegt Giselle. 'Maar dat was niet de reden waarom ik niet kon slapen. Ik kon niet slapen omdat ik lag na te denken over de naam van de baby.'

'Ah, had je nog geen naam bedacht dan?' Dit is een schok voor Materena. Op Tahiti moet je voor de geboorte een naam bedenken voor je baby. In het Mamao Ziekenhuis krijgen veel vrouwen in dezelfde tijd een baby als jij – tien, soms wel vijftien vrouwen tegelijk. Je ligt in een grote zaal en het enige wat je van de andere vrouwen scheidt is een gordijn. Dat kan voor misverstanden zorgen. Het is een keer gebeurd dat Materena met haar benen wijd op de dokter lag te wachten, toen er een vreemde man haar 'kamer' binnenkwam. Ze gaf een gil en hij liep snel weg. Hij had zich vergist, omdat Materena dezelfde sokken aan had als zijn vrouw.

Zo verwarrend kan het ook zijn met de pasgeboren baby's. Ze worden naar een kamer gebracht om gewassen te worden en als je baby geen naam op zijn polsbandje heeft staan, kun je per ongeluk de baby van een andere vrouw krijgen. Toen Materena haar baby had gekregen, was Loana meteen achter de verpleegster aan gegaan die met hem weg liep.

Je moet van tevoren een naam bedenken.

Nou, dat had Giselle ook gedaan – zo'n beetje. Haar moeder wilde dat de baby zus zou heten, Ramona wilde dat hij zo zou heten. En dan was er nog de *maman* van Ramona, die wilde dat hij vernoemd zou worden naar een van haar voorouders.

'En jij dan? Hoe wilde jij hem noemen?' vraagt Materena.

Giselle kijkt met een liefdevolle blik naar haar prachtige zoon. 'Ik wilde hem Michel noemen.'

Materena vindt Michel een veel leukere naam dan Isidore Louis Junior, maar ze weet dat er omstandigheden zijn dat je je baby een naam moet geven die je niet leuk vindt.

'Dus je lag in bed en je kon niet slapen,' zegt ze.

'Ja, en de weeën werden steeds erger. Ik draaide me van de ene zij op de andere. En toen hoorde ik opeens een ploppend geluid.'

'Je vliezen braken.' Materena herinnert zich het ploppende geluid.

'Ah oui, het bed was helemaal nat,' zegt Giselle. 'Ik vervloekte Ramona omdat hij zat te drinken met zijn vrienden. Ik vervloekte mijn broer omdat hij zat te drinken met Ramona en ik vervloekte mama ook, omdat ze bij iemand thuis zat te bidden.'

Ze had inmiddels veel pijn en als je zo'n pijn hebt, vliegen de vervloekingen je mond uit.

'Ik ging uit bed om iemand te bellen,' vervolgt Giselle. 'Maar toen bedacht ik dat de telefoon was afgesloten, omdat mijn broer had zitten bellen met een vriend die in Frankrijk in militaire dienst zit. Die broer van mij had twee uur en zeventien minuten aan de telefoon gezeten! De telefoon is nu nog steeds afgesloten. Hij wilde mij de telefoonrekening laten betalen van mijn kinderbijslag. Ik heb gevraagd of hij dacht dat ik gek was.'

'Ah oui alors,' zegt Materena. 'De kinderbijslag is er niet om telefoonrekeningen van te betalen.'

'Ah non, die is er om een paar leuke dingetjes te kopen voor jezelf, een nieuwe jurk bijvoorbeeld... Dus daar zat ik. Ik kon niemand bellen. Ik was in paniek, dus ik ging naar de keuken om die kokosnoot te zoeken die mama een paar dagen eerder voor me had gekocht.'

'Om het sap op te drinken, zodat de baby er gemakkelijker uit komt,' zegt Materena.

'Oui. Heb jij kokossap gedronken bij je bevallingen?'

'Oui.'

'En heeft dat geholpen?'

Materena denkt hier even over na. Ze is er niet van overtuigd dat haar baby's er door het drinken van het kokossap gemakkelijker uit gleden. Naar haar idee ging dat bij haar nooit erg gemakkelijk. Maar er wordt van je verwacht dat je in de kracht van het kokossap gelooft, omdat duizenden vrouwen voor je dat ook hebben gedaan.

'Ja, het heeft wel een beetje geholpen,' zegt Materena. 'En bij jou? Heeft het bij jou geholpen?'

'Ik kon de kokosnoot niet vinden. Ik zocht in de koelkast, in de voorraadkast, overal, maar ik kon hem niet vinden. Ik wist niet dat mama hem in de babytas had gestopt.'

Giselle dronk in haar wanhoop dus een halve fles bakolie leeg, in de overtuiging dat olie dingen gemakkelijker laat glijden.

Materena lacht, maar ze moet zich inhouden, omdat de baby in haar armen ligt te slapen. Ze hikt meer dan dat ze lacht.

'Eh, nicht,' zegt Giselle. 'Ik was wanhopig... Ik dronk mijn olie en toen ging ik naar buiten. Ik keek naar de hemel en ik huilde: God, Heilige Maria, Jezus Christus – help me alsjeblieft. Ik wil niet helemaal in mijn eentje bevallen. Stuur alsjeblieft iemand hier naartoe. Stuur een tante die ervaring heeft met bevallingen om me te helpen.'

Materena stopt met hikken. Het is niet goed om in je eentje te bevallen – vooral niet als het je eerste keer is.

'En kwam er een tante?' vraagt ze. Ze hoopt voor Giselle dat hun tante Stella is gekomen, want dat is een ervaren vroedvrouw. Stella had geholpen bij de geboorte van Materena en Loana was daar zo tevreden over dat ze haar ook vroeg om Materena's broer te halen. Loana wilde geen dokter.

'Nee, neef Mori kwam,' antwoordt Giselle.

'Neef Mori!' roept Materena. Ze denkt: wat heb je daar nou aan als je moet bevallen? Maar ja, neef Mori is beter dan niemand. 'Mori kwam aanrijden in zijn roestige rammelbak van een Peugeot,' zegt Giselle. 'Hij was op zoek naar François – om samen te drinken, natuurlijk. En ik zei tegen hem: "Mori, het is goed dat je er bent, dan kun jij me naar het ziekenhuis brengen." Maar eerst moest ik hem vragen of hij zijn rijbewijs nog had. Of ze het niet hadden afgenomen. Als de gendarmes je aanhouden en je hebt geen rijbewijs, dan krijg je allerlei problemen. Dan moet je op de gendarmerie urenlang vragen beantwoorden.'

'Ah, als ze jou hadden gezien met je dikke buik, hadden ze je meteen naar het ziekenhuis gebracht,' zegt Materena.

'Dat weet je maar nooit,' antwoordt Giselle. 'Er gaat een verhaal dat de gendarme een keer een auto aanhield. De bestuurder had geen rijbewijs, dus hij liet zijn vrouw, die zwanger was, net doen alsof ze bijna haar baby kreeg. De vrouw zat aan een stuk door te kreunen en te klagen over de pijn. Dus de gendarme zette zijn zwaailicht aan en begeleidde de andere auto naar het ziekenhuis. Maar daar besloot hij de vrouw helemaal naar de verloskamer te brengen. Een verpleegster legde haar aan de monitor en toen bleek dat ze onmogelijk weeën kon hebben. Alle gendarmes in Tahiti kennen dat verhaal. En als ze nu een zwangere vrouw zien die lijkt te gaan bevallen, vertrouwen ze het niet meer.'

'Ah,' zegt Materena. 'Maar ze zouden wel hebben geweten dat het echt was als je daar op de gendarmerie je kind had gekregen.'

Giselle kijkt haar ontzet aan. 'Ik wil geen kind krijgen op de gendarmerie. Stel je voor – je wordt geboren en de eerste persoon die je ziet is een gendarme.' Ze schudt haar hoofd. 'Ah non.'

'En, had Mori zijn rijbewijs nog?' vraagt Materena.

'Ja, hij liet het me zien en ik controleerde de datum. Toen vroeg ik of hij gedronken had. Ik wilde niet door een dronkeman naar het ziekenhuis worden gebracht.'

'Ah, gelijk heb je. Dan weet nooit of je goed terechtkomt,' zegt Materna.

'Inderdaad, de kans is groot dat je niet eens levend in het ziekenhuis aankomt. Neem Ramona. Die zou een week voor de geboorte stoppen met drinken. Ik heb het hem laten zweren op het graf van zijn grootmoeder. Daarom zat hij die avond zo te zuipen – omdat hij daarna een hele week van de drank af moest blijven.'

'En, was Mori niet dronken?'

'Non, Mori zei dat hij maar een half glaasje bier op had. Ik liet hem in mijn gezicht ademen en ik rook meer uien dan bier. Ik was gerustgesteld. Toen vroeg ik hem of hij zeker wist dat zijn auto mij in één keer naar het Mamao Ziekenhuis kon brengen.'

'Hoeveel vragen heb je Mori wel niet gesteld?' Materena begint zich af te vragen of Giselle wel echt weeën had, want zoals zij het zich herinnert, denk je er als je weeën hebt niet aan om vragen te stellen.

Giselle stelde Mori maar drie vragen. Eén over zijn rijbewijs, één over het drinken en één over de auto.

'En wat zei Mori over zijn auto?' vraagt Materena.

'Hij zei: "Eh, nicht, misschien ziet mijn auto eruit als een stuk schroot, maar ik zeg je: het is een goede auto, de motor is in perfecte conditie." Toen legde hij uit dat zijn auto pas nog helemaal was opgeknapt en dat je beter een auto kunt hebben waar je meer dan honderd keer het eiland mee rond kunt rijden zonder dat hij het begeeft, dan een die er alleen maar goed uitziet. Dus ik pakte de babytas, schreef een briefje voor mama dat ik naar het ziekenhuis was en stapte in de auto. Vind je het niet erg om hem vast te houden?'

'Natuurlijk niet,' zegt Materena. Hij ligt heerlijk te slapen, baby Isidore Louis Junior.

Giselle draait nog een sigaret. 'Dat stuk schroot van Mori begaf het in Tipareui. We hoorden eerst een doffe klap, toen nog een klap, toen een dreun en toen niets meer. Het was maar goed dat Mori de auto nog langs de kant van de weg kon zetten. Ik vind het maar niks als een auto midden op de weg stil komt te staan. Er kan maar zo een andere auto bovenop klappen.'

Materena huivert en knikt instemmend.

'Ik raakte niet in paniek,' zegt Giselle. 'Dat heeft geen enkele zin.'

'Ah oui, het beste is om rustig te blijven en langzaam te ademen,' zegt Materena.

'Ja, ik ademde langzaam. En Mori zei: "Ah, maak je maar geen zorgen, nicht." Hij haalde de zaklamp uit het handschoenenkastje en de gereedschapskist uit de kofferbak en begon zijn auto te repareren. En ik praatte tegen de baby. Ik zei: je moet nu niet komen, het is geen goed moment. Toen voelde ik me nog prima, maar even later kreeg ik een wee en deed het zo'n pijn dat ik het uitschreeuwde. Toen riep ik: "Mori, hoe zit het met die rammelkast van je?" En Mori zei dat zijn auto nu een rokend stuk schroot was.'

'Ah hia, hia,' zegt Materena. 'En toen? Wat gebeurde er toen?'

'Eh, wat moest ik doen? Ik had weeën en Mori's auto stond te roken en Mori stond te klagen dat hij nog wel zoveel geld had betaald voor die opknapbeurt.'

'Mooie opknapbeurt.'

'Het was heel slecht gedaan. Hij was naar de verkeerde monteur gegaan.'

'Hij wilde goedkoop uit zijn.'

'Dat heb je als je niks betaalt – dan krijg je ook niks.'

'Zo is het, nicht. En wat heb je toen gedaan? Ben je naar het ziekenhuis gelopen?'

'Gelopen, Materena?' Giselle kijkt Materena aan alsof ze haar oren niet kan geloven. 'Je lijkt wel gek! Met die weeën? Non, ik besloot een auto aan te houden.'

'Ah, dat had je goed bekeken.'

'Ja. Er kwam een auto voorbij en ik zwaaide en legde mijn handen op mijn buik om duidelijk te maken dat mijn gezwaai iets te maken had met dat ik zwanger was. Maar de auto stopte niet.'

'De auto stopte niet!' roept Materena uit. 'Wat heb je toch een rare mensen op de wereld!'

'Er kwam weer een auto voorbij – hetzelfde. Toen begreep ik opeens dat mensen misschien niet stopten vanwege Mori.'

'Ah.' Materena begrijpt het. Mori is meer dan een meter tachtig lang. Hij is een dikke man met een baard tot op zijn borst en een rastakapsel. Hij zit bovendien onder de zelfaangebrachte tatoeages. Als je hem niet kent, zou je misschien bang voor hem worden. Hij ziet eruit… nou ja, hij ziet er een beetje uit als een landloper en dat is hij ook, maar hij is geen slechte kerel. Hij is zelfs heel zachtaardig.

'Wat heb je met hem gedaan?' vraagt Materena.

'Ik zei tegen hem dat hij zich moest verstoppen achter zijn kapotte auto. Er kwam weer een auto voorbij en ik zwaaide en wees op mijn buik en de auto stopte. Het was een gloednieuwe Mercedes-Benz. Er stapte een jongeman – een popa'a – uit. Ik vertelde hem dat ik weeën had en hij zei dat ik moest instappen, dus ik stapte in.'

'En Mori?'

'Ah, die stapte ook in,' zegt Giselle. 'Ik was hem helemaal vergeten, maar toen het achterportier openging, verscheen hij met de babytas. Hij zei tegen de man van de auto: "Maak je maar geen zorgen, kerel, zij is een nicht van me." Dus wij reden als een gek naar het ziekenhuis en toen kreeg ik opeens de drang om te persen. Ik probeerde het in te houden, want ik wilde die man zijn nieuwe auto niet smerig maken, maar nicht, ik kon het hoofdje van de baby al voelen. Ik wilde schreeuwen, want ik had het gevoel alsof mijn onderlijf uit elkaar scheurde, maar ik hield me in. Je gaat niet zitten schreeuwen bij mensen die je niet kent. Eh, ik schaamde me een beetje. Als die man nou oud was geweest, oké, maar hij was jong en hartstikke knap, nicht. Hij zag er net uit als een filmacteur.'

'Ach, jij.' Materena giechelt.

'Je ziet niet iedere dag zo'n knappe man.' Giselle knipoogt en lacht. 'Hoe dan ook, we kwamen aan in Papeete en ik zei tegen mezelf: de baby komt, de baby komt. Dus ik vroeg aan de jongeman: "Vind je het goed als ik de baby in jouw auto krijg, want hij komt er nu aan." De jongeman keek me heel even aan en toen zette hij zijn auto langs de kant van de weg. En ik zei tegen hem: "Mijn neef Mori zal de rommel opruimen." En ik zei tegen Mori: "Eh, Mori, zul jij de rommel opruimen?" En hij zei: "Je kunt op me rekenen." En toen deed ik mijn slipje uit, zette mijn voeten op het dashboard en perste.'

En toen was Isidore Louis Junior geboren.

Materena's ogen zijn vochtig. Dat heeft ze altijd bij verhalen over geboortes.

'En heette die jongeman Isidore Louis Junior?' vraagt ze.

'Non, alleen Isidore Louis. Ik heb er Junior bij gezet.'

'Ah, en heeft Mori de auto schoongemaakt?'

'Non, want toen Isidore Louis Junior was geboren, bracht Isidore Louis ons naar de eerste hulp van het ziekenhuis en daarna reed hij weg.'

'Misschien wilde hij een professionele schoonmaker om zijn auto schoon te maken.'

'Eh, die had hij ook wel nodig, met al dat bloed en die poep.'

Materena kijkt naar Isidore Louis Junior in haar armen. 'Je hebt wel een verhaal te vertellen aan je kinderen.'

Giselle glimlacht. 'Ah oui. Er wordt niet iedere dag een baby geboren in een gloednieuwe Mercedes.'

Er komt een vrachtwagen aan en Giselle beduidt met een klein handgebaar dat hij bij haar moet stoppen. Dan gooit ze haar sigaret weg en neemt glimlachend haar geliefde zoon van Materena over.

'Veel plezier met winkelen,' zegt Materena, nadat ze nog een laatste zoen op het voorhoofd van haar neefje heeft gedrukt.

'Ach,' zegt Giselle schouderophalend. 'Kón ik maar lekker gaan winkelen.' Ze voegt eraan toe dat ze waarschijnlijk toch de telefoonrekening maar gaat betalen, omdat ze anders geen telefoon heeft als er iets met de baby is en ze een ambulance nodig heeft. Maar één ding is duidelijk: de telefoon komt achter slot en grendel en Giselle zal het sleuteltje vierentwintig uur per dag bij zich houden. Ze gaat geen telefoongesprekken met het buitenland betalen. De rekeningen komen toch al haar oren uit.

En met dit inkijkje in haar beroerde financiële situatie loopt Giselle naar de vrachtwagen. In gedachten schrapt Materena haar niet van haar lijstje voor het bed.

Vrijen

En Rita dan? denkt Materena, terwijl ze naar huis loopt. Zij wil vast graag aan het bed bijdragen, want zij is Materena's lievelingsnicht. Als ze niet wordt uitgekozen, zal ze waarschijnlijk zelfs beledigd zijn. Maar eerst is het misschien een goed idee om na te gaan wat Rita van geschenkenlijsten vindt. Sommige mensen vinden het leuker om de bruid te verrassen. Materena heeft straks mooi de gelegenheid om eens te informeren, want Rita komt bij haar op bezoek.

Even later liggen de beide nichten te weken in een paar badkuipen vol koel water. Hun armen en benen bungelen over de rand en er hangen beddenlakens aan de lijn voor de privacy.

'Rita,' begint Materena. 'Wat...'

Maar Rita heeft haar eigen ideeën voor een gespreksonderwerp. 'Nicht,' flapt ze eruit, dwars door Materena heen. 'Ik had twee nachten geleden toch zó'n zin om verwend te worden.'

Ah, oké. Zó'n gesprek dus. 'Door Coco?' vraagt Materena.

Rita trekt haar gepotlode wenkbrauwen op. 'Natuurlijk door Coco. Wat dacht jij dan?' Materena was gewoon benieuwd. Soms wil een vrouw verwend worden door iemand anders dan haar eigen man.

'Ik versierde het bed met rode jasmijn,' vervolgt Rita.

Materena giechelt. 'Ah oui?'

'Ik smeerde mijn lichaam in met kokosolie. Ik kamde mijn haar lekker wild, deed een beetje rouge op mijn wangen en spoot wat eau de cologne achter mijn oren en op de kussens. Coco zat naar de voetbalwedstrijd te kijken op tv.'

'O ja, die heeft Pito ook gezien.'

'Nou, nicht, ik had het prettiger gevonden als er een documentaire op tv was geweest in plaats van die voetbalwedstrijd. Ik wachtte tot Coco naar bed zou komen. Ik riep steeds weer: "Oehoe, Coco, schatje, ik wacht op je." Maar Coco ging zo op in die wedstrijd dat hij me niet hoorde. Na een poosje stapte ik uit bed en liep naar de kamer. Ik liep een paar keer sierlijk heen en weer voor de tv en liet toen per ongeluk mijn pareu weg-glijden – om mijn mooie, gladde lichaam te laten zien. Coco verblikte of verbloosde niet. Dus zei ik met zo'n heel sexy stem: "Coco, Cocootje van me." Maar hij gebaarde alleen maar naar me dat ik weg moest gaan.'

'Ah non!' zegt Materena.

'Ah oui! Dus ik zette de tv uit en Coco rende er naartoe om hem weer aan te zetten. Toen zei hij tegen me: "Laat je me nou die wedstrijd afkij-ken of niet?" Oh-la-la, ik was zo kwaad, nicht, dat wil je niet geloven. Als je in de stemming bent, wil je dat het gebeurt, eh?'

'Ah, oui, nicht. Dat is zo.'

'Ik ging terug naar bed,' vervolgt Rita. 'En ik wachtte tot Coco zou komen om me lekker te verwennen. Hij begon te juichen en ik juichte ook. Ik wilde dat Faa'a zou winnen, want dan zou Coco zin hebben om het te vieren.'

Op dat moment weet Materena al dat Rita niet aan haar trekken is ge-komen. Faa'a heeft met twee punten verloren van Pirae. Ze weet dat om-dat Pito de hele tweede helft in een slechte bui was. Hij zat steeds te vloe-ken en op een gegeven moment werd hij zo nijdig op de spelers dat hij op Materena begon te schelden omdat zij stond te strijken en hij zich daar niet bij kon concentreren. Ze moest in de keuken verder strijken.

Eh, maar misschien besloot Coco de verloren wedstrijd te vergeten in de armen van Rita.

'Hij kwam naar bed in een slechte bui,' zegt Rita. 'Ik merkte het met-een. Hij liep te vloeken en te stampen en ik dacht: ach, ik kriebel hem even lekker op zijn hoofd en dan komt hij wel tot rust.'

'Dat is een goed idee.'

'Ik kriebelde hem ongeveer vijf minuten op zijn hoofd.' Rita kijkt Ma-terena aan en glimlacht. 'Op een sexy manier, natuurlijk.'

'Ja, natuurlijk.' Materena glimlacht terug.

'Ik wachtte tot Coco me zou pakken,' gaat Rita verder. 'Maar dat ge-beurde niet en ik begon het fiu te worden om hem op zijn hoofd te krie-belen, dus toen begon ik hem te zoenen. Ik ging ongeveer twee minuten door en toen werd ik het fiu om hem te zoenen en ging ik bovenop hem zitten. En zijn *moa* was helemaal zacht. Hij zei tegen me: "Ik ben verdrietig vanwege die wedstrijd, Rita." En ik zei tegen hem: "Oké, maar dan morgen…" Maar gisteravond is er ook niets gebeurd.'

'Eh, hij was waarschijnlijk gewoon moe, nicht.'

'Ik kan er niet over uit dat Coco gisteravond niet met me wou vrijen. We zijn nu zes maanden bij elkaar en dat is nog nooit gebeurd. Ik zeg je, nicht: er is een andere vrouw die mijn Coco verwent. Mijn probleem, nicht, is dat hij knap is. Er kijken zoveel vrouwen naar hem. Ze lopen voorbij en draaien zich om. Ze kunnen er niets aan doen, want mijn Coco heeft prachtige ogen. Er zijn zoveel vrouwen die mijn Coco willen. Soms denk ik wel eens dat ik beter een kale man had kunnen nemen.'

'Het is warm, eh?' zegt Materena, in een poging van onderwerp te veranderen.

Maar Rita heeft geen zin om over het weer te praten. Ze wil praten over haar Coco en dat hij gisteravond niet met haar wilde vrijen. 'Ik ga op onderzoek uit, nicht. Die Coco mag wel oppassen, want als ik erachter kom dat er een andere vrouw in het spel is, krijgt hij een toverdrankje van me – zonder pardon.'

'Wat voor drankje bedoel je?' vraagt Materena ongerust.

'Een drankje dat de *moa* zacht maakt,' zegt Rita.

'Bestaat er dan zoiets?' vraagt Materena.

'Ah oui. Een oude vrouw in Taravao maakt het. Lily heeft me over haar verteld.'

'Onze nicht Lily?' Materena wil zeker weten of Rita het over hun nicht Lily heeft en niet over iemand anders, want het lijkt haar niets voor Lily om een drankje te gebruiken dat de moa zacht maakt. Zij zal eerder geïnteresseerd zijn in een drankje dat de moa hard maakt.

'Ja, onze nicht Lily,' zegt Rita. 'In ieder geval, die oude vrouw vertelde me dat ze toen ze jong was een keer zo was gekwetst door een man, dat ze besloot haar leven te wijden aan het helpen van andere vrouwen die door een man gekwetst worden. Die vrouw was verliefd op een man en hij beloofde dat hij met haar zou trouwen, maar uiteindelijk trouwde hij met een ander. Haar drankjes zijn goedkoop, iedere vrouw kan ze betalen. Je koopt het in een whiskyfles. Je doet er tien dagen lang twee theelepels van in het bier en dan wordt de moa zacht… en dat blijft zo, voorgoed.'

'De moa blijft voorgóéd zacht?'

'Ah oui, tot in de eeuwigheid, nicht.' Rita knikt een paar keer om dit te bevestigen. 'Coco zal de dag betreuren dat hij een andere vrouw heeft genomen. Heeft hij het bij mij soms niet goed?'

'Nicht, Coco heeft het hartstikke goed bij jou,' zegt Materena. En zij kan het weten, want ze hebben het er vaak over.

'Ik zal je vertellen, nicht, vanavond kan hij maar beter met me vrijen… Het is zijn laatste kans.' Rita heeft nu een verbeten uitdrukking op haar gezicht. 'Als er vanavond niet gevreeën wordt, ga ik dat drankje halen. Dat geef ik hem tien dagen en daarna verbrand ik zijn kleren en ga ik een andere man zoeken.'

'Ga je niet eerst op onderzoek uit?'

'Ah non. Dat is veel te lastig. Als er vanavond niet gevreeën wordt, heeft Coco de rest van zijn leven een zachte moa.'

Als Rita weg is, wil Materena het liefst Coco op zijn werk opbellen om te zeggen dat hij vanavond maar beter met Rita kan vrijen, maar… vrouwenpraat is geheim.

Als ze de volgende dag op weg is naar de Cash & Carry-winkel, kan ze Rita's dreigementen maar niet uit haar hoofd zetten. Ze vindt het maar niks dat Rita Coco dat drankje gaat geven. Stel je voor dat hij er een hartaanval van krijgt? Dan wordt Rita aangeklaagd voor moord en Materena voor samenzwering. Ze moet haar bellen.

Rita werkt in een stoffenzaak en de eigenaar van de winkel neemt altijd de telefoon aan, omdat Rita stoffen moet verkopen aan de klanten. Als je Rita op haar werk belt, moet je tegen de baas zeggen dat je familie bent en dat je belt over een belangrijke familiekwestie.

'Hallo, u spreekt met een nicht van Rita en ik moet dringend Rita spreken – het gaat over de familie.'

'Maak het niet te lang.' De winkelbaas is erg kortaf.

'Ah non, het duurt maar even.'

'Ik heb hier wel een bedrijf.'

'Ja, oké.'

Materena hoort de winkelbaas naar Rita schreeuwen dat ze naar de telefoon moet komen – het is je nicht en het gaat over de familie. Rita komt aan de telefoon.

'Rita, ik ben het.' Materena weet dat de winkelbaas naar Rita staat te kijken. 'Zeg alleen maar ja of nee. Heeft Coco vannacht met je gevreeën?'

'Ah oui, het was super.' Rita klinkt helemaal blij. 'En zeg maar tegen oma dat ik met haar naar het ziekenhuis ga voor haar onderzoek, oké? Ik ga nu, er zijn klanten.'

Materena is opgelucht.

Die Rita. Die dacht dat Coco een maîtresse had. Materena kan zich niet voorstellen dat Coco zou vrijen met een andere vrouw. Eigenlijk kan ze zich Coco helemaal niet vrijend voorstellen. Hij is namelijk erg groot en dik. Niet zomaar dik, maar enorm dik. Hij weegt zeker honderddertig kilo. Zijn bijnaam is Sumo. Toen Rita Coco kwam voorstellen, zei Materena tegen haar: 'Heb je wel goed gekeken?' Maar als Rita een sumo wil, is dat haar zaak. Bovendien is Rita zelf ook behoorlijk dik. Coco en zij passen goed bij elkaar. Maar het is erg grappig om je voor te stellen hoe het is als twee sumo's met elkaar vrijen.

En Rita is tuk op vrijen.

Eh, dat komt omdat ze al tweeëndertig was toen ze voor het eerst met iemand naar bed ging – met Coco. Nu is ze al die jaren aan het inhalen dat zij maagd was en haar nichten baby's kregen.

Tapeta

Bij Cash & Carry voor de deur loopt Materena haar nicht Tapeta tegen het lijf. Ze staan beiden net op het punt met hun winkelwagentjes naar binnen te gaan. Ze geven elkaar twee kussen op de wang.

'Het is warm, eh,' zegt Tapeta.

'Ah oui, nicht,' beaamt Materena. 'Het is zeker warm.'

'En, ga je boodschappen doen?'

'Oui, een paar dingetjes.'

'Ah, ik ook. Een paar blikken cornedbeef, wc-papier, zeep.'

'En hoe is het met de kinderen?' vraagt Materena.

'Mijn Rose wilde pianospelen,' zegt Tapeta.

Pianospelen! denkt Materena, maar ze moet oppassen dat ze niet te verbaasd klinkt. Dan zou Tapeta misschien kunnen gaan snauwen: 'Wat is er zo vreemd aan dat mijn Rose piano wil spelen?'

'Piano?' Materena klinkt belangstellend.

'Eh, ik schrok ervan toen ik het hoorde. Nou ja, ze zei niet echt tegen me: "Mama, ik wil pianospelen." Ze zei: "Eh mama, stel je voor dat ik piano zou spelen … eh, ik vind het zo'n mooie muziek."'

Dat is vreemd, denkt Materena. Wij luisteren nooit naar dat soort muziek. Er zijn geen mensen die pianospelen in de familie en dat is al honderd jaar zo. We zingen en we spelen gitaar en ukelele.

Goed, neef Mori speelt accordeon. Hij heeft een accordeon 'gevonden' in een vrachtwagen toen hij een jaar of twaalf was. Die heeft hij mee naar huis genomen en hij heeft zichzelf er op leren spelen. Hij kan het erg goed.

Maar niemand speelt piano. Waarschijnlijk liggen er muziekcassettes bij Tapeta thuis. Volgens Materena wil je geen pianospelen als je de muziek nog nooit gehoord hebt of geen instrument hebt om mee te spelen. Ze weet dat er bij Tapeta thuis geen piano staat, dus sinds wanneer luisteren ze daar naar pianomuziek?

'Luisteren jullie bij jou thuis naar pianomuziek?' vraagt Materena.

Tapeta kijkt haar niet vreemd aan. 'Wij? Hoe kom je erbij!'

'Hoe komt het dan dat Rose piano wilde spelen, als ze de muziek nog nooit heeft gehoord?'

'Eh, je hoeft de muziek niet gehoord te hebben om te willen spelen. Toen ik klein was, wilde ik viool spelen, en ik had nog nooit vioolmuziek gehoord.'

'Wilde jij viool spelen?' Dit keer laat Materena haar verbazing wel merken.

'Nou, oui,' giechelt Tapeta. 'Maar tegen niemand zeggen, hoor. Ik schaam me ervoor.'

'Ah, oké. Dus Rose wilde pianospelen.'

'Ja, mijn Rose wilde pianospelen. Ze hebben een piano op school.'

Ah, nu begrijpt Materena het.

Rose zat blijkbaar iedere lunchpauze naast het lokaal waar pianoles werd gegeven en luisterde daar naar de betoverende pianomuziek. Ze geven daar op school pianoles, althans aan degenen die dat kunnen betalen. Tapeta besloot dus dat haar dochter ook piano mocht gaan spelen.

'Je weet dat ik een moeder ben die alles voor haar kinderen over heeft.'

'Ah oui, zo ben ik ook,' zegt Materena.

Ze zou graag uitweiden over wat ze allemaal voor haar kinderen over heeft, maar het verhaal gaat niet over haar kinderen. Het gaat allemaal over Rose en die piano.

'Je weet dat ik weinig geld heb.' Tapeta kijkt treurig.

'Ja, ik ken dat.' Materena kijkt somber terug.

'Maar als je kinderen iets willen – dan doe je je best om het ze te geven,' zegt Tapeta.

'Zeker, je bent een goede moeder, Tapeta.'

'Dank je wel, nicht. Jij bent ook een goede moeder. We weten allemaal wat jij voor je kinderen doet.'

Materena wil graag voorbeelden horen, maar die moet Tapeta zelf geven. Daar ga je niet om vragen… Maar Tapeta noemt geen voorbeelden – zij wil haar verhaal doen.

'Ik kleedde me piekfijn aan en ging naar de schooladministratie om informatie te vragen over die pianolessen. Ik had mijn lange, blauwe rok met de bijpassende blouse aan. Dat zijn mijn beste kleren.'

'Ik doe ook altijd mijn beste kleren aan als ik het schoolgeld ga betalen,' zegt Materena.

'Je moet altijd je beste kleren aandoen als je naar de schooladministratie gaat.'

'Ah, zeker. Het is heel belangrijk hoe je eruitziet.' Materena voelt even of haar wrong goed zit.

'Je kunt gerust in je pareu het schoolgeld gaan betalen,' vervolgt Tapeta. 'Maar als je informatie gaat vragen over pianolessen, moet je er echt fatsoenlijk uitzien. Die lessen zijn namelijk niet voor ons soort mensen. Die zijn voor de rijken, dus dan moet je er een beetje rijk uitzien.'

Materena wil zeggen dat het geen zin heeft om bij de mensen van de schooladministratie te doen alsof je rijk bent, omdat ze van iedereen de informatie in hun dossier hebben. Ze weten dat Tapeta schoonmaakster is in het ziekenhuis en dat haar man niets uitvoert. Maar ze houdt haar mond, want ze weet dat haar nicht er niet graag aan wordt herinnerd dat haar man niets uitvoert. En ook niet dat ze schoonmaakster is in het ziekenhuis. Als je Tapeta mag geloven, is ze verpleegster.

'Dus je zei tegen de mensen van de schooladministratie dat Rose piano wilde spelen?' vraagt Materena.

'Non, ik vroeg alleen de prijs.'

'En, hoeveel was het?'

'Tienduizend franc – per maand.'

'Dat valt mee.'

'Het is toch een hoop geld. Ik kan mijn gezin een hele week te eten geven van tienduizend franc. Ik voelde het, hoor, toen ik die tienduizend franc moest missen. We hebben heel wat broodvrucht gegeten.'

'Broodvrucht is lekker,' zegt Materena.

'Ah oui, ik zou het iedere dag kunnen eten.'

'Ik ook.'

'Het is goed om een broodvruchtboom te hebben.'

'Ah oui, je kunt altijd op de broodvruchtboom terugvallen als je een beetje krap bij kas zit.' Materena spreekt uit ervaring.

'Ik zeg altijd tegen de kinderen: als je een huis gaat kopen, moet je eerst kijken of er een broodvruchtboom in de tuin staat. Zelfs als je alleen maar gaat huren.'

'Rita en Coco hebben dat ook gedaan toen ze een huurhuis zochten,' zegt Materena. 'Ze gingen eerst de tuin in om te zien of er een broodvruchtboom stond, en toen pas gingen ze binnen kijken. Waar zij nu wonen staan drie broodvruchtbomen in de tuin.'

'Rita en Coco hebben geen broodvruchtboom nodig,' zegt Tapeta. 'Zij hebben geld en geen kinderen.'

'Eh nicht.' Materena neemt nu een verdedigende houding aan. 'Als je geld hebt en geen kinderen, wil dat nog niet zeggen dat je geen broodvrucht hoeft te eten. Rita is dol op broodvrucht.'

'Ik vind het lekker in de stoofpot.' Tapeta weidt uit over haar broodvruchtrecepten.

'Ik ook. Ik vind broodvrucht in de stoofpot lekkerder dan aardappelen.'

'En op de barbecue – dat is lekker eh, als de boter erop smelt.'

'Gefrituurde broodvrucht is ook lekker.' Materena hoopt dat dit praatje niet uren doorgaat. Ze begint honger te krijgen.

'Gebakken broodvrucht. Ik hou van broodvrucht. Het is lekker en het vult de maag. Wij hebben veel broodvrucht gegeten om Rose piano te laten spelen.' Tapeta glimlacht even.

'Aue,' vervolgt ze dan. 'Mijn Rose geloofde me niet toen ik zei dat ze piano mocht leren spelen. Ik moest haar eerst de officiële kwitantie laten zien.'

'Ze was zeker wel blij, eh?'

'Ah oui. Ze zei: "Dank je wel, mama." En toen ze dat zei, eh, toen had ik geen spijt meer van die tienduizend franc. Want toen ik de prijs hoorde, dacht ik eerst: tienduizend franc! Maar toen dacht ik weer: eh, je zult vreselijk trots zijn als je dochter piano speelt. En wat is nou tienduizend franc? Geld is maar geld – je geeft het uit. Als je doodgaat, kun je je geld niet meenemen. Robert had nog het lef kwaad op me te worden om die tienduizend franc. Weet je wat ik tegen hem heb gezegd?'

Wat kan Tapeta tegen Robert hebben gezegd? Materena denkt even na. 'Pak je koffers en ga maar terug naar je mama?'

'Non, dat heb ik niet gezegd! Ik zei alleen: hou je kop.'

'Ah.'

'Het gaat hem niks aan wat ik met mijn tienduizend franc doe,' zegt Tapeta.

'Ah oui, je werkt hard.'

Maar wat is er gebeurd met de pianolessen? Er is iets gebeurd, want anders had Tapeta in het begin al gezegd: 'Zal ik je eens wat vertellen? Rose speelt piano!' Materena wacht tot haar nicht verder gaat met haar verhaal.

Maar eerst moet Tapeta zichzelf koelte toewuiven. Na een paar diepe, geërgerde zuchten vertelt ze verder.

'Ik vroeg Rose na de eerste les wat voor liedje ze kon spelen en ze zei dat ze eerst nog een beetje de noten moest leren. Ik zei tegen haar: "Zeg het maar als je een liedje kunt spelen, dan kom ik naar school om te luisteren." En Rose zei: "Oké, mama." Ik betaalde weer een maand. Maar ik hoorde nog steeds niets. Dus op een dag besloot ik onderweg naar mijn werk langs school te gaan om Rose te horen spelen. Ik luisterde bij de deur van het muzieklokaal en wat ik toen hoorde... Ah hia hia, ik zal je vertellen: dat was geen melodie. En ik zei bij mezelf: "Twintigduizend franc voor dat afschuwelijke lawaai!" Eh, ik wilde een verklaring. Ik wachtte tot de les afgelopen was. Toen Rose het lokaal uit kwam, verstopte ik me om de hoek. Toen ging ik met de muzieklerares praten.'

Materena luistert aandachtig.

'Ik vroeg die vrouw hoe het kwam dat mijn dochter niet goed speelde. Ze zei: "Uw dochter moet iedere dag oefenen, ze moet zich volledig aan de piano wijden... pianospelen moet een obsessie worden." En ik zei: "Waar moet ze dan op oefenen?" En de pianolerares zei: "Op haar piano natuurlijk!" Ik begreep er niets meer van. "Over welke piano hebben we het hier?" vroeg ik.'

Tapeta kijkt Materena in de ogen. 'Weet je wat Rose had gedaan?'

Materena vermoedt dat Rose tegen haar muzieklerares heeft gelogen dat ze een piano had, maar je kunt beter net doen alsof je de rest van het verhaal niet weet. 'Non.'

'Die kokoskop had tegen de pianolerares gelogen dat haar grootmoeder een piano voor haar had gekocht! Ah, ik zeg je, ik was zo nijdig op Rose. Toen ik thuiskwam van mijn werk, ging ik meteen naar haar toe en zei: "En hoe gaat het met je pianolessen?" Ze zei: "Alles gaat goed, mama." En ik zei: "O, dus je oefent iedere dag op de piano die je grootmoeder voor je heeft gekocht?" Ze keek me aan en toen begon ze een potje te huilen. Je weet hoe kinderen huilen als ze problemen zien aankomen. Je hebt nog niets gedaan en dan beginnen ze al te janken. Eh, ik gaf haar een klap, midden in haar gezicht... Nu is het in orde. Ze heeft het me uitgelegd. Ze begreep vanaf de derde les dat ze zelf een piano moest hebben om het goed te leren. Ze had willen zeggen dat ze die lessen niet meer hoefde, maar toen had ik alweer voor een maand betaald.

En toen de pianolerares aan haar vroeg of ze een piano had, dacht ze dat ze maar beter kon liegen. Ze was bang dat als ze de waarheid vertelde, de muzieklerares met de lessen zou stoppen. En dan zou mijn zuurverdiende geld weggegooid zijn.'

'Ach ja, kinderen, eh.' Materena bedenkt glimlachend hoe lief het was van Rose om te zeggen dat ze een piano had, om te voorkomen dat het geld van haar moeder zou worden weggegooid.

Tapeta moet nu verder met haar boodschappen. Dus lopen de nichten met hun winkelwagentjes de Cash & Carry binnen.

Maar Tapeta wil nog één ding zeggen. 'Je kunt een piano op een stuk karton tekenen en daarop oefenen… Maar eigenlijk moet je geluid horen.'

'Ah, dat is waar, nicht,' zegt Materena. 'Met muziek moet je het geluid horen.'

In de Cash & Carry denkt Materena aan Tapeta, die veruit de beste zangeres is in de Sint Josef-kerk. Tijdens de mis is er altijd wel een nicht die wat hoger en mooier probeert te zingen dan de rest. Maar als Tapeta naar de kerk komt, durft niemand haar naar de kroon te steken. Zelfs niet hun nicht Loma, die ook een heel mooie stem heeft.

Tapeta heeft een diepe, krachtige en erg ontroerende stem. Haar stem komt recht uit haar ziel en is nergens mee te vergelijken. Als Tapeta het 'Ave Maria' zingt, beginnen papa's en mama's en de priester te huilen en krijgt iedereen kippenvel. Terwijl Materena haar winkelwagentje voortduwt, hoopt ze dat Tapeta het 'Ave Maria' voor haar wil zingen als ze de kerk binnenkomt om te trouwen. Dat zou een prachtig huwelijksgeschenk zijn, en een eer voor Materena.

En Tapeta zou geen geld hoeven uitgeven dat ze niet heeft.

Imelda

Als Materena later met haar Cash & Carry-tassen aan haar voeten zit te wachten tot de vrachtwagen in beweging komt, bedenkt ze zich dat al haar familieleden (nou ja, negenennegentig procent in ieder geval) net als zij geldproblemen hebben. Ze hebben vast geen geld over voor een bed waar ze zelf nooit in zullen slapen.

Materena kan haar familie op dit moment onmogelijk vragen mee te betalen aan haar bed. Ze kan er niet over uit dat ze dat ooit heeft overwogen! Wat ongevoelig van haar! Ze kan dat bed maar beter helemaal uit haar hoofd zetten. Of het zelf betalen, hoewel ze dan wel zal moeten vragen of ze de betaling over een langere periode mag uitsmeren.

Eigenlijk, denkt Materena verdrietig, kan ze het hele huwelijk maar beter uit haar hoofd zetten. Geen wonder dat er maar zo weinig Tahitiaanse mensen trouwen. Met al die cadeaus, en dan nog het eten en drinken... vergeet het maar. Je kunt beter in zonde blijven leven.

Zuchtend kijkt Materena uit het raam. Dan ziet ze haar peettante Imelda lopen. Ja, dat is haar hoed van gebleekte palmbladen en haar zendelingenjurk. Materena springt van de vrachtwagen. Haar boodschappen kletteren en stoten tegen elkaar terwijl ze op een holletje achter haar peettante aan loopt. Maar een andere vrouw is haar voor. Imelda en de vrouw omhelzen elkaar en beginnen te praten. Imelda ziet Materena en zwaait. Nu moet ze wachten tot ze klaar is.

Materena wil haar peettante spreken. Ze heeft haar bijna een jaar niet gezien, omdat Imelda tegenwoordig bijna altijd met haar man Hotu, Materena's peetoom, in het buitenland is om haar kinderen te bezoeken.

Imelda heeft een poosje voor Materena en haar jongere broertje gezorgd toen ze klein waren en ze heeft hun altijd het gevoel gegeven dat ze welkom waren in haar leven. Imelda heeft een gave om mensen zich welkom te laten voelen. Materena herinnert zich het verhaal van de Australische surfer.

Imelda vond de toerist die haar man mee naar huis bracht meteen aardig. Hij kwam uit Australië. Imelda had nog nooit eerder van dat land gehoord. De Australiër had twee surfboards, een rugzak, een knap gezicht, goede manieren en een stevige, eerlijke handdruk.

Imelda zou die dag linzen koken, maar omdat er een toerist in huis was, besloot ze het menu te veranderen in vis van de barbecue, rijst, rauwe vis en *taro*.

Ze dwong hem goed te eten. Hij was verlegen en durfde geen tweede keer op te scheppen. Er werd veel gegiecheld aan tafel. Imelda moest haar dochters manen om een beetje stiller te zijn, omdat ze de toerist anders misschien zouden afschrikken.

De toerist stond op om de tafel af te ruimen. Hotu maakte hem in gebarentaal duidelijk dat hij moest blijven zitten om zijn eten te laten zakken. De meisjes konden de tafel wel afruimen. Maar de Australiër knikte vriendelijk en ging gewoon door. De meisjes haastten zich om hem bij te houden. Met de afwas ging het net zo.

De hele buurt wist het: *laat de toerist met rust, anders krijg je er spijt van. Als je zijn surfboards steelt, ben je al je tanden kwijt.*

De toerist stond onder bescherming, zonder het zelf te weten.

Imelda vatte haar zorg voor de jongen serieus op. Als hij met donker nog niet thuis was, haalde ze zich in haar hoofd dat hij was aangevallen door een haai, of was verdronken. Toen hij drie dagen bij hen in huis was, omhelsde ze hem alsof hij haar zoon was.

Op een zaterdagochtend stapte de hele familie met hem op de vrachtwagen om naar Papara te gaan. Matjes, *glacière*, tien stokbroden, lekkere hapjes… ze maakten het zich gezellig in het zwarte zand. Ze keken naar hem terwijl hij surfte. Goeie golf, juichten ze. Als hij viel, zuchtten ze. Imelda's dochters gingen zwemmen in hun korte broek en T-shirt en haar zoon liep op het strand te pronken met Andrews surfboard, alsof hij zelf een surfer was.

Die ochtend bedacht Imelda hoe fijn het zou zijn als de Australische surfer bij een van haar dochters zou blijven. Daar zouden vast en zeker knappe kleinkinderen met blond haar en groene ogen van komen.

Het was duidelijk dat haar dochters alledrie in de Australiër geïnteresseerd waren. Ze hadden ruzie op het strand en Imelda wist dat het over hem ging. Als zij hun leeftijd had gehad, had ze ook om hem gevochten. Maar waarschijnlijk zat er in zijn eigen land een vrouw op hem te wachten, want naar Imelda's dochters glimlachte hij alleen maar. Of misschien lagen ze hem niet.

Imelda wilde de Australische toerist graag in haar familie opnemen, maar die dingen kun je niet dwingen.

De toerist bleef drieëntwintig dagen bij Imelda logeren. Dat was een hele tijd, meer dan genoeg om aan hem gehecht te raken.

De dag dat Andrew vertrok was een trieste dag. De hele familie stond op het vliegveld te huilen toen ze afscheid van hem namen. Ze gaven hem schelpenkettingen mee en keken in de lucht tot ze zijn vliegtuig niet meer konden zien.

Aue... ze misten het om met hem aan tafel te zitten. De meisjes konden een week lang bijna geen eten naar binnen krijgen.

Imelda hoorde nooit meer iets van haar geadopteerde Australische zoon. Geen brieven, geen bezoekjes, niets. Het is nu zes jaar geleden. Iedereen die ooit bij haar heeft gelogeerd, heeft haar later foto's gestuurd, en brieven in een andere taal. En vier toeristen zijn nog een keer teruggekomen voor haar dochters en haar zoon.

Maar het enige wat ze van Andrew McMahon kreeg was doodse stilte.

'Waarschijnlijk is hij omgekomen met surfen,' probeerde Loana haar niet te troosten. 'Je eet niet drieëntwintig dagen mee aan iemands tafel zonder iets terug te doen. Die arme jongen is vast dood – God hebbe zijn ziel.'

Af en toe gaat Imelda naar de kerk om voor Andrew McMahon te bidden. Zo aardig is ze.

Imelda staat nog steeds naar de vrouw te luisteren, maar haar ogen zijn op Materena gericht. Ten slotte zegt ze dat ze moet gaan en ze haast zich met open armen naar Materena toe om haar te begroeten.

'Materena, meisje van me!' Imelda pakt haar gezicht en kust haar op haar wangen, haar voorhoofd, haar ogen, haar neus en haar mond. 'Hoe is het met je?'

'Met mij gaat het goed, peettante,' antwoordt Materena, terwijl ze haar peettante dicht tegen zich aan drukt.

De beide vrouwen blijven een paar minuten met de armen om elkaar heen staan.

'Hoe is het met mamie?' Ze omhelzen elkaar niet meer, maar Imelda houdt Materena's handen vast.

'Het gaat goed met haar, peettante. Haar benen zijn een beetje stijf als ze 's morgens wakker wordt, maar verder is ze gezond.'

'Eh,' zegt Imelda. 'Dat komt van al dat dansen dat je mamie heeft gedaan toen ze jong was. Maar je kunt 's morgens beter een beetje stijve benen hebben dan iets ernstigers.'

'Ah oui, peettante.'

'Ik zal mamie bezoeken. Morgen, of anders overmorgen,' zegt Imelda.

'Ah oui, mamie zal het fijn vinden om u te zien."

Imelda kijkt Materena aan met tranen in haar ogen. Ze slaat weer haar armen om haar heen. 'Mijn meisje, eh,' zegt ze. 'Maar je bent geen klein meisje meer.'

'Eh oui, peettante,' zegt Materena. 'Ik heb nu grijze haren.'

Imelda drukt haar nog wat steviger tegen zich aan en trekt zich dan zachtjes terug.

'En u? Gaat het goed met u?' vraagt Materena.

'Oui kind, mijn gezondheid is goed, maar ik ben een beetje moe. Je peetoom en ik zijn gisteren net uit Australië teruggekomen. Je weet dat we vorige week negenentwintig jaar getrouwd waren. Chantal heeft ons meegenomen naar een restaurant boven in een toren. We konden heel Sydney zien.'

'Ah hia!' Materena heeft er geen idee van hoe Sydney eruitziet, maar het is vast indrukwekkend om er vanuit een toren naar te kijken.

'En jij, meisje,' zegt Imelda, terwijl ze Materena's handen wrijft. 'Heb jij al trouwplannen?'

Materena fronst haar wenkbrauwen. 'Trouwplannen?'

'Vergeet niet: als je gaat trouwen, betalen je peetoom en ik de bruiloft.'

'Echt?' Materena straalt. 'Meent u dat?'

'Natuurlijk meen ik dat. Daar zijn peettantes voor.'

Materena knijpt haar peettante in de handen. 'Dank u wel!' Maar ze kan de verleiding niet weerstaan om te vragen: 'Ah… en hoe weet u dat ik ga trouwen?'

Imelda glimlacht en beweegt haar pink heen en weer. Dat doet ze altijd als ze wil zeggen: dat heeft mijn pink me verteld. En als Imelda het van haar pink heeft gehoord, heeft ze altijd gelijk.

Nieuwe vloerbedekking

Sinds Imelda's gulle aanbod om de bruiloft te betalen, is Materena erg met haar huis bezig. Dat is altijd wel zo, maar sinds ze heeft besloten dat ze haar trouwreceptie thuis wil houden, vindt ze het nog belangrijker dat haar huis er goed uitziet. Mensen zeggen misschien wel dat ze niet komen om naar het huis te kijken, maar ze kijken toch altijd rond of er niets valt aan te merken. Materena is vast van plan vóór haar trouwen de badkamer te laten betegelen. Ze heeft een paar honderd tegels gekregen van haar nicht Lily, maar dat is niet genoeg voor de hele badkamer.

Vandaag heeft Lily vloerbedekking over en ze geeft het weg aan de eerste de beste die het bij haar thuis komt ophalen. Materna kan het oude linoleum eronder verbergen. Dat is alvast een begin. Ze pakt dus de kruiwagen – Lily's huis staat maar een paar honderd meter verderop.

Het is goed dat Pito met de kinderen op bezoek is bij Mama Roti.

Materena ziet er vreemd uit, zoals ze daar met haar kruiwagen langs de kant van de weg loopt. De mensen kijken haar na, maar het kan haar niets schelen – zij denkt alleen maar aan haar gloednieuwe vloerbedekking. Die vloerbedekking komt zomaar uit de lucht vallen. Dat buitenkansje laat ze niet lopen.

Er wordt getoeterd en Materena steekt haar hand op, zonder te kijken wie het is – vast een familielid. Ze herkent de witte Fiat trouwens niet – het is vast een familielid dat wel een rijbewijs heeft, maar geen auto en die nu een auto heeft geleend van een vriend. Het is voor Materena niet belangrijk wie er toeterde.

Maar kijk, nu stopt de auto midden op straat en een stem schreeuwt: 'Materena!'

Materena kijkt wie er achter het stuur zit. Het is Mama Teta. Mama Teta toetert weer en ze lacht naar Materena.

'Ia'ora'na Mama Teta!' Materena zwaait naar Mama Teta en kijkt snel naar de twee auto's die achter de Fiat staan te wachten.

'Ik heb deze auto net gekocht voor mijn bedrijf,' zegt Mama Teta. 'Mooi, oui?'

'Ah, zeker, zeker.' Materena telt snel hoeveel auto's er staan te wachten achter Mama Teta's Fiat. Het zijn er zeven.

'En waar ga jij met die kruiwagen naartoe?' vraagt Mama Teta.

Maar de boze automobilisten beginnen nu te toeteren en een paar beginnen er te schelden. Mama Teta zwaait dus nog even naar Materena en rijdt gauw door.

Materena loopt zo snel mogelijk door met haar kruiwagen.

Als ze bij het huis van haar nicht aankomt, is ze helemaal bezweet. Als er iets gratis is, kun je er zeker van zijn dat er een heleboel neven en nichten op afkomen en het nieuws van die gratis vloerbedekking is vast al op de kokosnotenradio geweest. Materena blijft staan bij de grapefruitboom, een meter of vijf bij het huis vandaan en roept: 'Nicht!'

Het is niet handig om bij de voordeur te roepen – je moet altijd een eindje bij het huis vandaan gaan staan. Het kan zijn dat nicht Lily iets aan het doen is dat privé moet blijven – iets waar alleen zij van mag weten. Lily kan wel eens nijdig worden als Materena achter haar privé-zaken komt. En het laatste wat Materena wil is dat haar nicht nijdig op haar wordt en besluit de vloerbedekking toch maar niet weg te geven.

Materena wacht tot Lily iets terug roept. Misschien is ze een pareu aan het aantrekken. Materena kijkt om de paar seconden achterom om te zien of er nog iemand aankomt.

Lily is niet thuis. Ze is vast weg om nieuwe vloerbedekking te kopen, maar dat weet Materena niet zeker. Vroeger wist je precies wanneer Lily thuis was, want dan stond haar oude Citroën bij het huis geparkeerd. Maar pas geleden heeft Lily haar auto verkocht en een Vespa genomen. En die stalt ze in huis, omdat ze bang is dat hij wordt gestolen als ze hem buiten laat staan. En ook omdat ze niet wil dat iedereen weet wanneer ze thuis is. Het kan zijn dat ze het druk heeft met een van haar vele geheime aanbidders.

Materena loopt langzaam naar het huis en roept: 'Nicht, ben je thuis?' Er zit een briefje op de deur. *Vloerbedekking achter het huis.*

Materena pakt snel de kruiwagen en rent ermee naar de achterkant van het huis. De vloerbedekking ligt netjes opgestapeld op een oud stuk golfplaat. Ze trekt een gezicht. De vloerbedekking is felgroen.

Groene vloerbedekking? denkt ze. Ik dacht dat het bruin zou zijn. Dit ziet er een beetje uit als gras, non? Maar goed, wat maakt de kleur uit?

De vloerbedekking is in vierkante stukken gesneden en Materena is daar blij om. Het is gemakkelijker om vierkante stukken op de kruiwagen te laden dan een hele rol tegelijk. Ze pakt een stuk en gaat er even op staan om het te testen.

Ah, wat is het zacht. Het voelt echt lekker onder haar voeten.

Ze laadt zoveel mogelijk stukken op de kruiwagen. Ze zal evengoed nog wel een keer of wat heen en weer moeten lopen. Er is geen tijd te verliezen. Ze loopt met de kruiwagen langs het huis en stopt bij de voordeur om het briefje weg te halen.

Ze is ongeveer honderd meter van haar huis als ze een van haar nichten hoort roepen. Zo te horen is het Loma. Ze doet er een schepje bovenop, want ze heeft geen zin om te stoppen voor een praatje, zeker niet met haar nicht Loma.

'Eh nicht! Nicht! Nicht!'

Loma's hoge stem werkt haar op de zenuwen. Ze kan natuurlijk gewoon doorlopen en doen alsof ze het niet hoort. Maar het probleem met nichten is dat als ze eenmaal hebben besloten dat ze je willen spreken, je er niet onderuit komt. En het probleem met Loma is dat ze je in zo'n geval tot aan je huis achtervolgt. Materena moet stoppen voor een praatje, hier, aan de kant van de weg. Ze wil niet dat Loma achter haar aan komt naar huis. Het is gemakkelijker om een praatje kort te houden als je langs de kant van de weg staat dan als je thuis bent. Ze zet de kruiwagen neer en draait zich om.

Loma is helemaal rood. Ze heeft moeten rennen om Materena in te halen en dat was moeilijk met de tassen vol boodschappen die ze bij zich heeft. Ze is ook rood van de rouge die ze dik op haar gezicht heeft gesmeerd. Ze laat de tassen met boodschappen op de grond ploffen en buigt voorover. Ze heeft een steek in haar zij.

Materena vraagt zich af waarom Loma met haar wil praten in plaats van haar boodschappen meteen naar huis te brengen. Haar boter zal nog smelten.

'Nicht – wat gek dat je me niet hoorde!' puft Loma.

'Ik was in gedachten,' zegt Materena.

'Het is warm eh,' Loma wappert haar T-shirt op en neer om wat lucht binnen te laten.

'Gaat het goed met mama?' vraagt Materena.

'Ah oui – met mama gaat het prima. Gisteravond niet, toen was ze een beetje misselijk. Maar nu gaat het goed met haar.' Loma kijkt naar de vloerbedekking.

'Ah, dat is fijn, dat het goed gaat met je mama,' zegt Materena. Intussen denkt ze: wat wil Loma me vertellen? Wat heeft ze te roddelen?

'Is dit de vloerbedekking van Lily?' vraagt Loma.

'Oui.'

'Gaat Lily nieuwe kopen?'

'Dat weet ik niet,' zegt Materena.

Loma voelt eraan. 'Die vloerbedekking is nog als nieuw. Waarom wil ze nieuwe?'

'Wie zegt dat Lily nieuwe vloerbedekking wil? Eh, misschien neemt ze wel nieuw linoleum. En deze vloerbdekking is niet echt als nieuw. Hij is oud. Sommige stukken zijn gerafeld – daar, onderop de stapel.'

'Ah oui,' zegt Loma.

Materena wil niet dat Loma denkt dat de vloerbedekking die Lily weggeeft nog goed is, want dan zet ze het nieuwtje op de kokosnotenradio en komen neven en nichten uit de hele omtrek naar Lily's huis om die vloerbedekking op te halen. Nu denken ze misschien dat de vloerbedekking die Lily weggeeft oud en gerafeld is. Meestal is iets wat je weggeeft niet van de beste kwaliteit.

'Het is een beetje een gekke kleur,' zegt Materena. 'Ik bedoel – voor vloerbedekking.'

'Ah, ja, nu ik het goed bekijk. Het lijkt net gras, eh.'

'Maar als je iets voor niets krijgt, klaag je niet over de kleur.'

'Ah, zo is het. Je moet de kleur accepteren.'

Zo, nu moet Materena zien dat ze van Loma afkomt. Ze heeft genoeg gepraat voor vandaag. 'Goed, Loma, ik zie je wel weer een keer.'

'Oké. Maar niet, mag ik je iets vragen? Mag ik mijn plastic tassen op de vloerbedekking zetten? Dan duw ik de kruiwagen.'

Loma pakt haar tassen al van de grond.

Ah, nu is het mooi geweest. Hoe komt het toch dat nichten je altijd om een gunst vragen als je daar niet voor in de stemming bent? En hoe moet je een nicht iets weigeren? Een nicht die iedereen gaat vertellen dat ze die dag vreselijk moe was en dat ze Materena zag lopen met de kruiwagen en dat ze haar vroeg of ze haar tassen met boodschappen in de kruiwagen mocht zetten en dat Materena toen zei: 'Ah non!'

Materena loopt dus met de kruiwagen naar Loma's huis en Loma houdt haar tassen met boodschappen vast, zodat ze er niet van afvallen.

Ze heeft geluk dat het Loma is die haar deze gunst vraagt en niet een andere nicht, die voorbij haar huis woont.

Ze kan niet zo snel lopen – de boodschappen zijn zwaar.

'Wat zit er in die tassen?' vraagt ze. 'Stenen?'

'Nee – blikken ananassap,' antwoordt Loma. 'Ze waren in de reclame. Voor in de punch.'

'Ah, hm.'

Materena duwt de kruiwagen en Loma kwebbelt er vrolijk op los: dat Lily haar vriendjes altijd jaloers maakt en dat ze maar beter kan oppassen omdat een van die vriendjes nog eens gek wordt als ze zo doorgaat. Haar laatste vriendje heeft pas nog al haar kleren verbrand. En het vriendje daarvoor heeft al haar dure porceleinen schaaltjes kapot gesmeten. Wat gaat haar nieuwe vriendje doen?

'Ik snap niet dat Lily dat soort vriendjes uitkiest!' Loma rolt met haar ogen.

Materena wil tegen Loma zeggen dat ze haar mond moet houden. Ze heeft geen zin om kwaad te spreken over Lily, nu ze net die vloerbedekking van haar heeft gekregen. Maar Loma probeert alleen maar aardig te zijn – het gekwebbel is bedoeld om Materena te vermaken. Dan denkt ze niet zo aan de extra lading en zijn ze voor je het weet bij Loma's huis. Bovendien weet Loma altijd wel iets vervelends te vertellen over andere mensen, daar kan ze niets aan doen.

Ze zijn bij Loma's huis.

Materena tilt de tassen snel van de kruiwagen. Het laatste waar ze nu zin in heeft is dat tante een praatje met haar komt maken over haar mama en de rest van de familie. Loma bedankt Materena, maar die pakt de kruiwagen en loopt snel door.

Dan komt Loma haar achterna rennen. 'Nicht, mag ik je iets vragen? Mag ik ook een paar stukken vloerbedekking? Niet veel hoor, tien is genoeg.'

Ah, nu wil ze ook nog haar vloerbedekking. Dat is toch te gek!

'Ik leg ze in de badkamer.' Loma kijkt haar smekend aan.

En voor Materena tegen Loma kan zeggen dat vloerbedekking niet in de badkamer thuishoort, legt Loma haar al uit dat ze het koud krijgt als ze vanuit de douche met haar voeten op de betonnen vloer komt. Ze staat dan veel liever op de vloerbedekking.

Materena geeft Loma tien stukken en gaat er dan zo snel mogelijk vandoor.

Ze is thuis – eindelijk. Ze legt de vloerbedekking op het terras.

Nu terug voor een nieuwe lading.

De huiskamer is nu helemaal bekleed en Materena ligt met uitgestrekte armen en benen uit te rusten op haar nieuwe vloer. Ze is moe. Al dat gesjouw met die kruiwagen, en dan nog het gesleep met de spullen van de kamer naar het terras en weer terug.

Pfoe.

Maar nu is alles gedaan – en het ziet er prachtig uit. Als je op het linoleum ligt, voel je het harde beton. Maar als je op de vloerbedekking gaat liggen, waar het linoleum nog onder ligt, voel je het beton niet. Je voelt alleen de zachtheid van de vloerbedekking.

Ze ligt nog steeds te genieten van haar gloednieuwe vloer als Pito en de kinderen thuiskomen. Ze zien de groene vloerbedekking en kijken alsof ze hun ogen niet kunnen geloven. Toen ze vanmorgen van huis gingen, lag er nog linoleum in de huiskamer en nu, vanmiddag, ligt er opeens vloerbedekking.

Ah, ja, ze zijn verbaasd.

'Wat is dat?' Pito wijst naar het groene tapijt.

'Mijn nieuwe vloer,' antwoordt Materena, terwijl ze opstaat.

'Waar heb je dat vandaan?'

'Van mijn nicht Lily.'

'En waar heb je het linoleum gelaten?'

'Dat ligt eronder.'

Pito schudt zijn hoofd. 'Je moet geen vloerbedekking over linoleum heen leggen. Je moet het linoleum eerst weghalen en dan de vloerbedekking op het beton leggen.'

'Eh, je weet hoe moeilijk je linoleum eruit krijgt! En het kan ons toch niet schelen dat de vloerbedekking op het linoleum ligt. Ik heb dat liever.'

'Oké,' zegt Pito. 'Maar kom me later niet vertellen dat er problemen zijn met het linoleum.'

Materena fronst haar wenkbrauwen. Is het een probleem als je vloerbedekking over linoleum heen legt? 'Wat voor problemen bedoel je?' vraagt ze.

'Eh, het linoleum kan misschien gaan rotten,' zegt Pito. 'Ik weet het niet. Ik weet alleen dat je geen vloerbedekking over linoleum heen mag leggen.'

Materena haalt haar schouders op. 'Het is al gebeurd – en wat gebeurd is, is gebeurd.'

'Het lijkt wel gras.' Tamatoa lacht.

'Als jij een baan hebt,' zegt Materena tegen Tamatoa, 'kun jij voor je hardwerkende moeder een andere kleur vloerbedekking kopen.'

'De kamer ziet er net uit als een voetbalveld.' Nu begint Pito ook te lachen.

'Ik heb liever een voetbalveld dan oud, versleten linoleum,' snauwt Materena.

'Ik ook.' Moana en Leilani gaan op de zachte vloerbedekking liggen en al gauw komt Tamatoa er ook bij.

'Ah, nou ja, zo heb jij een kamer minder te dweilen, eh?' gaat Pito verder.

'Daar had ik nog niet aan gedacht, maar inderdaad, de kamer hoeft niet meer gedweild te worden – dat is fijn.'

Materena heeft het altijd vervelend gevonden om de huiskamer te dweilen. Ze moet er altijd op letten dat niemand eroverheen loopt zolang het linoleum nog niet helemaal droog is. En dat is vervelend, want dan moet ze zelf steeds in de kamer blijven zitten. Meestal wacht ze met dweilen tot iedereen naar bed is.

'En vegen hoeft ook niet meer.' Pito staat te grijnzen.

Materena weet dat hij daar blij om is. Hij vindt het vervelend als zij komt vegen terwijl hij op de bank zijn Akim-strip zit te lezen. Dan moet hij naar buiten.

Maar hoe moet ze nu dan de kamer schoonmaken? Daar heeft ze niet over nagedacht toen ze snel dat gratis tapijt ging halen. Ze zal nu een stofzuiger moeten kopen.

'Ik ga een stofzuiger kopen,' zegt Materena.

Als ze Pito's gezicht ziet, zegt ze snel dat ze naar die winkel zal gaan waar je vandaag dingen kunt kopen en later beetje bij beetje kunt afbetalen. Een stofzuiger zal niet zo duur zijn. Maar Pito waarschuwt haar dat stofzuigers vervelende dingen zijn. Ze gaan op Tahiti snel kapot door het vocht en het is moeilijk onderdelen te krijgen – soms moet je wel een jaar wachten voor de winkel de spullen uit Amerika binnen heeft.

Materena schrikt ervan. Ze denkt na en dan komt ze op een idee.

'Ik kan de rieten bezem gebruiken,' zegt ze.

Pito is het meteen met haar eens. Een vriendin van zijn tante, die vloerbedekking in huis heeft, gebruikt ook een rieten bezem.

Laten we het eens uitproberen.

Materena gaat haar rieten bezem halen, die ze gebruikt om het terras en de badkamer mee aan te vegen. Ze haalt ook wat zand van buiten. Ze verspreidt het zand over de vloerbedekking en begint flink te vegen.

De rieten bezem werkt prima. Materena weet dat Pito daar blij mee is, want als hij al gek wordt van haar bezem, wordt hij helemaal gek als ze met een stofzuiger aan de gang gaat.

Nu brengt Materena een citroentaart naar Lily om haar te bedanken voor de vloerbedekking. Ze had anders een chocoladetaart van Chocolate My Love voor haar gekocht, maar Lily houdt niet van chocoladetaart. Ze houdt alleen van taart met vruchtjes.

Materena weet dat een citroentaart erg weinig is vergeleken bij de meters vloerbedekking die ze heeft gekregen, maar als je iets kleins op de goede manier geeft, wordt het iets groots. En ze is van plan de taart op de goede manier te geven – de enige manier om diepe waardering te tonen.

Eerst zal ze Lily een stevige knuffel geven en dan zal ze zeggen: 'Ah, heel erg bedankt voor je vloerbedekking. Ze is stukken beter dan dat oude, versleten linoleum van mij.' En dan zal ze haar de citroentaart geven en zeggen: 'Hier, nict, die heb ik speciaal voor jou gemaakt.'

Ze wil niet via de kokosnotenradio horen dat ze al die vloerbedekking bij Lily heeft weggehaald voordat anderen de kans kregen en dat ze Lily er niets voor heeft teruggegeven.

Er staat een BMW bij Lily in de voortuin. Lily is niet alleen en Materena weet niet wat ze nu moet doen. Ze vermoedt dat Lily aan het vrijen is met haar nieuwste vriendje. Maar er kan natuurlijk ook gewoon een vriendin van haar werk op bezoek zijn.

Materena wil haar de citroentaart nú geven. Als ze hem weer meeneemt naar huis, verdwijnt hij. Toen ze hem uit de oven haalde, kwamen Pito en de kinderen de keuken al in rennen. Ze heeft hen moeten wegjagen en beloven dat ze een taart voor hen zou bakken als ze terugkwam.

Maar de taart in haar handen, met een theedoek eroverheen, is voor Lily.

Eh, ze gaat roepen.

Maar er komt een vreemd geluid uit het huis. Ze hoort een gil en dan een kreun. Materena luistert goed. Ze hoort Lily gillen alsof ze... eh, het lijkt wel of ze gewurgd wordt.

Mijn god, die nieuwe vriend is Lily aan het wurgen!

Materena's hart bonst in haar borst. Ze zet voorzichtig de taart op de grond. Goed, wat gaan we nu doen?

Ze gaat de deur intrappen en... maar eerst moet ze een wapen hebben. Materena kijkt in paniek om zich heen. Ah, ja, de schep. Ze pakt de schep die tegen de grapefruitboom staat.

Maar stel je voor dat de vriend een mes heeft, en dat hij groot is, en gespierd? Materena aarzelt. Moet ze Mori gaan halen?

Moet ze eerst de situatie opnemen?

Ze loopt op haar tenen naar het raam aan de voorkant van het huis. De gordijnen zijn dicht, maar het raam staat open. Materena steekt heel langzaam, zonder adem te halen, een vinger tussen de gordijnen en duwt ze een klein stukje opzij.

Daar ligt Lily naakt op een kleed op de grond. Er ligt een vrouw (ook naakt) boven op haar en ze werken zich kronkelend in een zes-negenpositie.

Ah, blijkbaar is Lily die jaloerse mannen, die haar altijd in de problemen brengen, beu.

Materena is natuurlijk opgelucht dat Lily niet wordt vermoord. Maar ze vindt het toch vervelend dat ze niet alleen is. Nu moet ze de taart maar aan Pito en de kinderen geven en een keertje terugkomen om Lily een andere te brengen.

Of misschien geeft ze haar gewoon een handbedrukte pareu uit Rita's stoffenwinkel. Die kan ze over de post versturen.

Maco en zijn vriendin

Meteen nadat ze voor Lily niet één maar twee handbedrukte pareus heeft gekocht, gaat Materena onderweg naar haar nicht Georgette, die diskjockey is bij Club 707, om over muziek te praten. De afspraak is over vijftien minuten, dus Materena begint wat sneller te lopen. Ze denkt aan de dag dat haar neef Maco zijn vriendin aan de familie voorstelde.

Maco had voor hij Georgette leerde kennen een heleboel vrouwen gehad: jongere, oudere en getrouwde vrouwen, die allemaal vielen voor zijn gespierde lichaam en zijn knappe gezicht.

De getrouwde vrouwen gaven Maco cadeaus, bijvoorbeeld een gouden ketting, of een horloge. Maar geen van hen, of ze cadeaus gaven of niet, konden langer dan een maand zijn belangstelling vasthouden, want dan begon hij zich te vervelen. Zijn ogen wilden in andere ogen kijken en zijn handen hadden zin om andere *titis* te strelen.

Toen ontmoette Maco Georgette en dat was het einde van zijn Casanova-carrière.

Hij is nu twee jaar bij haar en hij is nog steeds stapelgek op haar. Als ze dansen, vormen ze één lichaam en één ritme en Georgette maakt Maco stapelgek met haar sexy bewegingen.

Toen Maco meedeelde dat hij een heel bijzonder iemand aan de familie wilde voorstellen, dankte zijn moeder, Stella, God en Jezus. De andere vrouwen waren nooit officieel voorgesteld. Er waren zelfs maar een paar van Maco's vriendinnen bij zijn mama thuis geweest.

Stella was er niet blij mee dat haar zoon zo in trek was bij de vrouwen. Ze zei altijd tegen Maco: 'Wees maar voorzichtig met al die vrouwen. Ze worden je noodlot nog eens. En van getrouwde vrouwen blijf je af, hoor je me? Jij hebt geen vrouw van een andere man nodig. Zo wanhopig hoef je niet te zijn.'

Ze wilde dat hij serieus werd en een geregeld leven ging leiden. Ze wilde graag een heleboel kleinkinderen. Ze was als kind al dol op baby's en niemand verbaasde zich erover toen ze vroedvrouw werd. Ze was altijd weer opgetogen bij het zien van een pasgeboren baby... Eh, maar de laatste tijd begon ze het een beetje fíu te worden om andere mensen te feliciteren met hun kleinkinderen, terwijl ze zelf nog steeds geen enkel kleinkind had om over te moederen.

Ah, Stella was zo blij met de serieuze mededeling van haar zoon. 'Ah, eindelijk. Dank u, God en Jezus.' Ze zei dit steeds weer terwijl ze haar huis schoonmaakte en haar speciale gerecht bereidde: *coq au vin*.

De dagen daarna probeerde ze wat informatie te verzamelen over die bijzondere vrouw – bijvoorbeeld over haar familie, haar baan en haar uiterlijk. Maar het enige wat Maco over zijn serieuze vriendin wilde loslaten was haar naam.

Georgette.

'Is ze knap?' vroeg Stella, die Georgette maar een oerlelijke naam vond.

'Dat zul je wel zien,' antwoordde Maco.

Georgette maakte haar entree in een glanzende, nieuwe, zwarte Honda. Stella en Maco's papi, Jean, keken toe terwijl Georgette uit de auto stapte en ze waren geschokt. Ze was lang en gespierd en ze droeg een strakke broek en enorme, fluorescerende, plastic oorringen.

Georgette was erg zenuwachtig. Ze glimlachte zoals je glimlacht als je niet zeker weet of je welkom bent.

Stella, die haar echte gevoelens goed verborgen kan houden, haastte zich naar Georgette toe om haar te omarmen. Maar inwendig dacht ze: wat hebben we nu? Ze keek naar Jean en hij keek geschokt terug.

Georgette had cadeautjes meegenomen. 'Een paar kleinigheidjes,' zei ze verlegen. Twee flessen Dom Perignon, *pâté de foie gras*, crackers, en een of andere dure kaas – niet de Chesdale die Stella altijd had.

Ze gingen aan tafel.

Stella zei tegen zichzelf: geen paniek. Het gaat met Georgette vast net als met die anderen vóór haar. Die blijft maar even. Haar zoon mocht best af en toe een beetje gek doen, hoewel hij dit keer wel wat ver ging.

Ze herinnerde zich de andere vrouwen, die ze een enkele keer toevallig bij haar thuis had ontmoet. Die waren allemaal erg knap geweest. Vooral Leila, het meisje voor Georgette, had ze aardig gevonden. Zij was een echte schoonheid, Maco en zij hadden vast prachtige kinderen gekregen. Maar Maco had haar vast laten vallen voor Georgette.

Stella was niet van plan die Georgette langer dan een dag om zich heen te dulden. Morgenochtend zou ze die zoon van haar wel eens tot rede brengen. Hij moest zo snel mogelijk van die Georgette zien af te komen, vóór de familie erachter kwam wat hij voor vriendinnetje had. Stella wilde niet achter haar rug door haar familie worden uitgelachen. Ze wilde trouwens helemaal niet door haar familie worden uitgelachen. Maar voorlopig zou ze even gastvrij zijn als altijd.

'Is alles naar je zin, *darling?* vroeg Maco, die naast zijn *woman* zat.

'Ja hoor, prima.'

'Wil je nog een beetje rijst?'

'Ja, graag. En ook nog wat kip.'

'Je hebt honger vandaag.' Maco gaf Georgette een sexy knipoog.

Georgette giechelde. Stella bloosde en zelfs Jean bloosde een beetje.

Maco keek naar zijn vader en moeder. 'Oké, laten we maar stoppen met die komedie, eh? Ja, Georgette is een raerae. Ze ziet eruit als een man, ze praat als een man – want ze ís een man.'

Terwijl Maco zich omkeerde naar Georgette, die zat te lachen, zei hij: 'Mijn familie is meestal niet zo stil. Als papi eenmaal begint te praten, houdt hij niet meer op. Als niemand naar hem wil luisteren, praat hij wel tegen de muur, eh, papi?'

Georgette glimlachte en dit keer was het een echte glimlach. 'Ah, er is niets verkeerds aan om tegen de muur te praten. Als ik iets wil zeggen dat niemand mag horen, praat ik soms tegen mijn kussen.'

'Ik praat tegen de hond. Een hond zegt nooit dat je je kop moet houden,' zei Maco.

'Ik zal nooit tegen je zeggen dat je je kop moet houden… Maar je moet wel lief tegen me zijn.' Georgette wreef nu langzaam met haar schouder tegen die van Maco.

Stella, die geïrriteerd begon te raken, vond het tijd worden om iets tegen Georgette te zeggen. 'Ah, maar Maco is niet altijd even leuk en aardig. Hij is een luilak. Ik zeg altijd tegen hem: "Ik hoop dat je een vrouw vindt die het niet erg vindt je troep achter je op te ruimen." Ik ben in ieder geval niet van plan om dat mijn hele leven te doen. Hij is precies zijn vader. Tja, ik vind dat ik je maar beter kan waarschuwen.'

Georgette legde haar arm om haar geliefde. 'Als uw zoon een grote, lelijke, harige kerel wil zoals ik, dan ben ik bereid hem als minnaar te nemen en dan neem ik hem zoals hij is.'

'Ik mag jou wel, Georgette, jij hebt ballen!' Jean was inmiddels behoorlijk dronken.

'Ik ben blij dat u me aan mijn ballen herinnert.' Georgette lachte en schonk Jean nog een glas Dom Perignon in.

De maaltijd duurde tot een uur 's nachts. Toen ging Georgette naar bed. Niet lang daarna zocht ook Jean wankelend zijn bed op, omdat Stella hem een teken had gegeven dat hij moest verdwijnen. Maar eerst zei Jean nog tegen Maco dat Georgette helemaal oké was. Hij had echt genoten van de champagne en de dure kaas. Stella was vaak te zuinig.

Stella, die nu alleen was met haar zoon, gaf hem een tik tegen zijn oren. 'Wat haal jij je nou in je stomme kop, zoon? Sinds wanneer val jij op raerae? God geeft je een knap gezicht en wat doe je? Je neemt een man die over zijn hele lichaam geschoren moet worden. Wat zullen de mensen wel zeggen?'

'Ma, het kan me niets schelen wat de mensen zeggen. De eerste die ik hoor lachen, krijgt een dreun.'

'Aue zoon... Leila was goed voor je. Arme Leila, ik vond haar aardig. Arme Leila. Jij en die Georgette... ze is meer een George dan een Georgette. Maar goed, het is toch niet serieus tussen jullie, hè?'

'We kunnen het goed vinden samen,' zei Maco.

'Georgette kan je geen kinderen geven. Wil je dan geen kinderen?' zei Stella en ze begon te huilen. Ze moest huilen omdat haar enige kind haar geen kleinkinderen zou geven en ze was bezeten van kleinkinderen. Iedere keer als ze een baby haalde, dacht ze de laatste tijd: ik wil een kleinkind.

Maco nam zijn moeder teder in zijn armen. 'Ik wil gewoon gelukkig zijn, Ma. Begrijp dat nou alsjeblieft.'

De familieleden waren zeer geschokt toen ze hoorden van Georgette. Ze zeiden: 'Wie van de twee is de man en wie is de vrouw?'

Maco gaf James een stomp op zijn neus en op zijn oog om de eer van zijn Georgette te verdedigen. James scheen tegen hem te hebben gezegd: 'Zeg, ik hoor dat jij slaapt met een raerae?'

En Stella gaf Loma een draai om haar oren om de eer van Georgette te verdedigen. Loma scheen te hebben gezegd: 'Tante, ik kan er gewoon niet over uit dat Maco homo is!'

Maco en Georgette wonen nu buiten de stad, waar het wat rustiger is. Ze hebben een huis dicht bij de zee. Als Stella en Jean in het weekend op visite komen, legt Georgette hen helemaal in de watten.

En alle mensen in Faa'a zeggen: 'Die twee hebben het maar getroffen.'

Materena is nu bij Club 707, maar de glazen deur zit dicht. Ze klopt aan en wacht met haar gezicht naar de deur. Ze weet dat mensen die langslopen haar van top tot teen bekijken; ze heeft een jurk aan en je kunt de vorm van haar borsten zien. Club 707 is een raerae-club en staat bekend om zijn shows. Niet iedereen wordt er toegelaten. Je moet er fatsoenlijk uitzien (jongemannen in shorts met slippers aan hun voeten komen er bijvoorbeeld niet in) en je moet ook geld hebben. Het toegangsgeld is behoorlijk hoog en drankjes zijn er twee keer zo duur als in andere clubs. Rita is een keer samen met Coco naar een show geweest. Coco kon zijn ogen niet van de danseressen af houden, maar Rita was niet jaloers, want het waren mannen. Volgens Rita zat de hele club vol vrouwen die gilden: 'Uittrekken! Uittrekken!' Maar er waren ook een paar oude mannen bij, die in het donker rustig iets zaten te drinken.

Materena klopt nog eens aan.

Eindelijk komt Georgette tevoorschijn. Ze doet de deur open. 'Nicht!' Georgette geeft Materena twee natte zoenen op haar wangen. 'Kom binnen.' Georgette heeft een knielange kakishort aan, een paar sportschoenen met roze sokken en een witte blouse met een knoop aan de voorkant, waaronder een navelpiercing te zien is. Ze lopen naar het 'kantoor', een kleine kamer vol spiegels, pruiken, oorringen en rekken met kostuums. Materena ziet er een verpleegstersuniform bij, een politieuniform, een zwarte jurk met zilveren knopen van onder tot boven...

En de hele muur hangt vol grote foto's van mannen. Ze laten allemaal hun spieren zien. Materena herkent haar neef Maco, met alleen een lapje stof voor zijn geslachtsdeel.

'Goed,' zegt Georgette, terwijl ze haar notitieboekje pakt. 'Zoals je door de telefoon zei, gaat de vriendin van je baas trouwen. Weet je de datum?'

Materena heeft een leugentje om bestwil gebruikt. Als ze Georgette de waarheid zegt, vertelt Georgette het door aan Maco en Maco aan zijn mama. En dan weet iedereen het! Materena wil haar trouwerij geheimhouden tot ze een datum heeft vastgesteld. 'Non, ik weet geen datum, die heeft ze me niet gezegd. Maar het gaat binnenkort gebeuren.'

'Dit jaar nog?' vraagt Georgette.

'Ah oui.'

'Nou, dan ben je aan het goede adres. Ik ben de beste.' Materena knikt instemmend. 'Muziek is erg belangrijk,' vervolgt Georgette, terwijl ze haar vingers laat klikken als castagnettes. 'Op een feest interesseert niemand zich voor het eten. Desnoods kun je cornedbeef met rijst serveren. Als mensen de hele nacht hebben kunnen dansen, hebben ze het er jaren later nog over dat ze zo'n leuk feest hebben gehad. Dansen maakt mensen blij.'

Materena knikt weer, hoewel ze het niet echt met Georgette eens is. Ze vermoedt dat in Georgettes wereld muziek en dansen belangrijker zijn dan eten.

Georgette legt uit dat een diskjockey mensen naar huis wil laten gaan met het idee: ik voel me zo jong vannacht! En zo mooi! Ik wil leven! Ik ben zo blij dat ik met je getrouwd ben!

Als Georgette haar verhaal heeft gedaan, wil Materena haar het liefst ter plekke inhuren. Ze ziet dat het Georgettes grote hartstocht is diskjockey te zijn. En ze bedenkt hoe moeilijk het voor Georgette moet zijn nooit te kunnen dansen op haar eigen bruiloft, terwijl ze altijd bezig is mensen op bruiloften aan het dansen te krijgen.

'O, heel erg bedankt, Georgette,' zegt ze ten slotte. 'Ik zal je van harte bij de vriendin van mijn baas aanbevelen.' Georgette glimlacht.

Materena vindt het nu tijd om ter zake te komen. 'En hoeveel reken je?'

'Drieduizend franc per uur.'

'Ah, reken je per uur? Niet per avond?' vraagt Materena.

'Ik ben beschikbaar tot de mensen te moe zijn om te dansen.'

'En jij dan? Word jij niet moe?'

Georgette kijkt even naar de grond. 'Ik ben dol op bruiloften,' zegt ze. 'Ik vind het een grote eer om erbij te mogen zijn.'

Vijftig franc

Het tweede familielid bij wie ze op bezoek gaat is haar nicht Moeata.

Nicht Moeata was vroeger werkloos, maar tegenwoordig heeft ze een eigen bedrijf, Chocolate My Love. De zaken lopen goed, want Moeata's chocoladetaart is werkelijk heerlijk. Hij smelt op je tong. Als je Moeata's chocoladetaart eet, word je op de een of andere manier helemaal blij.

Materena heeft Moeata's chocoladetaart een paar keer geproefd. Moeata had namelijk een keer een schaar van haar geleend en nooit teruggegeven. Toen Materena ernaar kwam vragen, zei Moeata: 'Die schaar ben ik kwijt, maar hier heb je een chocoladetaart, om het goed te maken.'

Moeata heeft heel wat vaste klanten, zoals Rita en Georgette. Ze bewaart al haar geld in een leeg Milo-blik, dat ze heeft begraven in haar achtertuin.

Ze spaart voor een nieuwe auto. Materena, die onderweg is naar Moeata's huis om te vragen wat een bruidstaart kost, herinnert zich het verhaal van Moeata en de niet afbetaalde schuld.

Twaalf jaar geleden leende Moeata vijftig franc van een Chinees meisje uit haar klas. Ze beloofde dat ze het geld de volgende dag terug zou geven. Maar die dag had ze het niet bij zich en ze loog dat ze het thuis had laten liggen. De dag daarna diste ze hetzelfde verhaal op. En iedere dag vroeg het Chinese meisje naar haar vijftig franc.

'Waar is mijn vijftig franc?'

'Ah hia, vergeten. Je krijgt het morgen van me terug.'

Het Chinese meisje dat Moeata het geld had geleend, vertelde iedereen die het horen wilde van de onbetaalde schuld.

De weken en maanden daarna kwam het wel voor dat Moeata vijftig franc bij zich had, maar... nou ja, ze kon er gewoon geen afstand van doen. Ze wilde iets terug voor die vijftig franc – een pakje Twisties, Chinese snoepjes, dingen om te eten.

Soms zei Moeata tegen zichzelf: 'Ah hia, geef die vijftig franc toch terug.' Maar dan hield ze zich voor: 'Ach, wat geeft het? Het is maar vijftig franc en die Chinese heeft geld genoeg.'

Er ging een jaar voorbij.

Moeata ging naar de Pomare High School en het Chinese meisje ging naar het Anne Marie Javouhey College. Het geleende geld raakte in de vergetelheid.

Er gingen jaren voorbij.

Op een dag zag Moeata het Chinese meisje in de stad en ze maakte zich snel uit de voeten. Ze zei bij zichzelf: 'Ah hia, eigenlijk moet ik haar gewoon die vijftig franc geven, dan kunnen we het verder vergeten.'

Maar hoe geef je een munt van vijftig franc terug? Een biljet van tienduizend franc, oké, maar een munt van vijftig franc? Bovendien dacht ze niet dat de Chinese haar had herkend.

Toen vroeg ze een lening aan voor een auto. Een goedkope tweedehandsauto.

Ze haalde de papieren bij de bank en vulde ze zorgvuldig in. Er stond een vraag bij: bent u ooit in gebreke gebleven bij het afbetalen van een lening?

Moeata lachte en zette een cirkeltje om *non*. Die vijftig franc telden hier natuurlijk niet mee.

Ze gaf haar papieren af bij de bank en binnen twee dagen werd ze gebeld. Ze werd uitgenodigd voor een gesprek met het hoofd leningen. Die wilde haar nog wat vragen stellen, omdat een paar antwoorden die ze had ingevuld niet helemaal duidelijk waren.

Moeata ging dus naar de bank.

Iemand bracht haar naar het kantoor van het hoofd leningen.

Hun ogen ontmoetten elkaar…

Het was ongelofelijk, maar het hoofd leningen was hetzelfde meisje dat Moeata die vijftig franc had geleend!

In een eerste opwelling wilde ze het kantoor uit rennen, maar ze wist haar schrik te bedwingen. Ze wilde echt graag het geld voor die auto. 'Ah, ben jij het hoofd leningen!' zei ze glimlachend.

'Ik dacht al dat de naam me bekend voorkwam.' De stem van het hoofd leningen klonk erg koel en zakelijk.

Moeata haalde ter plekke haar portemonnee uit haar tas, maar ze was zo zenuwachtig dat ze hem liet vallen. De tienfrancstukken vlogen over het tapijt. Ze ging op haar knieën liggen en raapte haar munten op, terwijl ze dacht: héb je eens een vijftigfrancstuk nodig, heb je alleen maar van die verrekte tienfrancstukken in je portemonnee.

Ze moest haar schuld in tienfrancstukken afbetalen. 'Hier. Dat is vijftig franc totaal.' Als ze een blanke huid had gehad, waren haar wangen rood geweest van schaamte.

Het hoofd leningen keek haar recht in de ogen en schoof de munten in haar la. Toen kwam ze meteen ter zake.

Moeata's aanvraag voor de lening werd niet goedgekeurd. Omdat het zo lang had geduurd voor ze die vijftig franc had afbetaald. Hoe kon zij nou weten dat dat Chinese meisje een baan zou krijgen bij de bank, in plaats van te gaan werken in de kruidenierswinkel van haar vader?

Moeata staat chocola te smelten in de keuken als Materena onverwachts bij haar langskomt.

'Ia'ora'na nicht!" roept Materena.

'Je komt toch niet voor je schaar, hè?' Moeata kijkt een beetje bezorgd.

'Doe niet zo gek, Moeata! Die schaar is nu waarschijnlijk wel verroest. Het is zes maanden geleden dat je hem hebt geleend.' Materena begrijpt niet waarom Moeata nu nog over die schaar begint. 'Ik kom informatie vragen over bruidstaarten.' En voor Moeata zich hierover kan verbazen, legt Materena de situatie snel uit: 'Het is voor een vriendin van mijn baas. Ze gaat dit jaar trouwen.'

Materena kijkt naar de drie grote ovens en de drie gasflessen die daar naast elkaar staan. Er is genoeg gas in deze keuken… Ze probeert de gedachte uit haar hoofd te zetten, maar het lukt haar niet. 'Denk je er wel iedere avond aan om het gas uit te doen?' vraagt ze.

'Non,' antwoordt Moeata. 'Maar mama wel.'

Materena is opgelucht. 'En, wat kost een bruidstaart?' vraagt ze.

'Hoe lang is een stuk touw?' Moeata haalt haar schouders op.

'Eh wat?'

'Ik kan je geen prijs geven als ik niet weet hoe groot de taart moet worden,' legt Moeata uit.

'Nou, laten we zeggen dat de taart ongeveer zó groot moet zijn.' Materena tekent een vierkant met haar handen. 'Maar het is wel leuk als er een versiering op zit, dat het er niet uitziet als een gewone taart. Kun je de naam van het getrouwde stel er misschien op zetten?'

'Oui, dat kan. Ik heb ook andere versieringen. Rode roosjes zijn op het ogenblik erg in. Rood, de kleur van de liefde. Mensen trouwen uit liefde – de meesten tenminste wel.'

'Ah oui, dat zou leuk zijn. Oké, doe dan maar rode roosjes op de taart.'

'Wil die vriendin van je baas rode roosjes op haar bruidstaart?'

'Ik geef haar gewoon de prijs,' zegt Materena. 'En ze vertrouwt me. Ik heb haar alles verteld over je chocoladetaart, de lekkerste chocoladetaart van het eiland.'

'Hoe weet je dat, nicht? Ik zie je hier nooit taarten kopen.'

Materena krabt op haar hoofd. 'Ik ben het heel vaak van plan geweest, maar dan had ik geen geld.'

'Je weet heel goed dat ik het geld wel voorgeschoten zou hebben. Je bent familie.' Moeata kijkt een beetje verongelijkt.

'Dat is zo, maar je kent me. Ik vind het niet prettig om mensen geld schuldig te zijn,' zegt Materena slim.

Einde discussie.

Moeata geeft Materena de prijs. Het is vijfentwintigduizend franc. Materena knikt, maar inwendig gilt ze het uit. Vijfentwintigduizend franc! Ze bedenkt dat deze bruiloft haar peettante heel veel geld gaat kosten. Het probleem met Moeata's taarten is dat ze steeds duurder worden. Ze wil die nieuwe auto echt graag hebben.

Maar als je wilt dat de mensen je bruidstaart lekker vinden (en Materena weet zeker dat dat zo zal zijn), dan moet je bereid zijn de prijs te betalen.

'Vind je het duur?' vraagt Moeata.

Voor Materena antwoord kan geven, zegt Moeata: 'Mensen geven duizenden francs uit aan muziek – maar wie geeft er nou iets om muziek?'

'Ah, het is leuk als mensen dansen. Dan gaan ze vrolijk naar huis.'

De chocola is gesmolten en Moeata draagt de grote pan naar de tafel. 'Wie moeten er vrolijk zijn op een bruiloft, eh?' vraagt ze. 'De gasten? Of het getrouwde stel?'

'Nou ja, als de…'

Moeata valt haar in de rede. 'Een bruidstaart is niet zomaar een taart. Een bruidstaart is het belangrijkste onderdeel van de bruiloft, omdat hij het begin symboliseert van de reis die man en vrouw gaan maken. Als ze de taart aansnijden, houden ze samen het mes vast.'

'Oui.' Materena weet dat, maar ze begrijpt niet goed hoe het aansnijden van een taart symbool kan zijn voor een reis.

'Ze hebben allebei het mes in hun hand,' legt Moeata uit. 'Niet alleen de vrouw.' Ze opent haar rechterhand. 'En niet alleen de man.' Ze opent haar linkerhand. 'Allebei.' Ze vouwt haar handen in elkaar, als in gebed. 'Samen. In goede en in slechte tijden.'

Materena vermoedt dat Moeata de laatste tijd veel gebedsbijeenkomsten heeft bijgewoond. Maar er zit wel iets in in wat ze zegt.

Een ritje met
Mama Teta

Mama Teta is chauffeur op een trouwauto. Ze heeft haar eigen bedrijf en is daarmee begonnen toen ze net een paar weken haar rijbewijs had. Ze had eerst taxichauffeur willen worden, maar toen bedacht ze dat veel mensen liever met de vrachtwagen gaan dan met de taxi, omdat dat goedkoper is. Er is altijd wel een vrachtwagen beschikbaar. Bovendien bleek het rijden van pasgetrouwde stellen veel meer geld op te brengen.

Mama Teta's bedrijf loopt goed. Materena kan niet zeggen dat ze de beste chauffeur van Tahiti is, want ze rijdt een beetje chaotisch. Maar ze is in ieder geval wel de aardigste. En nu is ze dolblij dat haar nicht Materena naar haar toe komt omdat ze werk voor haar heeft.

'Oké.' Mama Teta slaat haar handen in elkaar. 'Zoals je me gisteren door de telefoon vertelde, gaat de vriendin van je baas dus trouwen.'

'Oui, dat klopt. Ze gaat dit jaar trouwen en ze wil gewoon de prijs weten.'

'Waar komt ze vandaan?' vraagt Mama Teta.

'Van Tahiti.' Materena kijkt haar met een nietszeggende blik aan.

'Non, ik bedoel niet uit welk land ze komt, kind! Waar woont ze? En waar gaat ze trouwen? Ik moet de afstand weten die ik moet rijden.'

Materena knikt. Ze vindt dat Mama Teta toch wel een beetje praat als een taxichauffeur. 'Nou ja, ik weet niet precies waar de vriendin van mijn baas woont, maar ze gaat trouwen in de Sint Josef-kerk en ik geloof niet dat ze ver bij de kerk vandaan woont. Maar ze wil vast wel graag een rondrit maken door Papeete en zo.'

'Natuurlijk,' zegt Mama Teta. 'Zo'n rondrit moet je maken, vooral als je zo dicht bij de kerk woont.'

'Ah oui. Je wilt de mensen laten zien dat je pas getrouwd bent.'

'Mensen vinden het altijd leuk om een trouwauto te zien,' zegt Mama Teta. 'Ze blijven altijd stilstaan om te kijken.' Ze glimlacht. 'Het heeft iets magisch, een vrouw in een trouwjurk, op weg naar de kerk, in een trouwauto. Dan is ze net een prinses.'

Materena glimlacht. 'Bruiden zijn prachtig, eh?'

'Ah oui,' zegt Mama Teta instemmend. 'Een vrouw die op het punt staat te gaan trouwen stráált gewoon, maar het is zenuwslopend. Ik heb behoorlijk gestreste vrouwen in mijn auto gehad. Niet iedereen is geschikt om een trouwauto te besturen.' Ze lacht zelfgenoegzaam. 'Echt, kind, zeg maar tegen de vriendin van je baas dat het op een trouwdag het belangrijkste is dat je rustig en ontspannen bij de kerk aankomt.'

En zonder kleerscheuren, denkt Materena. Ze knikt.

'Een van mijn bruidjes,' vervolgt Mama Teta, 'was zo zenuwachtig dat ze helemaal begon te trillen.' Ze doet het voor. 'Ik dacht dat ze een stuip had, maar toen begon ze te huilen en haar vader zei: "Je wilde zelf trouwen, dus hou op met huilen." Ik keek in de achteruitkijkspiegel – meestal doe ik dat niet, maar ik moest weten wat er aan de hand was – en de vader van de bruid zat gewoon naar buiten te kijken, alsof hij in de bus zat!' Mama Teta schudt haar hoofd en zucht. 'Hopeloos, die man. Dus ik besloot actie te ondernemen. Ik begon "Kumbaya My Lord" te zingen en mijn bruid ontspande zich meteen.' Mama Teta knipt met haar vingers. 'Toen we bij de kerk aankwamen, had ze een stralende glimlach op haar gezicht.'

'Ah, dat is goed,' zegt Materena.

'Heel veel mensen denken dat iemand die een bruid naar de kerk rijdt, alleen maar een auto hoeft te kunnen besturen, maar dat is niet zo. Je moet een beetje psycholoog zijn.'

Materena knikt begrijpend.

'En daar komt bij,' gaat Mama Teta verder, 'ik bied extra's. Ik ben de enige op het eiland die dat doet. De andere chauffeurs rijden alleen maar van A naar B.'

'Extra's?' Materena wil wel eens weten wat die extra's zijn. 'Wat dan, bijvoorbeeld?'

'Nou, ik zing,' antwoordt Mama Teta.

Materena knikt.

'Maar mijn beste extra,' vervolgt Mama Teta, 'is dat ik mijn bruid een cadeautje geef.'

'Ah oui? Dat is erg aardig van u, Mama Teta.'

'Ach, het is maar een kleinigheidje, kind. Het is niet vreselijk waardevol, maar het kost me uren om het te krijgen. Het is een soort geluksbrenger.'

'Ah, ik weet zeker dat de vriendin van mijn baas dat leuk zal vinden. Wat is het? Kunt u het me vertellen?'

'Nou, jou kan ik het wel vertellen, omdat jij niet degene bent die gaat trouwen. Maar vertel het niet door aan de vriendin van je baas, want als de bruid weet wat ze krijgt, werkt het misschien niet meer.'

'Zeg het dan maar niet!' zegt Materena en voegt er dan snel aan toe: 'Straks ontglipt het me misschien toch nog. Vertelt u me alleen maar de prijs. En reken ook een rondrit door Papeete mee.'

Mama Teta werpt Materena even een wantrouwige blik toe, maar dan noemt ze de prijs.

Dat is het ongeveer, zegt ze. Het hangt er een beetje van af of de vriendin van de baas uit Faa'a komt of niet.

Materena heeft nu alle informatie die ze nodig heeft en ze vindt het prima als Mama Teta haar naar de kerk rijdt, ook al wordt ze een beetje zenuwachtig als er een gendarme in zicht komt. Materena moet nog steeds hard lachen als ze denkt aan het verhaal van Mama Teta en de gendarme.

Op een dag, toen Mama Teta nog maar pas haar rijbewijs had, reed er een gendarme achter haar aan. Ze deed niets verkeerds. Ze maakte gewoon een ritje met haar zoon en kleinkinderen en ze reed ver onder de maximumsnelheid. Goed, ze reed in een roestige, oude auto, die inderdaad vreemde, ratelende en bonkende geluiden maakte, maar ze had haar rijbewijs in één keer gehaald. Gilbert, de rij-instructeur, had vaak tegen haar gezegd dat hij nog nooit iemand met zoveel zelfvertrouwen had zien rijden als zij. Als Mama Teta moet remmen of iemand wil inhalen, aarzelt ze geen moment. Ze is een snelle denker, en dat is erg belangrijk als je autorijdt op Tahiti. Op Tahiti heb je veel onzekere automobilisten en mensen zonder rijbewijs.

O, zeker, Mama Teta heeft veel zelfvertrouwen, maar toen die gendarme achter haar aan reed, raakte ze in paniek en vergat ze alles wat ze in twee weken rijles van Gilbert had geleerd. Ze klampte zich met bevende handen vast aan het stuur. Ze kon zich niet concentreren, ze kon niet meer nadenken – ze was in paniek.

Johno zei tegen zijn mama: 'Verdorie, ma, je rijdt net of je de weg niet kunt zien.' En toen, na een blik op de kilometerteller: 'Je mag hier honderd en je rijdt veertig.'

'Dat komt door die gendarme achter me. Daar word ik zenuwachtig van.' Mama Teta was zo zenuwachtig dat haar handen ervan gingen zweten. Ze moest ze afvegen aan haar pareu.

Johno draaide zich om en zag inderdaad een gendarme achter hen.

'Zal ik rijden?' vroeg hij. Hij hoopte dat zijn moeder ja zou zeggen, want hij was dit ritje van veertig kilometer per uur een beetje fiu.

'Nee, ík rij en niemand anders! Ik heb mijn rijbewijs. En waarom denk je dat je oude moeder op haar zesenvijftigste nog haar rijbewijs heeft gehaald, eh? Omdat haar kinderen haar nooit komen opzoeken!'

Dat was de eeuwige strijd. Mama Teta's kinderen kwamen niet vaak genoeg bij haar op bezoek. Ze wilde dat ze iedere dag kwamen, maar ze hadden het altijd druk. Dus nu had ze haar rijbewijs gehaald en kwam ze haar kinderen onaangekondigd opzoeken. Vanmiddag was ze Johno's kinderen komen halen voor een ritje in de oude Citroën. Ze had Johno niet meegevraagd, maar die was er gewoon bij gesprongen. Zijn woman had liever niet dat de kinderen bij Mama Teta in de auto gingen, en al helemaal niet in hun eentje.

Johno wilde nog maar één ding: stoppen. Bij hem voor de deur. Het was tien voor halfzes. Josianne zou het eten wel klaar hebben, en als Johno en de kinderen niet snel (binnen vijf minuten) kwamen opdagen, zou ze nijdig zijn. De kinderen waren druk, ze hadden genoeg van het korte ritje dat zo lang duurde. En dat allemaal omdat hun grootmoeder, Mama Teta, niet durfde te stoppen. Ze was bang dat de gendarme dan ook zou stoppen en haar vragen zou gaan stellen.

'Ma… waarom ben je bang voor de gendarme?' vroeg Johno ernstig.

'Wie zegt dat ik bang ben! Ik ben niet bang.' Ze begon te fluisteren… 'Wat klets je nou voor onzin?'

'Je kunt gewoon praten, ma. Dat is niet verboden. Je mag zelfs zingen!'

'Soms maak je me toch zo nijdig, Johno! Wie gaat de boete betalen als we worden aangehouden? Ik wil gewoon voorzichtig zijn. Hou je kop!'

Johno zag haar paniek. 'Ma?'

'Wat?'

'Zet de auto stil. Ik rij verder.'

'Wat zeg je?'

'Ik zei: zet de auto stil. Nu. Ik rij verder.'

'Het is mijn auto, ik rij.' Mama Teta greep het stuur steviger vast.

Het was niet echt haar auto. Hij was van haar nicht Lily, die met haar nieuwste vriendje naar Frankrijk was vertrokken. Er was een kans dat Lily niet een twee drie terug zou komen. Dat hing ervan af of ze de nieuwe man in haar leven snel beu zou worden. Als ze niet terugkwam, zou Mama Teta de auto voor een schappelijk prijsje van haar kopen.

Eigenlijk wist ze wel dat Lily waarschijnlijk binnen twee weken weer terug zou zijn, want die is meestal vrij snel op haar vriendjes uitgekeken. Ze houdt veel te veel van feestvieren om een geregeld leven te gaan leiden. Mama Teta had haar oog al laten vallen op een nieuwe, witte Fiat – maar dat hoeft Johno allemaal niet te weten.

'Ma, zet die auto stil! Ik wil die gendarme vragen waarom hij achter ons aanrijdt. Daar moet een reden voor zijn,' zei Johno.

Mama Teta gilde: 'Je laat die gendarme met rust! Ik zet mijn auto mooi niet stil. Geen sprake van.'

Johno zuchtte. Geen sprake van? Dat zullen we dan nog wel eens zien.

Toen drukte Mama Teta plotseling het gaspedaal in. Ze had een verbeten uitdrukking op haar gezicht – het was haar ernst.

'Wat doe je, ma?'

'Ik geef gas. En hou nou je kop. Ik moet van die gendarme zien af te komen.'

Johno zuchtte. Dacht zijn mama nou werkelijk dat die roestige rammelbak van Lily harder kon dan de nieuwe auto van die gendarme? Ja, dat dacht ze. Mama ging zelfs over het stuur heen hangen – ongetwijfeld om nog wat harder te gaan. Harder. Harder. Toen kwam de onvermijdelijke sirene.

Mama Teta schrok, de kinderen klapten in hun handen, Johno was opgelucht. 'Je moet stoppen, ma,' zei hij.

'Ik stop voor niemand. Ik heb niets verkeerds gedaan.'

De Citroën reed door, harder en harder.

'Dat meen je toch niet, ma?'

Geen antwoord.

'Ma!' Johno begon zich nu vreselijk aan zijn mama te ergeren.

Mama Teta begon te mompelen. 'Er zijn hier veel te veel gendarmes... altijd op de loer... ze wachten gewoon tot we iets verkeerds doen, zodat ze ons in de gevangenis kunnen gooien... Ik zie ze wel... met hun wapens... om ons, de kleine man, angst aan te jagen. Ze denken dat zij in hun uniform beter zijn dan wij. De rijkelui houden ze niet in de gaten, daar krijgen ze geld van... maar de kleine man moet altijd maar braaf zijn. Die gendarme denkt zeker dat ik een niemendalletje ben... iemand waar hij voor de lol een beetje mee kan sollen... Hij denkt zeker dat hij mensen bang kan maken met zijn wapen... Ik stop niet, hoor je me? Ik stop voor niemand.'

Johno dacht snel na. Als zijn woman haar zelfbeheersing verloor (zoals zijn mama nu) probeerde hij nooit redelijk met haar te praten, want dat werkte niet. Hij had een betere techniek, de zogenaamde schoktechniek. Johno had nog nooit tegen zijn mama geschreeuwd. Hij had wel eens op haar gemopperd, maar altijd met opeengeklemde kaken. Maar nu moest hij haar aan het schrikken maken. Schokken. Wakker schudden. Hij moest zorgen dat ze die vervloekte auto stilzette, voor ze hen allemaal de dood in joeg.

'*Zet die auto stil, verdomme!* Het was een bevel.

Meteen drukte Mama Teta volkomen beheerst het rempedaal in. Ze zette haar richtingaanwijzer aan, reed met een net boogje naar de linkerkant van de weg en zette de motor uit. Niet lang daarna parkeerde de gendarme zijn auto naast die van Lily.

Johno stapte bevend en zwetend uit om de situatie aan de gendarme uit te leggen.

Dit ritje kon hem wel eens een paar duizend franc gaan kosten. Hij moest de sympathie van de gendarme zien te winnen. Hij zou het vast wel begrijpen. Hij had ook een moeder. En misschien een woman. Hij wist vast wel dat vrouwen over het algemeen rare dingen doen.

'Goedemiddag, Monsieur.' Johno liep over van respect voor de kleine, magere gendarme die naar hem toe kwam lopen.

'Goedemiddag.' De gendarme liep langs Johno heen naar de bestuurder van de auto.

Mama Teta keek naar hem op en trok een zielig gezicht. Toen keek ze hem nog eens goed aan en wierp hem een brede glimlach toe, alsof ze hem herkende. 'Goedemiddag, Monsieur.' Ze zong het bijna.

'Madame.'

Johno stond verbijsterd naar zijn mama te kijken.

'Mag ik uw rijbewijs even zien, madame?' vroeg de gendarme.

Opnieuw zingend: 'Zeker, Monsieur... alstublieft, Monsieur.' Haar ogen twinkelden.

De gendarme controleerde of de vrouw op de foto degene was die achter het stuur zat. Kennelijk tevreden gesteld gaf hij het rijbewijs terug.

'Bent u de eigenaar van de auto?' vroeg hij.

Mama Teta begon hoog te lachen. 'Of ik de eigenaar ben van de auto? Ah non, Monsieur. Het is de auto van mijn nicht Lily. Ze is nu in Frankrijk... voor een korte vakantie. Lily heeft me gevraagd zolang op haar auto te passen. En ik ben nu gewoon met mijn zoon en mijn kleinkinderen een ritje aan het maken.'

De gendarme wierp een korte blik op de drie muisstille kinderen achter in de auto. Toen keek hij weer naar Mama Teta. 'Wanneer komt... Madame Lily... weer terug? Enig idee?'

'O, Lily komt heel gauw weer terug.' Mama Teta knikte nadrukkelijk.

De gendarme glimlachte. Hij haalde zijn portefeuille tevoorschijn en gaf haar zijn kaartje. Ze bedankte hem.

'Zou u tegen uw nicht willen zeggen dat ze me moet bellen zodra ze terugkomt,' zei de gendarme. 'Er zijn een paar dingen die ik met haar moet bespreken... wat haar auto betreft. Ze moet bijvoorbeeld de voorbanden vervangen. Dat is hard nodig.'

Mama Teta stopte het kaartje van de gendarme in haar tas. 'Zeker, Monsieur, dat is heel hard nodig. Ik heb tegen mijn nicht Lily gezegd dat ze een nieuwe auto moet kopen. Deze rijdt nogal lastig. Ik zorg dat Lily u belt zodra ze terug is.' Iedere keer als Mama Teta de naam Lily uitsprak, begon ze een beetje harder te praten.

'Dank u wel voor uw medewerking.'

'O, graag gedaan, Monsieur.' Mama Teta maakte een kleine beweging met haar hand.

Johno, die nu helemaal niet meer wist wat hij ervan denken moest, stapte terug in de auto. Mama Teta wachtte terwijl de gendarme een scherpe U-bocht maakte en wegreed.

Johno zweeg. Hij had verwacht dat zijn moeder zou gaan huilen, de gendarme om genade zou smeken, hem alles zou vertellen over haar financiële problemen, haar hartkwaal, haar hele leven. Maar dat had ze allemaal niet gedaan. Ze had alleen vriendelijk gekeken en gelachen.

Mama Teta floot eens en toen begon ze te lachen. 'Ah hia hia... die Lily, eh. Scharrelen met gendarmes, eh? Dat zal ik haar eens onder de neus wrijven, als ze terugkomt. En die stomme gendarme dacht dat ik van niets wist. Iedere keer als ik Lily zei, begonnen zijn ogen te stralen. Ik durf te wedden dat zijn ding hard was.'

'Waar heeft u het over?' vroeg Johno.

'Eh, kijk maar eens in het handschoenenkastje.'

Johno deed het handschoenenkastje open. Daar lag een stapel foto's, allemaal van Lily met een man aan haar zij. Johno keek ze snel door en daar zag hij de gendarme met een prachtige, ondeugende Lily in zijn armen. Hij straalde van trots, als een visser die een grote vis aan de haak heeft geslagen.

Johno legde de foto's terug in het handschoenenkastje en schudde zijn hoofd.

Vrouwen... ze doen echt de gekste dingen.

Een kort bezoek

Nadat ze een week lang prijzen heeft opgevraagd en heeft nagedacht over het eten, het drinken, de trouwjurk, de trouwringen en alle andere dingen die georganiseerd moeten worden voor je het jawoord geeft, heeft Materena hoofdpijn.

Aue, er is zoveel te regelen!

Maar vandaag gaat ze zich daar niet mee bezighouden. Ze gaat nergens aan denken. Ze gaat de bruiloft uit haar hoofd zetten. Ontspannen op de bank. Het komt zelden voor dat ze alleen is, maar vandaag is het haar gelukt. Ze kijkt naar het plafond en geniet van de rust. Misschien gaat ze even een dutje doen, of misschien blijft ze gewoon met haar ogen open op de bank liggen.

Ze gaat doen waar ze zin in heeft.

Pito is met Ati op pad, dus die komt pas na donker thuis. De kinderen zijn bij haar moeder Loana en blijven daar tot ze hen zat wordt en terug komt brengen – als Materena geluk heeft, is dat pas over een uur of twee, drie. Ze heeft tegen de kinderen gezegd dat ze zich netjes moeten gedragen en dat ze het anders zullen bezuren. Ze hoopt dat ze tot het eind van de middag bij hun grootmoeder blijven.

Materena heeft het hele huis schoongemaakt. Alles ruikt lekker, alles is opgeruimd. Er hoeven geen kleren gewassen, opgehangen of gestreken te worden en de bedden zijn verschoond.

Ze voelt zich heerlijk.

Dan verschijnt Mama Roti's hoofd voor de jaloezieën. 'Oehoe!'

Materena springt overeind alsof de bank gloeiend heet is en haar handen duwen automatisch haar ongekamde haren op hun plaats. Ah, fiu! Hier heeft ze helemaal geen zin in.

Mama Roti bonkt op de deur. 'Wat moet dat midden op de dag met de deur op slot en de gordijnen dicht!'

Materena neemt zich vast voor tegen Mama Roti te zeggen dat ze vandaag onmogelijk met haar kan praten. Ze zal zeggen dat de dokter haar rust heeft voorgeschreven. Ze heeft geen zin om te praten.

Ze doet de deur van het slot en Mama Roti loopt meteen met grote stappen door naar binnen. Ze heeft een vrouw bij zich, die ze voorstelt als 'iemand die ze kent'. Tegen deze Iemand Die Ze Kent zegt ze: 'Dit is Materena. Pito's andere helft.'

Pito's andere helft! Materena denkt: wat krijgen we nou? Ben ik een mango of zo? Ah, dat mens! De brutaliteit! Geen manieren! Maar ze kan niet al te boos worden op Mama Roti, want als Loana het tegen anderen over Pito heeft, noemt ze hem Materena's schaduw.

'Ik blijf niet lang, kind,' zegt Mama Roti. 'Een minuutje maar. Ik heb zoveel te doen. Maar het is zo warm.' Dan kijkt ze naar de vloer.

'Eh, wat is dat? Waar is het linoleum?'

'Dat ligt bij de vuilnis,' liegt Materena. Ze heeft geen zin om weer te moeten horen dat je geen vloerbedekking over linoleum heen mag leggen.

'Wanneer heb je die vloerbedekking gelegd?' Mama Roti bukt en voelt eraan met haar hand.

'Vier dagen geleden.'

Mama Roti werpt Materena een wantrouwige blik toe en maakt het zich gemakkelijk op de bank. Op dat moment weet Materena dat het bezoek geen minuutje gaat duren. Eerder een paar uur. Mama Roti wuift zichzelf koelte toe met haar hand. Materena nodigt de vrouw die ze heeft meegenomen uit om te gaan zitten en biedt hun een glas limonade aan.

De vrouw drinkt er met kleine slokjes van en Mama Roti slaat het hele glas in een paar teugen naar binnen.

'Mag ik er nog een?' Mama Roti geeft haar lege glas aan Materena. Die gaat nieuw halen. Nadat ze haar tweede glas naar binnen heeft gewerkt, zegt Mama Roti dat ze zich een stuk beter voelt. Het is opeens veel minder warm.

'Ik heb vorige week een lottobriefje gekocht,' zegt ze.

'Ah oui?' Het interesseert Materena geen bal.

'Kind, als ik in plaats van een 11, een 4 en een 2, een 3, een 7 en een 9 had gehad, had er nu een miljonair voor je gezeten.'

'Ah.' Materena heeft dit al zo vaak gehoord. Mama Roti heeft altijd bijna de lotto gewonnen en vertelt altijd precies wat ze met haar miljoenen zou hebben gedaan.

Ze zou er een nieuw huis van hebben gekocht, een auto, een reis naar Lourdes, een speedboot voor Pito, ze zou honderdduizend franc op Materena's bankrekening hebben gezet – voor de kinderen dan.

'Dank u wel.' Materena moet altijd bedanken wanneer Mama Roti de miljoenen francs verdeelt die ze bijna heeft gewonnen.

Mama Roti geeft zich ongestoord over aan haar zoete dromen. Ze glimlacht en zucht. Haar vriendin zit nog steeds met kleine slokjes te drinken van haar limonade. Kennelijk was Materena bijna in slaap gevallen, want ze schrikt op bij Mama Roti's uitroep.

'En waar is Pito!'

'Die is weg met Ati,' antwoordt Materena. 'Ze komen vanavond laat pas terug.'

'En de kinderen?'

'Die zijn bij mamie. Die komen vanavond weer.'

'Dus je bent helemaal alleen, kind,' zegt Mama Roti. 'Ik ben blij dat ik gekomen ben om je wat gezelschap te houden, maar ik kan niet lang blijven. Ik heb over een uur een afspraak in de stad – een belangrijke afspraak.'

Nou, daar is Materena blij mee.

Maar twee uur later zit Mama Roti nog steeds te praten.

'Mama Roti,' zegt Materena. 'U had toch een belangrijke afspraak?'

Mama Roti haalt haar schouders op en geeft toe dat het niet erg is als ze te laat komt. Het is zelfs niet erg als ze helemaal niet komt. En eigenlijk is die afspraak helemaal niet zo belangrijk – ze hoeft alleen maar naar de tandarts. En ze is vandaag niet in de stemming om met een lawaaiige boor in haar mond te zitten.

'Ik zal wel een andere afspraak maken met de tandarts. Hij is een goede vriend, bijna familie. Maak je maar geen zorgen, kind.' Mama Roti klopt Materena geruststellend op haar been.

En nu begint ze een beetje honger te krijgen.

Materena gaat sandwiches maken. Terwijl ze de tomaten staat te snijden, heeft ze even zin om door de achterdeur te verdwijnen en zich te verstoppen op het dak.

Loana doet dat. Als zij iemand hoort roepen die ze niet wil zien, verstopt ze zich op het dak en blijft ze daar zitten tot de ongewenste bezoeker ophoudt met roepen en weggaat. Toen Materena klein was, moest ze altijd tegen het bezoek liegen dat haar moeder even naar de Chinese winkel was. Ze had daar een hekel aan en vertelde het tijdens de biecht aan de priester. Leilani is net zo. Zij vindt het ook niet leuk om te liegen als Materena bezoek probeert te ontlopen.

Materena zou zich vandaag ook op het dak hebben verstopt. Maar Mama Roti heeft niet eerst gefloten of geroepen, zoals je uit beleefdheid hoort te doen als je bij iemand op bezoek komt.

Stel je voor dat ze met Pito had liggen vrijen op de bank? Materena schiet in de lach als ze zich voorstelt dat Mama Roti door de jaloezieën zou kijken en haar zoon in actie zou zien met zijn woman.

Mama Roti eet met grote, smakkende happen van haar sandwich en de vriendin knabbelt aan de hare. Materena vraagt zich af of die vriendin vandaag nog iets gaat zeggen. Ze denkt erover na of ze een gesprek met haar zou moeten beginnen. Maar stel je voor dat ze een nog grotere kletskous blijkt te zijn dan Mama Roti zelf!

Mama Roti kijkt Materena aan. 'Kind, wat zie je er moe uit.'

'Ik bén ook moe.' Materena zucht, alsof ze uitgeput is.

'Neem dan je rust.' Mama Roti schenkt haar een begrijpende blik.

Ze zegt dat ze blij is dat ze is gekomen, want als ze dat niet had gedaan, had Materena vast allerlei dingen lopen doen in huis.

'Nu zit je in ieder geval, kind.' Mama Roti gaat er eens goed voor zitten en begint erover dat mensen tegenwoordig veel te veel doen – in haar tijd…

Materena's gedachten dwalen af. Ze is niet in de huiskamer. Ze is… ze is buiten de planten aan het water geven. Ze weet niet hoe lang ze daarmee bezig is.

Maar haar escapade wordt ruw onderbroken door de schrille stem van Mama Roti. 'Hou je mond, jij! Je weet niet waar je het over hebt!'

Mama Roti's vriendin staat midden in de kamer en is helemaal rood. 'Weet ík niet waar ik het over heb? Jíj weet niet waar je het over hebt!'

Ze bedankt Materena voor de limonade, de sandwiches en de gastvrijheid en loopt met grote passen de deur uit.

'Dat mens,' zegt Mama Roti. 'Die verschrompelde bes… Ik probeer al sinds vanmorgen van dat leeghoofd af te komen, maar het schijnt maar niet tot haar door te dringen. Ze blijft me overal achterna lopen. Nu ze weg is, kunnen we het over wat meer persoonlijke zaken hebben.'

En dus klaagt ze dat Iemand Die Ze Kent Mama Neno heet en dat Mama Neno haar de laatste dagen veel te veel achterna loopt en dat ze alleen maar wat ruimte wil.

'Vroeger was ze mijn beste vriendin,' zegt Mama Roti. 'Maar daarom hoeft ze me niet te verstikken.'

En dan legt ze Materena uit dat Mama Neno en zij als jonge meisjes heel goede vriendinnen waren, tot Mama Neno iets kreeg met die vreselijke man. Maar die man was onlangs overleden en nu had ze besloten dat ze de vriendschap met Mama Roti weer nieuw leven wilde inblazen.

Materena luistert en wacht tot Mama Roti het beu wordt om over Mama Neno te praten.

Eindelijk houdt ze haar mond. Ze kijkt naar de vloerbedekking. Materena vraagt zich af waarom ze zo zit te kijken, alsof ze die vloerbedekking al eens eerder heeft gezien.

'Kind, wat is er aan de hand?' Mama Roti's ogen zijn nog steeds op de vloerbedekking gericht.

'Hoezo, wat is er aan de hand?' Materena heeft geen idee waar ze het over heeft.

'Die nieuwe vloerbedekking.' Mama Roti wijst ernaar. 'Als vrouwen dingen in huis veranderen, hangt er iets in de lucht.'

'Mama Roti, ik was het linoleum gewoon fiu,' zegt Materena.

'Weet je zeker dat dat de reden is?'

'Natuurlijk!'

Mama Roti's ogen proberen nu in Materena's gedachten te dringen. 'Al zolang mijn zoon in dit huis woont, heeft hier linoleum gelegen. Nu is het weg en volgens mij betekent dat dat er hier iets gaat veranderen.'

Materena schenkt haar een oprechte glimlach. 'Mama Roti, ik ben gelukkig met uw zoon.'

'Mijn zoon is een goede man,' zegt Mama Roti.

'Ah oui.'

'Hij werkt.'

'Ah oui, dat is goed,' zegt Materena.

'Hij drinkt af en toe wat,' vervolgt Mama Roti. 'Maar hij is tenminste niet gewelddadig als hij drinkt. Hij kletst gewoon onzin.'

Materena knikt.

'Ik heb hem heel goed opgevoed.'

Materena knikt weer en wendt haar blik af.

Erfenis

Mama Roti bleef uiteindelijk nog twee uur zitten. Ze praatte aan één stuk door over haar zoon en Materena begon zich met de seconde meer te vervelen.

Toen Mama Roti eindelijk door kreeg dat ze genoeg beslag had gelegd op Materena's tijd (in totaal vijf uur), kwam ze overeind om weg te gaan. Maar ze had nog één heel belangrijke vraag.

'Kind, weet je zeker dat alles goed is tussen jou en mijn zoon?'

'Oui,' zegt Materena resoluut. 'Alles is goed tussen uw zoon en mij.'

Mama Roti knikte, maar ze zag er niet uit alsof ze overtuigd was. Ze vertrok zuchtend.

Nu, de volgende dag, is ze terug! Materena kan haar schoonmoeder vandaag onmogelijk hebben. Bovendien zijn Pito en de kinderen thuis. Zij kunnen zich met haar bemoeien.

Nadat Materena haar schoonmoeder snel een zoen heeft gegeven, ontsnapt ze dus naar Loana, onder het voorwendsel dat ze haar moeder een paar citroenen gaat brengen.

Moeder en dochter geven elkaar een zoen. Dan pakt Loana het plastic zakje uit haar hand en zegt: 'Dank je wel voor de citroenen, kind.'

'Gaat het goed met uw gezondheid?' Materena weet het antwoord al, maar ze informeert altijd naar haar moeders gezondheid. Dat is een vast ritueel. En Loana zegt altijd: 'De benen zijn een beetje stijf als ik 's morgens opsta.'

Maar vandaag is het anders. 'Ik wilde naar je toe komen,' zegt Loana, 'want ik heb een paar papieren ondertekend en ik moet je een verhaal vertellen.' Ze legt de citroenen in de koelkast. 'Het gaat over mijn grootmoeder. Mijn grootmoeder had haar kinderen niet van haar man, maar van een ander.'

Materena zit aan de keukentafel, maar Loana wil het verhaal liever in de slaapkamer vertellen. Ze moet even liggen.

Loana gaat op het bed liggen, met een kussen onder haar benen. Materena gaat op de grond zitten, met haar rug tegen de muur. Ze kijkt naar de verf, die van de muur bladdert.

'Mijn moeders moeder heette Rarahu,' begint Loana, haar ogen op het plafond gericht. 'En volgens zeggen was ze een prachtige vrouw. Het zou fijn zijn geweest, kind, als er een foto van haar was geweest, maar vroeger hadden mensen van de Tuamotu's geen foto's van zichzelf. Er was geen fotograaf op de atol. Voor een professionele foto moest je naar Tahiti en Rarahu ging nooit van de atol Rangiroa af. Ze is geboren op Rangiroa, ze is er gestorven en ze heeft alleen op Rangiroa gewoond. Maar goed, haar schoonheid heeft niets met dit verhaal te maken.'

Loana schraapt haar keel. 'Rarahu was zestien toen ze trouwde met Mareco Tetu. Het was een gearrangeerd huwelijk. Zij had geen keus, hij had geen keus, want ze waren allebei bang voor hun ouders. Ze gingen dus naar de kerk en volgden de hele ceremonie. Het was een prachtige trouwerij. Rarahu droeg een sluier, wat betekende dat ze nog maagd was en nog nooit verstoppertje had gespeeld in de kokosplantage.

Na de trouwerij vertrok Rarahu met haar man naar het oude, in koloniale stijl gebouwde huis van zijn ouders en iedereen verwachtte dat ze binnen drie maanden zwanger zou zijn. Maar er gingen zes maanden voorbij en Rarahu's buik was nog steeds plat. Dat kwam doordat Mareco op de grond sliep. Hij was niet in staat de liefde te bedrijven met een vrouw. Hij kon dat alleen met een man. Hij bekende dit zelf aan zijn vrouw.'

Materena trekt haar wenkbrauwen op. Nu begrijpt ze waarom Rarahu kinderen heeft gekregen van een andere man.

'Ik weet dat je denkt: geen wonder dat die vrouw illico presto een andere man heeft genomen,' zegt Loana. 'Oui, Rarahu is bij haar man weggegaan – maar pas nadat ze tien jaar met hem getrouwd was geweest.

Ze werd verliefd op Nonihe, die van Rapa Nui naar Rangiroa was gekomen om op de kopraplantage te werken. En hij werd ook verliefd op haar. Dus pakte ze haar spullen bij elkaar en ging bij hem in zijn hut wonen. Ze waren arm, maar gelukkig. Dat wordt tenminste verteld. Nonihe was een goede man.

Rarahu kreeg vier kinderen van Nonihe, maar hij kon ze niet als zijn eigen kinderen erkennen, omdat Rarahu nog steeds met Mareco was getrouwd.

Op haar sterfbed liet ze de kinderen zweren dat ze nooit achter de Tetu-erfenis aan zouden gaan. En de kinderen hebben dat aan hun mama gezworen.

Zo, kind, en nu heb ik de papieren ondertekend en is die zaak voorgoed geregeld. Celia heeft niet getekend. Zij wil dat haar kinderen een deel van de erfenis kunnen opeisen. Maar luister goed, kind: als je willens en wetens iets neemt wat niet van jou is, brengt dat ongeluk.'

'Was er veel grond?' vraagt Materena.

'Hectaren.'

'Op Rangiroa?'

'Op Rangiroa, op Apataki en ook op Tikehau.'

Materena denkt aan al die hectaren grond... 'Wat is er met Mareco gebeurd?'

'Hij is eenzaam gestorven.'

'Wist iedereen in het dorp dat hij...'

Loana valt Materena in de rede voor ze het woord kan uitspreken. 'Non, alleen zijn vrouw en haar beste vriend en nu wij.' Materena denkt weer aan al die hectaren. Dat is een heleboel grond...

En Loana herhaalt: 'Als je willens en wetens iets neemt wat niet van jou is, brengt dat ongeluk. Niet alleen aan jou, maar ook aan je kinderen, je kleinkinderen, je achterkleinkinderen en ga zo maar door. Neem van mij aan, kind, je bent veel beter af zonder al die grond. Met dat soort dingen moet je niet sjoemelen. Je wilt niet dat het land je opeet.'

Materena huivert en haar ogen dwalen af naar de ingelijste zwartwitfoto's aan de muur. Er hangt een foto bij van een baby van acht maanden in de armen van een jonge vrouw. Naast de vrouw staan een non en twee jongetjes. De baby is Loana. Materena heeft haar moeder wel eens gevraagd wie de mensen op die foto zijn, maar dat kon Loana haar niet zeggen. Ze heeft de foto ingelijst omdat het de enige babyfoto is die ze van zichzelf heeft.

Dan gaan Materena's ogen naar een andere foto – een foto van een man. Het is haar grootvader, Apoto. Hij is lang en slank. Hij heeft een blanke huid en een puntige neus. En naast hem hangt een foto van een mollige vrouw. Ze is bruin en ze heeft een grote neus. Dat is Materena's grootmoeder, Kika.

Materena kijkt naar haar moeder. Ze kijkt naar haar grote neusgaten en haar spitse kin. En ze denkt aan het verhaal van Apoto en Kika, dat ze van haar moeder Loana heeft gehoord.

'Mijn vader heeft mijn moeder verlaten toen ze drie maanden van mij in verwachting was. Maar voor hij stiekem op de schoener *Marie Stella* stapte, strooide hij in het hele dorp het verhaaltje rond dat het kind in Kika's buik niet van hem was. Hij zei: "Dat kind is van een ander – misschien van de Chinees." Hij had een excuus nodig om zijn zwangere vrouw en hun dochter van vijf in de steek te laten voor een andere vrouw.

En ik had de pech dat ik spleetogen had, toen ik geboren werd.

Ik heb als kind nooit gedacht dat de Chinees mijn vader was. Mijn moeder zei vaak tegen me: "Loana, jouw vader is Apoto Mahi."

Maar… toen ik ouder werd, begon ik te twijfelen. Ik besefte dat het wel vaker voorkomt dat een getrouwde vrouw zwanger raakt van een andere man. Ik zag dingen, de dingen die in het leven gebeuren. Zelfs toen mijn vader op zijn sterfbed kreunde: "Loana… Loana, mijn dochter" bleef ik nog twijfelen.

Ik herinner me de Chinees nog wel. Hij was altijd aardig tegen me. Als zijn vrouw niet keek, gaf hij me snoepjes en mijn moeder kon altijd spullen bij hem op de pof kopen. Zijn vrouw mocht mijn moeder niet en andersom. Ze spraken nooit met elkaar.

Aan die dingen moest ik denken. Celia zei ook altijd dat we helemaal geen zussen leken, dat zij heel veel op Apoto leek en dat ik op niemand leek in de familie.

Toen Apoto was overleden, kreeg ik een brief over mijn erfenis – mijn grond.

Ik wilde de erfenis niet accepteren, maar ik was het een beetje beu om steeds van het ene familielid naar het andere te verhuizen. Je peettante Imelda zei altijd tegen me: "Nicht, mijn huis is jouw huis. Blijf zolang je wilt." Maar ik wilde iets voor mezelf. Mijn eigen stukje grond. Ik moest steeds denken aan wat Kika me had gezegd over dingen die ongeluk brengen. Zij zei altijd: "Die persoon mag geen kokosnoten van die grond halen, omdat hij weet dat die grond niet van hem is. Dat brengt ongeluk."

En dat was ook zo. Er kwam ongeluk van. Of in ieder geval een slechte oogst.

Maar op een nacht verscheen Mama in mijn droom en ze zei: "Ik heb alleen van Apoto gehouden en hij heeft me jou gegeven."

Dus accepteerde ik mijn erfenis en later kwam ik erachter dat ik mijn spleetogen had van een Filippijnse voorouder.'

Loana is in slaap gevallen en Materena staat zachtjes op. Ze geeft haar moeder een kus op haar voorhoofd en kijkt naar haar. Dan kijkt ze naar de korrelige foto van Apoto. Loana en Apoto lijken totaal niet op elkaar. Maar Materena weet dat niet alle kinderen op hun vader lijken.

Moana bijvoorbeeld lijkt met zijn sproeten, groene ogen en goudblonde haar totaal niet op Pito. En Leilani is net een verjongde uitgave van haar grootmoeder Loana. Nu Materena erover nadenkt, is Tamatoa eigenlijk de enige die op Pito lijkt. Ze bedenkt dat het voor haar misschien heel anders was gelopen als Tamatoa bij zijn geboorte niet het sprekend evenbeeld was geweest van zijn vader.

Ah, ze herinnert zich weer hoe Pito urenlang naar zijn pasgeboren zoon heeft zitten kijken. Daarna vergeleek hij hem met een babyfoto van hemzelf. En toen zei hij dolgelukkig: 'Tjonge, die knul ziet er net zo uit als ik toen ik net geboren was.'

Vorige maand zei Materena's nicht Rita nog tegen haar dat Tamatoa steeds meer op Pito begon te lijken en dat ze hoopte dat de gelijkenis alleen uiterlijk zou blijven.

Materena wou maar dat God Loana op haar vader had laten lijken, al was het maar een beetje. Loana's leven zou een stuk gemakkelijker zijn geweest als Apoto haar meteen als zijn dochter had erkend en niet pas toen hij op sterven lag.

Maar ja, zo gaan die dingen.

Materena gaat zachtjes de kamer uit en loopt naar de keuken om een kan vers citroensap te maken. Ah, dan kan ze net zo goed meteen de banken even afnemen.

Ze heeft geen haast om naar huis te gaan.

Een ansichtkaart
uit Frankrijk

Nadat Materena een paar uur in de keuken van haar moeder heeft rond-
gescharreld en haar koelkast heeft schoongemaakt en opgeruimd, gaat ze
naar huis, in de hoop dat Mama Roti weg is.

Ze is inderdaad weg.

'Waar bleef je zo lang?' vraagt Pito. 'Het duurt toch geen twee uur om
iemand een zak citroenen te geven?'

'Mamie wilde even praten,' zegt Materena. 'En jouw mama? Is ze nog
lang gebleven?'

'Ze was al na een kwartier weg en ze deed een beetje vreemd.'

'Ah oui?' zegt Materena en ze denkt: jouw moeder doet altijd een beetje vreemd.

'Ze stelde me allerlei rare vragen over de vloerbedekking en wat het te
betekenen had.'

'En wat heb je gezegd?' vraagt Materena.

'Ik zei: "Het betekent dat Materena het linoleum zat was, dat is alles."'
Materena begint te lachen.

'Ze gaf me dit.' Pito laat Materena een ansichtkaart zien. De Eiffelto-
ren staat erop. 'Hij komt uit Frankrijk,' zegt hij trots.

'Uit Frankrijk?' Materena leest nieuwsgierig wat erop staat.

*Ia'ora'na Pito, e aha te huru? Hoe gaat het ermee? Ja, ik woon
nog steeds in Frankrijk. Ik ben nu al zestien jaar niet meer
terug geweest naar de fenua. Ik mis de cornedbeef! De fenua
mis ik ook, maar mijn leven is nu hier. Hoe gaat het met je,
Pito? Misschien ben je me vergeten. Tihoti.*

'Wie is die Tihoti?' vraagt Materena aan Pito.

Pito kan het zich nog niet herinneren, maar hij doet zijn best. Hij zoekt zijn geheugen af en na een uur weet hij de naam eindelijk thuis te brengen.

Tihoti Ranuira en hij zijn in Frankrijk samen in militaire dienst geweest.

Pito was in Frankrijk in dienst gegaan omdat hij niet zo door zijn moeder voor schut wilde worden gezet als zijn broer Frank. Frank was in dienst op Tahiti en Mama Roti ging iedere dag naar de barakken. Ze riep dan naar de wacht dat ze eten had gekookt voor haar zoon en dat hij hem moest gaan halen. Ze was ervan overtuigd dat het eten in de barakken vergiftigd was. Ze ging ook altijd langs de kant van de weg staan om haar zoon toe te juichen als hij met zijn peloton voorbij kwam rennen. Pito's broer had hier erg onder geleden.

Toen Pito zijn mama meedeelde dat hij zich had ingeschreven voor militaire dienst in Frankrijk, raakte ze helemaal in paniek. Ze verzon allerlei trucjes om haar jongste zoon thuis te houden. Ze loog dat ze een ongeneeslijke ziekte had en dreigde dat ze nooit meer met hem zou praten. Maar Pito was achttien en had echt behoefte om een poosje bij zijn mama vandaan te zijn. Twee jaar.

Materena kent het verhaal. Mama Roti heeft haar talloze keren verteld hoe bang ze was dat haar zoon zou vallen voor een popa'a-meisje en dan in Frankrijk zou blijven wonen. De dag dat Pito uit Frankrijk terugkwam was Mama Roti dolgelukkig.

Ja, Pito kwam terug, maar Tihoti bleef in Frankrijk. Volgens Pito vond Tihoti dat Tahiti hem niets te bieden had: geen familiebanden, geen vooruitzichten, geen vrouw, niets. Zijn toekomst lag in Frankrijk, in het leger. Tihoti wilde kolonel worden.

Materena verbaast zich erover dat Pito nooit over Tihoti heeft gesproken. Twee jaar is een lange tijd om met iemand op te trekken, hoe kun je hem dan gewoon vergeten? Pito benadrukt dat Tihoti en hij geen onafscheidelijke vrienden waren – ze kwamen gewoon toevallig van hetzelfde eiland. Ze spraken Tahitiaans, ze zongen Tahitiaanse liedjes en Pito speelde de ukelele.

'Hij was een beetje...' Pito zoekt naar het juiste woord om Tihoti te beschrijven. 'Hij was een beetje... nou ja, hij was niet helemaal normaal.'

De ansichtkaart is een schok voor Pito. Waarom zou iemand na zoveel jaar weer contact zoeken?

Materena denkt dat Pito's vriend zich eenzaam heeft gevoeld en hem daarom heeft geschreven. Ze vindt het een eer dat zijn vriend in deze moeilijke tijd aan hem heeft gedacht.

Maar volgens Pito had zijn oude dienstvriend het helemaal niet moeilijk toen hij de ansichtkaart schreef. Non, waarschijnlijk had hij gewoon een fles wijn op en zat hij wat aan vroeger te denken, of misschien had hij een foto gevonden uit zijn diensttijd en kwam daardoor het verleden bij hem terug.

'Het doet er niet toe waarom hij je heeft geschreven,' zegt Materena. 'Je hebt een ansichtkaart.'

Dat betekent dat Pito een belangrijk man is en dat hij terug moet schrijven.

'En wat moet ik dan schrijven?' vraagt Pito.

'Wat er maar in je hoofd opkomt.' Materena is al in haar rieten tas op zoek naar het speciale schrijfpapier en de pen die ze gebruikt om briefjes te schrijven naar school. Ze geeft de spullen aan Pito, die aan de keukentafel zit. Ze blijft zelf staan en doet net of ze druk bezig is. Ze is in de weer met een pan, ze zet een bord weg en kijkt tersluiks naar het lege papier.

Uiteindelijk schrijft Pito een woord, twee woorden, vijf woorden, twee regels. Hij krabt eens op zijn hoofd, kijkt naar het plafond, naar de planten buiten, naar het papier. Hij leest de twee regels en schudt zijn hoofd.

Hij heeft het moeilijk, de woorden willen niet komen. Materena begrijpt het wel. De kinderen zijn aan het spelen in de huiskamer en ze weet dat je veel gemakkelijker kunt schrijven als het stil is. Zij schrijft haar briefjes altijd als iedereen naar bed is. Pito zou daar ook op kunnen wachten, maar Materena wil dat hij zijn vriend nú terugschrijft.

Want bij Pito komt van uitstel vaak afstel.

En Materena wil dat Tihoti een brief krijgt. Ze heeft een beetje medelijden met hem. Het is triest als iemand niet naar huis wil. De enige die Tihoti met Tahiti verbindt is Pito.

Materena loopt naar de huiskamer. 'Eh, kinderen. Ga even in de achtertuin spelen. Papi zit een brief te schrijven naar zijn vriend in Frankrijk.'

'Zit papi een brief te schrijven?' Leilani vindt dat nogal grappig.

'Heeft papi een vriend in Frankrijk?' Tamatoa fluit. Hij is onder de indruk.

'Heeft papi een vriend in Frankrijk en zit hij een brief naar hem te schrijven?' Moana loopt met grote stappen naar de keuken om zijn vader te zien schrijven.

'Kom, naar de achtertuin!' Materena jaagt de kinderen de deur uit.

Ze loopt terug naar de keuken en gaat aan de slag met de koekenpan. Het lijkt erop dat Pito de smaak te pakken heeft, hij zit als een gek te schrijven. Maar dan frommelt hij het papier woest in elkaar.

'Het heeft geen zin,' zegt hij.

Materena weet precies wat ze moet doen. Ze trekt de stekker van de radio uit het stopcontact. Dan pakt ze batterijen en haalt een leeg cassettebandje uit een doos in de slaapkamer. Ze heeft altijd een leeg cassettebandje bij de hand voor het geval ze zin heeft om een liedje op te nemen.

Ze gaat ook een koud biertje halen voor Pito, dan kan hij zich beter ontspannen.

Pito zit nu op zijn gemak in een stoel onder de tamarindeboom, met de radio op schoot en een biertje in zijn hand.

Hij drukt de opnameknop in en neemt een flinke slok van zijn bier.

Hij is er nu klaar voor. 'Natuurlijk ben ik je niet vergeten. Wat denk je wel, eh?'

Lange stilte.

'Eh, veertien jaar is een lange tijd. Ik weet niet wat ik je moet vertellen, kerel.'

Na drie biertjes komt Pito een beetje los. Hij hoort niet het gegiechel van zijn kinderen, die zich achter de tamarindeboom hebben verstopt. Materena gebaart ze om weg te gaan. Pito mag nu niet gestoord worden. Hij praat tegen Tihoti en Materena is blij.

Pito haalt herinneringen op aan de barakken, de smurrie die ze te eten kregen, de geintjes die ze uithaalden met de commandant. Hij praat over speedboten, vissen, zijn werk en het bier dat ze een keer zullen gaan drinken met Ati. Pito praat tot het bandje vol is. Hij is moe geworden van al dat gepraat. Hij zegt dat hij even moet gaan liggen.

Terwijl Pito uitrust, luistert Materena rustig het bandje af. Het ergert haar mateloos dat Pito niets heeft verteld over zijn gezin – zijn woman, zijn kinderen. Hij heeft het wel over Ati.

Nou, dat zal ze wel eens even rechtzetten. Ze wist ongeveer twee minuten van Pito's praatje. Maar voor ze gaat opnemen, moet ze eerst even oefenen. 'Tihoti,' zegt ze hardop. 'Ia'ora'na. Ik ben Materena en ik ben

Pito's vrouw.' Ze schudt haar hoofd. Ze kan zich niet voorstellen als Pito's vrouw, want ze zijn nog niet getrouwd. Ze begint opnieuw. 'Tihoti, Ia'ora'na. Ik ben Materena en ik ben Pito's toekomstige vrouw.' Met die inleiding is ze ook niet tevreden. Ze kan niet zeggen dat ze Pito's toekomstige vrouw is, want er is nog geen huwelijksdatum vastgesteld. Materena weet niet hoe ze zich aan Tihoti moet voorstellen, vooral omdat Pito het niet over haar en de kinderen heeft gehad. Maar ze beseft dat vrouwen meestal over hun gezin en hun kinderen praten. Mannen praten meer over hun vrienden en over sport.

Materena weet nu hoe ze zich gaat voorstellen. Ze roept de kinderen naar de keuken. Na verscheidene keren roepen, komen ze. Ze legt de situatie uit. De kinderen knikken. Ja, ze begrijpen het.

Materena zet de radio voor zich neer en leunt naar voren. 'Tihoti – Ia'ora'na. Ik ben Materena, ik ben al bijna dertien jaar samen met Pito en we hebben drie kinderen. Ik ben professioneel schoonmaakster en het is erg aardig dat je Pito een ansichtkaart hebt gestuurd. Het is voor het eerst dat hij een ansichtkaart heeft gekregen, en nog wel helemaal uit Frankrijk. Hij is erg blij… hij is blij dat je aan hem hebt gedacht. Als je terugkomt naar de fenua, staat ons huis voor je open en ook je gezin is welkom: je vrouw, je kinderen. Zo, nu komen Pito's kinderen om je gedag te zeggen.'

De volgende dag gaat Materena op weg naar haar werk bij het postkantoor langs om Tihoti's pakje op te sturen. Het bandje zit erin, drie blikken cornedbeef en vier stukken kokoszeep. Ze hoopt dat dit pakketje Tihoti het gevoel zal geven dat ze hem allemaal kennen.

Alsof Pito het steeds over hem heeft gehad.

Totem

Materena was inderdaad flink nijdig toen Pito op het bandje voor zijn vriend Tihoti helemaal niets zei over haar en de kinderen. Maar kijk, nu zit hij met zijn kinderen aan de keukentafel en vertelt hun over zijn totem. Het is prachtig om te zien. Materena, die cakebeslag staat te mixen, is helemaal ontroerd door dit familietafereeltje.

Pito's totem is een enorme zwart met witte hond met een lange staart, die Piihoro heet. Piihoro komt van het eiland Raiatea en zijn eerste taak was de zeldzame zwarte parel te bewaken. Als je wilt dat Piihoro je te hulp komt, roep je: 'Piihoro eh, ik ben Tehana-bloed. Jij bent mijn totem, kom bij me.' En dan komt Piihoro meteen voor de dag.

Pito benadrukt tegenover zijn kinderen dat hij Piihoro nog nooit nodig heeft gehad. Maar een van zijn neven liep een keer op een avond in Papeete over straat toen hij plotseling tegenover een bende kwam te staan. Pito's neef riep: 'Piihiro eh, ik ben Tehana-bloed. Jij bent mijn totem, kom bij me.' Meteen begonnen de schurken als krankzinnigen te gillen en gingen er zo snel ze konden vandoor, schreeuwend om hun mama's.

Materena grinnikt. 'Eh Pito,' zegt ze poeslief. 'Weet je zeker dat je neef die avond niet een beetje dronken was?'

'Wil jij zeggen dat dat verhaal van mijn neef niet waar is?' vraagt Pito beledigd.

Materena gaat door met mixen. Er zijn van die dagen dat je Pito maar beter kunt laten praten zonder iets te zeggen.

Pito vertelt dat de mensen van Polynesië allemaal een totem hebben, maar dat ze lang niet allemaal weten wat hun totem is. Toen de blanken kwamen, hebben die hun namelijk verboden over totems te praten.

Een van Pito's tantes heeft een krantenknipsel over Piihoro in haar familiealbum. Pito gaat het halen, zodat de kinderen het kunnen lezen, maar hij weet niet zeker of zijn tante het aan hem wil uitlenen. De laatste keer dat ze een familielid iets uit haar fotoalbum heeft uitgeleend, heeft ze het namelijk nooit teruggekregen.

'Wat is jouw totem, mamie?' vraagt Leilani.

Materena bekent dat ze dat niet weet, maar ze belooft dat ze er morgen naar zal vragen.

Zodra de cake in de oven staat, haast ze zich echter naar Loana's huis. Ze is veel te nieuwsgierig om tot morgen te wachten. Ze hoopt dat haar totem een zeedier is, want ze houdt van de zee.

Als Materena aankomt, staat Loana te harken. Ze geven elkaar een zoen. Materena informeert naar haar moeders gezondheid en Loana klaagt dat haar benen een beetje stijf zijn als ze 's morgens opstaat. Dan geeft Materena haar een compliment over haar tuin, waarop Loana klaagt dat het te weinig regent.

Nu kan Materena vertellen waar ze eigenlijk voor komt. 'Mamie, ik wilde je iets vragen over mijn totem.'

'Eh, wat? Wat wil je daarover vragen?' Loana kijkt verbaasd.

'Ik was gewoon nieuwsgierig. Pito heeft de kinderen verteld over zijn totem en ik wil ze graag vertellen over de mijne.'

'Wat is Pito's totem?' vraagt Loana, terwijl ze haar dochter steels aankijkt.

'Het is een hond, een enorme, zwart met witte hond. Hij heet Piihoro.' Materena weet dat haar moeder hier iets over gaat zeggen.

'Het kan natuurlijk niet zomaar een hond zijn,' zegt Loana. 'Het moet weer een enórme hond zijn.'

Materena negeert de opmerking. 'En wat is mijn totem?'

'Dat weet ik niet.' Loana is daar heel duidelijk over. Dan vertelt ze dat ze weet dat de totem van haar vader een haai is. Maar aangezien een totem alleen via de moeder kan worden doorgegeven, kan Materena's totem geen haai zijn.

'Waarom kan dat alleen via de moeder en niet via de vader?' Materena begrijpt er niets van.

'Waarom denk je?' vraagt Loana.

Materena haalt haar schouders op, dus legt Loana het haar uit. De totem kan alleen via de moeder worden doorgegeven, omdat een kind zeker weet wie zijn moeder is, maar niet zeker weet of de man van zijn moeder ook zijn vader is.

'Ah.' Ja, nu begrijpt Materena het.

Loana denkt even na en zegt dan: 'Jouw totem zou wel eens de zeeschildpad kunnen zijn.' Ze vertelt dat haar moeder zo dol was op zeeschildpadden dat ze ze nooit wilde eten. Op een keer was er feest. Er werd gebarbecuede zeeschildpad in kokosmelk geserveerd, maar Kika zei: 'Dat kan ik niet eten.' En iemand zei meteen: 'Nee, natuurlijk kan jij dat niet.'

Materena zegt meteen dat zij ook dol is op zeeschildpadden. Nog niet zo lang geleden was er een documentaire op tv over een zeeschildpad die eieren legde en je zag de kop van het dier in beeld. Materena zag de tranen, de stille tranen van pijn en zij kreeg ook tranen in haar ogen. Ze kon de pijn van de zeeschildpad meevoelen. En toen het dier met veel moeite de zee weer opzocht, zei ze: 'Goed zo, doe je best.'

Loana knikt. Ze vertelt Materena dat ze die documentaire ook heeft gezien en dat ze er ook om heeft moeten huilen. Naar haar idee zal iedere vrouw die een kind heeft gebaard, met de pijn van die zeeschildpad hebben meegevoeld en hebben gehuild. Daarvoor hoef je de zeeschildpad niet als totem te hebben.

Materena is blij dat haar totem misschien de zeeschildpad is.

Ze zegt tegen Loana dat het haar spijt, maar dat ze nu snel naar huis moet, omdat er een cake in de oven staat. Maar misschien heeft Loana zin om binnenkort bij haar te komen eten? 'Eh, mamie?' vraagt ze. 'Zullen we morgen samen eten?'

Loana kijkt nadenkend in de lucht. 'Goed, ik geloof niet dat ik iets heb.'

'Tot morgen dan.' En Materena rent naar huis.

Pito en de kinderen zitten nog steeds in de keuken te wachten tot de cake klaar is. Materena kijkt hoever hij is, maar hij moet nog even doorbakken.

Dan, terwijl ze naast de oven staat, deelt ze trots mee dat haar totem de zeeschildpad is.

'De zeeschildpad!' Pito komt niet meer bij van het lachen.

Als je moet wachten tot een zeeschildpad je te hulp komt, ben je volgens hem honderd jaar verder. Materena herinnert hem aan het verhaal van de haas en de schildpad. De schildpad had de wedstrijd gewonnen, of niet soms?

'Dat was een gewone schildpad, geen zeeschildpad. En trouwens, alleen in popa'a-verhaaltjes winnen schildpadden of zeeschildpadden het van een haas.'

Pito vraagt de kinderen welke totem zij het liefst te hulp zouden roepen: de snelle reuzenhond of de langzame zeeschildpad. Ze kijken elkaar aarzelend aan.

'Eh, jullie hebben toch geen keus,' zegt Materena. 'Jullie kunnen alleen de zeeschildpad te hulp roepen.'

'Waarom dan?' vragen de kinderen.

'Omdat de totem alleen via de moeder kan worden doorgegeven en niet via de vader,' zegt Materena.

Pito wil weten waarom dat is en Materena herhaalt wat haar moeder haar verteld heeft.

'Zo is het al honderden jaren,' voegt ze eraan toe. 'Het is een oude regel en je kunt hem niet veranderen. Dus Piihoro is toch niet je totem.'

'Ah.' Pito is daar niet blij mee.

Hij vraagt hoe het staat met de cake.

Maar er wordt niet van onderwerp veranderd. Iedereen wil weten wat Pito's totem dan wel is en hij kijkt geërgerd de andere kant op.

Na een lange stilte komt hij plotseling met het antwoord: 'De gekko.'

De kinderen beginnen te gillen.

'Ah, passen jullie maar op,' snauwt Pito. 'Je zou midden in de nacht niet willen dat er een gekko op je hoofd valt. Een beetje respect alsjeblieft.'

Materena grinnikt terwijl ze de cake uit de oven haalt. Ze weet dat Pito het helemaal niet op gekko's begrepen heeft.

Hij heeft altijd een zaklamp onder zijn bed liggen en als hij het ratelende geluid van een gekko hoort, pakt hij de lamp snel en schijnt ermee naar het plafond om te zien of er een gekko boven zijn hoofd zit.

En als het zo is, probeert hij hem weg te jagen met de bezem, of sleept hij het bed naar de andere kant van de kamer. Meestal maakt hij Materena wakker om hem daarbij te helpen.

Als ze later in bed liggen, zit er een gekko op het plafond en Pito pakt de zaklamp onder het bed vandaan. Hij maakt Materena wakker om hem te helpen het bed naar de andere kant van de kamer te brengen.

Materena, die heerlijk lag te slapen, is woedend. 'Hoe kun je nou bang zijn voor een gekko? Het is je totem, nota bene!'

'Eh, mijn totem heeft niets te maken met die dikke gekko, oké?' Pito beschijnt de gekko met zijn zaklamp.

Hij zegt dat hij er niets aan kan doen dat hij bang is voor gekko's. Het is de schuld van zijn mama.

Mama Roti was zeven maanden zwanger van Pito toen ze op een keer in de huiskamer lag uit te rusten. Plotseling viel er een dikke gekko van het plafond op haar onbedekte buik. Ze deed haar ogen open, zag de gekko en begon te gillen als een mager speenvarken.

Pito is ervan overtuigd dat hij bij zijn geboorte al bang was voor gekko's.

Het bed staat nu aan de andere kant van de kamer. Materena kruipt er weer in en maakt het zich gemakkelijk. Maar Pito staat nog naar het plafond te schijnen.

'Je kunt beter zien dat je vrede sluit met de gekko's,' zegt Materena.

Pito doet de zaklamp uit en stapt in bed.

'Oui, dat is zo. Ik moet van mijn angst zien af te komen,' zegt hij. 'Ik kan moeilijk de rest van mijn leven iedere avond het plafond lopen controleren.'

'Ah oui alors,' zegt Materena instemmend. Het is geen pretje om naar bed te gaan met het idee dat je misschien midden in de nacht wordt wakker gemaakt omdat er een gekko op het plafond zit.

Ze is net weer ingedoezeld als Pito haar wakker maakt om een mededeling te doen. Hij gaat een tatoeage nemen. Hij loopt er al weken over te denken, maar hij wist steeds niet wat het moest worden. Nu weet hij het.

Materena hoopt dat het geen vuurspuwende draak is – dan lijkt het net of je in de gevangenis hebt gezeten. Toen Mori die roodgroene, vuurspuwende draak op zijn borst had laten tatoeëren, was zijn moeder ten einde raad. Zij vond dat haar zoon er met die draak uitzag alsof hij in de gevangenis had gezeten. Dat was ook zo, maar dat hoefde niet iedereen te weten.

Materena laat Pito mooi geen vuurspuwende draak op zijn lichaam tatoeëren.

'Als het maar geen draak wordt,' zegt ze. 'Dat wil ik niet hebben.'

'Eh wat nou!' roept Pito uit. 'Heb ik ooit tegen je gezegd dat ik een draak wou?'

'Ah, wordt het geen draak?' Materena is opgelucht.

' Nee,' zegt Pito. 'Ik ben geen Chinees.'

'Daar hoef je geen Chinees voor te zijn. Kijk maar naar mijn neef Mori.'

'Wat heb ik met jouw neef Mori te maken,' snauwt Pito. 'En, trouwens, ik heb jouw toestemming niet nodig. Toen jij die permanent nam, heb je mij toen toestemming gevraagd? Non. Je ging gewoon naar de kapper en toen ik je terugzag, herkende ik je niet. Ik dacht dat je een schaap was.'

Materena haalt diep adem. 'Een permanent blijft maar een paar maanden zitten. Een tatoeage is voor altijd. Wat voor tatoeage ga je nemen?'

Ze hoopt dat het geen hart met een pijl is. Haar neef James heeft er zo een en het ziet er belachelijk uit.

Pito onthult dat hij een tatoeage neemt van een gekko.

En Materena denkt: nou, misschien verdwijnt Pito's angst voor gekko's voorgoed als hij er een op zijn lichaam laat tatoeëren.

'En waar laat je hem zetten?' vraagt ze.

Pito wil de gekko op zijn bovenbeen. Volgens Materena slaat dat nergens op.

'Wat heeft een tatoeage nou voor zin als je er niets van kunt zien?'

'Mijn tatoeage is niet bedoeld om op te vallen, hij is… hij is…' Pito zoekt de juiste woorden.

Vijf minuten later: 'Hij is een beetje mijn identiteit.'

Materena knikt langzaam. Ze gaat weer slapen, maar ze denkt nog even aan de tatoeage van haar oom Hotu. Hij heeft er een op zijn rechterschouder. Het is de naam van de vrouw van wie hij houdt: Imelda.

Hotu was vijftien toen hij die tatoeage liet zetten en hij liet hem meteen vol trots aan Imelda zien. Ze waren op dat moment niet eens bij elkaar. Imelda werd nijdig. Ze zei: 'Ah, nu je mijn naam op je lichaam hebt laten tatoeëren, moet ik je wel nemen.'

Materena zou het niet erg vinden als Pito haar naam op zijn lichaam zou laten tatoeëren. Onder de gekko. Er is geen enkele reden waarom Pito haar naam niet op zijn lichaam zou kunnen tatoeëren, denkt Materena. Ik ben zijn vrouw.

'Pito, en mijn naam? Kun je die laten tatoeëren? Naast de gekko.' Materena streelt hem over zijn dij.

'Geen naam,' zegt Pito. 'Alleen mijn gekko.'

'Prima.' Materena gaat met haar rug naar hem toe liggen. 'Misschien word je minder bang voor gekko's als je er een op je lichaam laat tatoe-eren. Maar dat weet je maar nooit, eh? Misschien trekt die tatoeage wel gekko's aan. Straks komen ze tegen je op kruipen om hun vriendje gedag te zeggen en op je been te slapen.'

Materena verwacht dat Pito tegen haar zal gaan schreeuwen, maar hij trekt alleen maar de quilt over zich heen.

Vegen

Materena brengt Loana ervan op de hoogte dat Pito's totem toch geen grote hond is, maar een gekko. Zoals ze hadden afgesproken komt Loana vandaag bij haar dochter, schoonzoon en kleinkinderen eten. Terwijl Materena de gebraden kip uit de oven haalt en Pito en de kinderen roept, fluistert ze tegen haar moeder dat ze Pito er maar beter niet mee kan plagen.

'Waarom zou ik hem plagen?' snauwt Loana. 'Een totem is een totem! Denk eens na voor je iets zegt, Materena!'

Oké, Materena merkt dat haar moeder vandaag in een chagrijnige bui is, dus ze zet een lekker glaasje wijn voor haar neer.

Ze zitten nog steeds aan de keukentafel te drinken en de kinderen zijn al naar bed, als Ati verschijnt.

Ati is Pito's beste vriend. Vroeger kwam hij regelmatig bij Pito op bezoek, maar de laatste tijd houdt hij zich bezig met politiek. Hij heeft het zo druk met de Onafhankelijkheidspartij van Oscar Temahu dat hij zelfs geen tijd heeft om een vrouw te zoeken.

Er is iets wat je van Ati moet weten.

Een poosje geleden was Ati stapelverliefd op een vrouw en er werd gezegd dat ze zouden gaan trouwen in de kerk. Maar op een avond ging Ati's woman dansen in de Zizou Bar en daar ontmoette ze iemand van het Franse Vreemdelingenlegioen. Binnen twee maanden na hun eerste ontmoeting en na een heleboel heimelijke afspraakjes trouwde het stel en vertrok naar Frankrijk.

Na dat voorval kon Ati de popa'a's niet meer uitstaan. Voordien had hij nooit veel moeite met ze gehad.

Hij hing vaak samen met een paar vrienden bij de Zizou Bar rond om ruzie te zoeken met de militairen. Pito deed niet mee, omdat hij niet bij die bar gezien wilde worden.

Ati kreeg het een paar keer aan de stok met de politie. Zijn mama werd nijdig op hem en liet hem op het graf van zijn overleden grootmoeder zweren dat hij de militairen verder met rust zou laten.

Sindsdien heeft Ati de politiek ontdekt en heeft hij zich aangesloten bij de Onafhankelijkheidspartij van Oscar Temaru.

Morgenmiddag heeft die partij een onafhankelijkheidsactie georganiseerd. Ze gaan met z'n allen de straat vegen. Het vegen staat symbool voor het wegwerken van die smerige, Franse indringers, de popa'a's.

Dat is de reden waarom Ati vanavond is gekomen. Als hij Pito ziet binnenkomen, die net zijn laatste Akim-strip heeft uitgelezen, vraagt hij hem of hij aan deze zeer belangrijke actie wil meedoen. Pito zegt: 'Man, ik veeg nog niet eens bij me thuis. Denk jij nou echt dat ik een beetje de straat ga vegen?'

Ati vraagt het aan Materena, maar die zegt: 'Ati, ik heb al genoeg te vegen.'

En dus vraagt Ati het aan Loana, want het is zijn taak om voor morgen zoveel mogelijk vegers op de been te krijgen.

Loana kijkt Ati diep in de ogen. 'Ati, leg me eerst maar eens uit waarom ik morgen mijn bezem moet pakken om met jullie de straat te vegen, dan zal ik je zeggen of ik het doe of niet.'

Materena, die tegenover Ati aan de keukentafel zit, beduidt hem dat hij over iets anders moet beginnen. Het is niet verstandig om met Loana over politiek te praten, vooral niet over onafhankelijkheidspolitiek.

Loana is helemaal verrukt van Gaston, de president van de Territoriale Regering. Zestien jaar geleden heeft ze drie keer bij de Territoriale Assemblee in de rij gestaan om hem te spreken te krijgen. De eerste dag dat ze daar kwam, stonden er om halfzes 's morgens al vijfentwintig mensen op hem te wachten. Als je in die tijd Gaston wilde spreken, ging je gewoon bij de Territoriale Assemblee in de rij staan. Je hoefde geen afspraak te maken.

Loana kreeg Gaston die eerste dag niet te spreken. De tweede dag ging ze om halfvier 's morgens, maar ook toen was ze te laat. De derde dag kwam ze om drie uur en kreeg ze om negen uur een gesprek.

Loana legde Gaston haar probleem voor. Het ging over een advocatenrekening die ze niet kon betalen. Gaston belde naar zijn secretaresse, die Loana een speciaal formulier meegaf om aan de advocaat te geven.

Sindsdien heeft Loana Gaston altijd op handen gedragen. Ze heeft zelfs een paar verkiezings-T-shirts met een foto van haar held erop.

Zij zal nooit van haar leven haar bezem pakken om de straat te vegen voor Oscar Temaru, ook al is hij verre familie. Zij heeft zichzelf gezworen Gaston trouw te blijven tot haar dood. Bovendien kan ze Oscar niet uitstaan.

Materena weet dat als je bij Loana over de partij van Oscar begint, het gesprek geheid uitdraait op een verhitte discussie, en dat wil ze niet in haar keuken.

Ze zou het niet zo erg hebben gevonden als het middag was geweest en ze aan de limonade hadden gezeten, maar het is halftien 's avonds. Ze hebben een heleboel goedkope, rode wijn op.

Ati neemt een grote slok van zijn rode wijn en Loana neemt een flinke slok van de hare. Materena probeert nog steeds Ati's aandacht te trekken, maar hij negeert haar.

Pito zegt: 'Doe toch eens rustig, Materena.'

Ati steekt van wal: 'Toen Frankrijk in de Eerste en Tweede Wereldoorlog patriotten nodig had, eh, toen dienden we ons vrijwillig aan. Ja, dat deden we, om *la patrie*, het vaderland te verdedigen. Dat doe je als het vaderland je nodig heeft – ja toch?'

'Ati,' snauwt Loana. 'Praat maar gewoon. Je hoeft me geen vragen te stellen.'

'Oui. Nou, zoals ik zei, la patrie vroeg hulp en wij kwamen met duizenden tegelijk opdagen. Maar toen wij la patrie nodig hadden, deden ze alsof ze ons niet hoorden.'

Ati legt uitvoerig uit dat toen in 1963 officieel bekend werd gemaakt dat het atol Mururoa was uitgekozen als nucleair testgebied, het volk van Polynesië nee zei. Frankrijk zei dat Tahiti een belangrijke rol zou spelen in het project. We zeiden weer nee. De haven van Papeete zou worden gemoderniseerd. Nee.

Het zou van grote waarde zijn voor Tahiti. Non! *Aita!* Nee!

Volgens Ati hebben we de bom nooit gewild. We vormden partijen om ons ongenoegen en onze woede te uiten. Iedere dag sloten meer mensen zich bij het protest aan, en nóg meer en nóg meer... Maar op een dag maakte president De Gaulle (Ati noemt hem titoi De Gaulle) gebruik van een wet van zevenentwintig jaar geleden, waarin 'alle verenigingen en groepen werden verboden die zich tot doel stelden het Nationaal Territorium aan te vallen'.

Ati buigt zijn hoofd en zucht. 'En die schoften lieten hun bom in ons land exploderen.' Hij slaat zijn ogen ten hemel. 'Ons land.'

Hij zucht weer. 'Frankrijk gaf ons geld om onze grote mond te houden. Veel te veel mensen hebben dat geaccepteerd en sindsdien zijn we allemaal *foutue*. We zijn verloren. Foutue.'

Maar.

Ati glimlacht en legt uit dat hij een ideaal heeft (dat Oscar hem aan de hand heeft gedaan) en dat komt erop neer dat we de popa'a's eruit gooien en weer gaan leven zoals vroeger. Ja, we gaan weer ons eigen voedsel verbouwen, vissen, een simpel leven leiden. Gelukkig. Onafhankelijk.

Ati slaat met zijn vuist op tafel en neemt nog een paar grote slokken van zijn wijn.

Er valt een lange stilte en iedereen wacht tot Loana terugvuurt. Materena zet snel de fles wijn op de koelkast.

Loana kijkt Ati aan alsof zij een onderwijzeres is en hij haar leerling. 'Ati, jouw moeder kookt toch nog steeds voor je, oui? En ze ruimt nog steeds je rommel voor je op?'

'Oui, en...' begint Ati verward. 'Maar wat heeft mijn moeder met onafhankelijkheid te maken?'

Loana staat op. Het is al laat en ze gaat naar huis, maar voor ze weggaat moet ze Ati nog één ding vertellen. 'Onafhankelijkheid, allemaal gelul.'

Loana is weg en Materena ruimt de tafel af. Alleen Ati's glas laat ze staan. Pito heeft een biertje. Ati en hij praten nu over boten en vissen, hun gebruikelijke gespreksonderwerp, maar Materena weet dat ze als zij er niet bij is, ze over vrouwen praten. Nou ja, Ati praat en Pito luistert. Het is al laat. Materena wil dat Ati naar huis gaat, dus pakt ze de bezem en begint onder de tafel te vegen. Dat is een beleefde manier om mensen te laten merken dat ze moeten vertrekken. Niemand wordt dan gekwetst. De bezem komt tegen Ati's voeten, met andere woorden: ga je nu? Maar Ati tilt zijn voeten op en glimlacht naar haar.

'Je weet wat je moeder zei over dat ik nog steeds bij mijn mama woon,' zegt hij.

'Oui, Ati.' Materena klinkt niet geïnteresseerd.

'Ik blijf niet mijn hele leven bij mijn mama wonen,' vervolgt hij.

'Goed zo,' antwoordt Materena afwezig. Ze vindt Ati wel aardig, maar soms hangt hij haar de keel uit, met zijn verhalen over vrouwen. Maar in ieder geval komt hij niet meer zo vaak als vroeger.

'Zodra ik een vrouw heb gevonden,' zegt Ati, met zijn blik nog steeds op Materena gevestigd, 'een vrouw om wie ik echt geef, ga ik met haar trouwen.'

'Eh wat?' Materena is geschokt dat Ati het woord trouwen in de mond neemt. 'Jij? Trouwen?'

'Oui. Zodra ik de juiste vrouw heb gevonden,' zegt Ati.

Pito kucht even en neemt een grote slok bier. Materena zet haar bezem weg en gaat tegenover Ati aan tafel zitten.

'Meen je dat, Ati?' vraagt ze.

'Ah oui, Materena. Ik wil kinderen, ik wil mijn eigen huis. Ik wil een vrouw.'

Pito schuift ongemakkelijk met zijn voeten over de grond.

Materena steunt haar hoofd op haar handen en kijkt Ati lange tijd aan. Ze wist niet dat Ati dit in zich had. De Ati die zij kent is iemand die nooit langer dan twee weken bij dezelfde vrouw blijft, die geen kinderen wil en die Pito de ogen komt uitsteken met zijn speedboot. Ze heeft nooit begrepen waarom Ati zo populair is bij de vrouwen, want ze vindt hem helemaal niet zo knap. Maar vanavond, nu haar ogen met de zijne versmelten, begrijpt ze waarom vrouwen zich zo aan hem opdringen. Ze denkt: eh, die Ati is helemaal nog niet zo lelijk. Ze lacht vanbinnen terwijl ze denkt aan Ati's knipoog toen hij voor het eerst met Pito naar de snackbar kwam. Het is al zo lang geleden. Ze was toen zestien.

'Ik moet gewoon wachten tot ik die vrouw tegenkom,' zegt Ati.

'Dat gaat echt gebeuren.' Materena schenkt hem een tedere glimlach. 'En Pito?' vraagt ze. 'Wordt hij je getuige?' Ze zou het helemaal niet erg vinden als Ati getuige werd bij Pito's huwelijk.

'Mens,' snauwt Pito. 'Je kletst net of Ati morgen gaat trouwen.'

'Pito?' vraagt Ati. 'Wil jij getuige zijn bij mijn huwelijk?'

'Wat is dit?' Pito kijkt alsof hij zijn oren niet kan geloven. Hij staat op. 'Ik ga naar bed.'

Ati staat ook op om weg te gaan.

'Ah, kom, Ati,' zegt Materena. 'Blijf nog even. Jij hoeft niet weg te gaan, enkel omdat Pito naar bed gaat.'

'Nee, het is goed, Materena. Ik ga naar een verjaardagsfeest bij mijn neef.' Dan zegt hij tegen Pito: 'Kom je ook mee, of ga je naar bed?'

'Ik kom.' Pito is niet moe meer. 'Ik blijf niet lang weg,' zegt hij tegen Materena.

Glimlachend zwaait ze hem uit.

Het is de strop
om je nek

Het is de volgende ochtend, negen uur. Materena loopt van de Chinese winkel naar huis en komt langs de kerk. Er is een trouwerij aan de gang. Materena loopt naar de kerk toe en gluurt door de jaloezieën.

De bruid is jong en mooi. Haar trouwjurk is vast duur geweest. Er zit wel twintig meter kant aan en ze draagt een sluier. Een sluier betekent tegenwoordig natuurlijk niet meer dat de bruid nog maagd is. Waarschijnlijk heeft haar moeder erop aangedrongen dat ze er een zou nemen.

De jonge vrouw belooft fluisterend in de microfoon dat ze de man naast haar zal liefhebben, koesteren en gehoorzamen. De geestelijke verklaart hen tot man en vrouw. Voor God, voor de wet en voor hem. Man en vrouw geven elkaar een verlegen kus, ze zullen elkaar straks vast hartstochtelijker zoenen. Hand in hand lopen ze langzaam de kerk uit. De meeste vrouwen in de kerk deppen hun ogen. Een vrouw vooraan huilt hardop – dat is zeker de moeder van de bruid.

Buiten wordt het pasgetrouwde stel bestrooid met rozenblaadjes en rijstkorrels.

Materena denkt dat ze nu maar beter naar huis kan gaan. Pito zit ongeduldig te wachten op zijn middel tegen de kater: plakjes rosbief en limonade. Bovendien heeft ze een oude pareu en een te groot T-shirt aan en de mensen beginnen een beetje vreemd naar haar te kijken.

Maar de kerk is een openbare gelegenheid en ze is niemand tot last. Ze wil nog even het getrouwde stel in de trouwauto zien wegrijden.

'Materena! Materena!'

Materena kijkt naar de vrouw achter het stuur van de trouwauto. 'Eh!' roept ze uit, als ze onder de make-up Mama Teta herkent. 'Bent u de chauffeur?'

'Hoe gaat het met de vriendin van je baas?' roept Mama Teta terug. 'Waarom duurt het zo lang? Gaat ze nog steeds trouwen of heeft haar kerel eieren voor zijn geld gekozen?'

Materena staat versteld van de taal die Mama Teta soms uitslaat. 'Ze gaan heel binnenkort trouwen!' roept ze terug.

De bruid en bruidegom lopen naar de bruidsauto en Mama Teta moet weer aan de slag. Ze drukt op haar claxon en de mensen beginnen te juichen.

Materena zwaait het gelukkige paar gedag en denkt: binnenkort zitten Pito en ik in die auto.

Nadat Ati haar gisteren had verteld dat hij wilde trouwen, was ze helemaal opgewonden over de trouwerij. Ze viel in slaap met de gedachte dat Ati beslist niet eerder mocht gaan trouwen dan Pito.

Materena haast zich naar huis. Als ze thuiskomt, zal ze Pito meteen vragen: wanneer wil je naar de kerk gaan om met mij te trouwen? En als ze dan de datum heeft, zal ze iedereen van haar huwelijk op de hoogte brengen, om te beginnen haar moeder.

Pito vindt het maar niks dat ze zo lang is weggebleven. 'Ben je die limonade in Frankrijk gaan halen?'

Materena lacht. 'Ah hia hia, klaag niet zo.'

Pito ligt op de bank met zijn ogen dicht en een natte handdoek op zijn voorhoofd – hij heeft hoofdpijn.

Materena verzorgt hem liefdevol. Ze schenkt limonade voor hem in en geeft hem zijn rosbief.

Ze kijkt toe hoe hij zich met moeite door het vlees heen werkt.

'Pito,' zegt ze met een poeslief stemmetje.

'Ik ga niks voor je doen,' gromt Pito.

Materena stelt voor een omelet voor hem te maken. Ze weet dat hij na een avond drinken altijd erge honger heeft. Ze weet ook dat het geen zin heeft ernstige zaken met hem te bespreken zolang hij nog een kater heeft en honger heeft.

'Ah oui, bedankt,' zegt Pito.

Ze staat in de keuken de eieren voor de omelet te kloppen als ze in de verte de trouwauto weer hoort toeteren. Ze stopt met kloppen, glimlacht en zegt: 'Ik wens jullie tweetjes veel geluk.'

Pito's commentaar is luid en duidelijk: 'Achterlijke idioten! Steek je kop maar in de strop!'

Hij moppert er nog een poosje over door dat het huwelijk niets voor hem is: 'Het is de strop om je nek,' gromt hij.

De strop om je nek! Materena gilt het inwendig uit. Is dat wat het huwelijk voor jou betekent? Een strop om je nek?

Ze is woedend. Ze bakt de omelet en eet hem zelf op. Ze denkt: de dag dat ik die bruiloft wil, is het Pito geraden om met me te trouwen! De dag dat ik die ring om mijn vinger en dat huwelijkscertificaat aan de muur wil, neem ik er geen genoegen mee als hij nee zegt! En de kinderen kunnen voor hun hardwerkende moeder best de receptie betalen. Ik heb recht op een receptie in het hotel bij het strand – met een levende band erbij.

Pito roept Materena. 'Eh, hoe zit het met die omelet? Ben je naar de boerderij gegaan om eieren te halen?'

Materena steekt het laatste stukje omelet in haar mond en staat op.

'Materena!'

Ze wast het bord af.

'Materena, schatje!'

'Ah… bekijk het.' Materena gaat naar buiten om blad te harken.

De vroegere vriendin

Materena staat nog steeds blad te harken (ze doet het zo nijdig dat de kinderen maar bij haar uit de buurt blijven en rustig met hun knikkers spelen) als ze het gevoel heeft dat Rita haar roept: Materena, nicht!

Ga naar de telefooncel! Ik moet je nodig spreken!

Rita's stem klinkt dringend, heel dringend en ook verdrietig. Ze heeft vast geen vrolijk nieuws. Materena legt haar hark weg. Soms moet je je eigen problemen opzij zetten. Ze haast zich naar binnen.

'Waar blijft mijn omelet, *chérie?*' vraagt Pito, die nog steeds met zijn ogen dicht op de bank ligt.

Materena werpt hem een nijdige blik toe, pakt haar portemonnee, trekt een ander T-shirt aan en verdwijnt naar de telefooncel.

Er staat een jongeman te bellen. Materena gaat op de stoeprand zitten wachten. Tien minuten later staat de jongeman nog steeds te bellen en Materena begint er genoeg van te krijgen. Altijd als je dringend iemand moet bellen, denkt ze, staat er iemand in de telefooncel. Ze gaat ernaast staan. Dan weet die jongeman tenminste dat zij ook moet bellen. Hij kijkt naar haar en gaat met zijn rug naar haar toe staan.

Hij gooit er nog wat geld in.

Materena trekt de deur open. 'Duurt het nog lang? Ik moet mijn nicht bellen, het is dringend.'

De jongeman draait zich om. 'Ik sta met mijn vriendin te praten!'

'Hoe lang heb je nog nodig?' Ze vraagt het vriendelijk, zodat de jongeman niet zal denken dat ze hem uit de telefooncel wil jagen.

De jongeman kijkt haar met grote ogen aan. 'Hoezo? Is die telefoon van jou?'

'Zeg alleen even hoe lang het nog ongeveer gaat duren,' antwoordt Materena zo rustig mogelijk.

'Ik blijf zolang praten als ik zin heb!'

Dan zegt hij tegen zijn vriendin: 'Wat heb je toch een rare mensen op de wereld. Geen respect voor mensen die staan te bellen.'

Hij doet de deur voor Materena's neus dicht.

Materena begrijpt dat het geen zin heeft om te wachten tot de telefoon vrij komt, want als een jongeman met zijn vriendin praat, kan een gesprek uren duren. Waarom spreken ze niet gewoon ergens af, denkt ze, terwijl ze wegloopt.

Ze loopt zo snel ze kan naar het vliegveld. Daar zijn meerdere telefooncellen. Ze moet denken aan die film die ze een paar weken geleden op tv heeft gezien.

Het begon met een man die met de loop van een pistool in zijn mond stond. Net toen hij op het punt stond de trekker over te halen, ging de telefoon. De man keek naar de telefoon en wachtte tot het rinkelen zou ophouden, zodat hij zich weer kon concentreren op zijn zelfmoord. Maar de telefoon bleef maar overgaan. De man kon het niet langer uithouden en nam de hoorn op, met de loop van het pistool nog in zijn mond.

Het was een vriendinnetje van vroeger die zijn hulp nodig had. 'Help me alsjeblieft mijn zoon te vinden,' zei ze. 'Hij wordt binnenkort zeventien en hij is weggelopen.'

De man zei: 'Sorry, met wie spreek ik?' De vrouw gaf hem haar naam en de man wist meteen weer wie ze was.

'Hij is ook jouw zoon,' huilde de vrouw. 'Alsjeblieft, help me.'

De man die zelfmoord had willen plegen, haalde de loop van het pistool uit zijn mond en legde het wapen op zijn bureau.

Materena is helemaal buiten adem als ze bij het vliegveld aankomt, maar ze heeft geen tijd om uit te hijgen. Ze loopt meteen een telefooncel binnen en draait Rita's nummer. Er wordt niet opgenomen. De telefoon gaat nog steeds over als Materena zich de code herinnert. Rita heeft haar die drie maanden geleden gegeven. Als ze Rita opbelt, moet ze de telefoon eerst drie keer over laten gaan en dan ophangen. Dit moet ze twee keer achter elkaar doen en dan weet Rita dat zij het is.

Coco heeft ook een code. Er zijn meer mensen die er een hebben, zoals Lily en Georgette, maar Rita's mama en baas niet.

Materena belt Rita met de code en dan neemt Rita op.

''Allo, Materena.' Rita klinkt een beetje verdrietig.

'Rita, is alles goed met je?' Er spoken allerlei gedachten door Materena's hoofd. Misschien heeft Rita wel kanker. Of is ze haar baan kwijt.

'Het is niet goed met me. Vorige week zijn we Coco's ex tegengekomen,' zegt Rita.

'Oké, nicht.' Materena gooit nog wat geld bij. 'Vertel maar.'

Vorige week waren Rita en Coco de stad in gegaan om een verjaardagscadeautje te kopen voor Coco's mama. Ze zouden eerst even snel naar de Chinese winkel gaan om wat inkopen te doen. Ze liepen daar hand in hand toen er een vrouw voorbijkwam die riep: 'Eh, Coco! Ben jij het?' En Coco riep: 'Eh Sylvie! Hoe is het met jou?' En Rita raakte helemaal in de stress, want ze weet alles van Sylvie.

Sylvie strekte haar armen naar Coco uit en gaf hem een paar dikke, natte zoenen op zijn wangen. Tegen Rita zei ze alleen koeltjes: 'Hoe maakt u het,' terwijl ze haar van top tot teen opnam. Rita ergerde zich dood, want ze had alleen maar een oude pareu en een te groot T-shirt aan. Ze wou dat ze haar beste kleren had aangetrokken.

Rita zei koeltjes: 'Hoe maakt u het?' terug en bekeek Sylvie ook van top tot teen. Tot haar ergernis had die wel haar beste kleren aan. Ze was mooi opgemaakt en had een paar leuke schoenen aan. Uitsloofster, dacht ze bij zichzelf. Als ze net als ik een oude pareu had gedragen, was ze natuurlijk gewoon doorgelopen.

Sylvie was een vroeger vriendinnetje van Coco, maar niet zomaar een. Coco en die vrouw hadden willen trouwen. Dat heeft Rita tenminste eens gehoord van Coco's mama.

Sylvie heeft zes maanden met Coco samengewoond en volgens Coco's mama pasten ze goed bij elkaar. Ze hadden nooit ruzie, ze lachten, ze maakten grapjes en Coco's mama was gelukkig, omdat Sylvie haar zoon gelukkig maakte. Bovendien was Sylvie een aardige meid.

Ja, er werd al gesproken over trouwen in de kerk.

Maar op een ochtend pakte Sylvia haar koffers en verdween. Geen afscheid, niets. Toen Coco's mama de deur uitging om naar de Chinese winkel te gaan, zaten Sylvie en Coco nog te praten in de huiskamer en toen ze terugkwam (het was inmiddels een paar uur later, omdat ze onderweg naar huis drie nichten tegen het lijf was gelopen) was Sylvie vertrokken.

Coco's mama dacht dat ze even naar haar moeder was. Toen Coco haar het nieuws vertelde, was dat voor haar een grote teleurstelling.

Ze probeerde van Coco een verklaring los te krijgen, want in haar ogen gaan mensen niet zomaar uit elkaar. Er moest ruzie zijn geweest voor ze wegging, er hadden vast tranen gevloeid. Maar iedere keer als ze er Coco naar vroeg, snauwde hij: 'Als je er nou nog één keer over begint, ga ik ook weg.'

Coco was er kapot van. Hij wilde twee hele weken niets eten. Hij keek tv en als er een grappige film op was, lachte hij niet en als er een trieste film op was, zat hij te huilen.

En daar stond nu die Sylvie in levenden lijve voor hen en praatte honderduit met Coco. Rita stond erbij, roerloos als een kokosboom. Ze wist niet of ze lachen moest of huilen.

Sylvie vertelde Coco in het kort wat er in haar leven was gebeurd sinds ze uit elkaar waren. Ze had als danseres de hele wereld over getrokken, was getrouwd met een rijke Amerikaan, was weer van hem gescheiden, had twee jaar in Frankrijk gewoond en had nu besloten een poosje naar de fenua terug te gaan, voor ze doorreisde naar Honolulu.

Coco knikte en glimlachte en Rita had veel zin hem een klap voor zijn kop te geven voor dat geknik en geglimlach. En voor zijn gestaar naar Sylvies borsten, die bijna uit haar decolleté te voorschijn sprongen.

Toen vond Sylvie het tijd worden om Rita te laten merken hoe goed ze Coco kende.

'En, slaap je nog steeds aan de linkerkant van het bed? En probeer je 's nachts nog steeds de sterren te tellen? Vind je het nog steeds lekker als iemand je haar vlecht?' En iedere keer als Coco een vraag bevestigend beantwoordde, riep ze: 'O, je slaapt dus nog steeds aan de linkerkant van het bed. En je probeert nog steeds de sterren te tellen! En je vindt het nog steeds lekker als iemand je haar vlecht!'

Rita's oren begonnen te suizen en ze klakte met haar tong. En als Rita dat doet, betekent het dat iemand haar op de zenuwen begint te werken. Zo iemand moet dan gauw verdwijnen, anders gaat ze rare dingen doen. Dus Coco zei: 'Zo, nou, Sylvie, we moeten er weer eens vandoor.'

Sylvie gaf Coco weer een paar natte zoenen op zijn wangen en ze drukte hem tegen zich aan alsof hij haar man was, alsof alles weer was als vroeger. Ze deed haar ogen dicht en Rita zag haar weg zwijmelen bij de herinnering aan de tijd dat ze Coco's woman was. Toen liep ze snel door en verdween uit het zicht.

Natuurlijk was Rita daarna niet in de stemming om een verjaardagscadeautje voor Coco's mama uit te zoeken (dat was ze toch al niet, maar na de ontmoeting met Sylvie had ze er helemaal geen zin meer in). Rita wilde alleen nog maar naar huis gaan, haar haar wassen, haar lichaam met olie insmeren, haar mooiste jurk aantrekken een beetje rouge op haar wangen en een heleboel kleur op haar lippen doen.

Ze wist best dat je het verleden niet kunt veranderen en dat sommige dingen uit het verleden geheim mogen blijven, maar ze wilde nu echt weten waarom Sylvie bij Coco was weggegaan. Hij had haar vast niets vervelends aangedaan, want dan was ze hem gewoon met opgeheven hoofd voorbijgelopen, alsof ze hem van haar leven nog nooit had gezien. Maar nee, ze was meteen op hem afgevlogen en ze had naar hem gekeken met… met ogen vol liefde.

Rita wilde Coco vragen waarom Sylvie en hij uit elkaar waren gegaan. Waarom had Sylvie haar koffers gepakt? Waarom was ze bij hem weggegaan?

Ze besloot met haar vragen te wachten tot na het eten, want dan is Coco helemaal ontspannen en geeft hij antwoord op alles wat je vraagt.

Meteen na het eten, terwijl Coco nog van zijn vanille-ijs zat te genieten, stelde ze haar vraag.

Coco zei: 'We zijn gewoon uit elkaar gegaan.'

Rita vroeg zich af of hij dat diep in zijn hart misschien jammer vond. Ze wilde hem vragen: 'En vind je het jammer?' Maar dat soort vragen kun je beter niet stellen. Ze beet op haar tong en concentreerde zich op het ijs op haar bordje.

Dat is het hele verhaal en nu wil Rita weten wat Materena ervan vindt. Materena denkt na.

Ze denkt erover na dat Rita altijd vreselijk kwaad wordt als Coco naar een andere vrouw kijkt. Zelfs als het een vrouw is in een film, wordt ze kwaad. Ze zet dan de tv uit en zegt tegen hem dat hij een volgende keer als hij zin heeft om te vrijen maar naar Hollywood moet gaan. Misschien dat die vrouw zin heeft om hem in de zevende hemel te brengen, maar Rita is in ieder geval niet beschikbaar. Ook mag Coco niet naar andere vrouwen in tijdschriften kijken.

Dus als Coco naar een vroeger vriendinnetje kijkt…

Materena denkt ook aan haar nichten Lily en Loma. Toen Lily het had uitgemaakt met haar vriendje bij de brandweer, omdat ze genoeg had van zijn lichaam en zijn jaloerse buien, besloot hij uit te gaan met Loma. Iedere keer als Loma daarna Lily tegenkwam, keek ze haar vuil aan, of deed ze of ze haar niet zag. Maar toen maakte de brandweerman het uit met Loma, omdat zij alleen maar wilde zoenen. Na alles wat Lily met hem had gedaan, was hij zo in vuur en vlam dat zoenen voor hem niet meer genoeg was.

Loma kijkt nog steeds kwaad als ze Lily ziet.

'Rita.' Materena weegt haar woorden voorzichtig af. 'Wees nu maar blij dat Sylvie geen familie is en dat je haar niet telkens tegenkomt als je naar de winkel of naar de kerk gaat.'

Er valt een stilte.

'Ah, dat is waar,' geeft Rita ten slotte toe. 'Coco is nu samen met mij en daar gaat het maar om, eh, nicht?'

'Zo is het,' bevestigt Materena.

'Merci, nicht,' zegt Rita. Ze klinkt alsof ze bijna moet huilen. 'Je bent toch zo'n goede vriendin. Ik voel me zoveel beter nu ik met je gepraat heb.'

'Dat zit wel goed, Rita,' zegt Materena. 'Als ik verdrietig ben, vrolijk jij me ook altijd op.'

Na nog een paar vriendschappelijke woorden, zeggen de nichten elkaar gedag. Tot gauw, ik hou van je, enzovoort.

En Materena voelt zich ook een stuk beter terwijl ze naar huis loopt. Ach, het is een prachtige ochtend. Een mooie dag om met de kinderen naar dat strand te gaan dat vroeger van het Mahi-volk was. Ze heeft zin om naar mosselen te graven. Ze is dol op mosselen. En dat hele gedoe met dat trouwen moet ze maar vergeten. Dat is verleden tijd.

Mosselen

Het is tien voor halftwee in de nacht en Materena zit aan de keukentafel.

Ze kan niet slapen.

Als het zes uur is, gaat ze brood halen bij de bakker en koffiezetten. Ze
gaapt. Ze is moe, maar ze kan niet slapen en het heeft geen zin om in bed
wakker te blijven liggen.

Ze zou even een uurtje de badkamer kunnen gaan schoonmaken. Maar
ze is te moe om schoon te maken en niet moe genoeg om lekker diep in
slaap te vallen en nergens meer aan te denken. Ze slaakt een diepe, zware zucht.

Ze maakt zich zorgen. Vandaag om elf uur moet ze naar de rechtbank
en je weet maar nooit wat er dan met je gebeurt. Eh, misschien moet je
wel naar de gevangenis. Heel wat neven en nichten van haar hebben voor
de rechter gestaan en konden meteen in het politiebusje worden afge-
voerd. Richting de Nuutania-gevangenis. Haar neef Mori bijvoorbeeld.
Die had een kano geleend. De eigenaar van de kano spande een rechtszaak tegen hem aan en Mori moest twee dagen de gevangenis in.

Materena moet naar de rechtbank omdat de gendarme haar heeft be-
trapt op het betreden van privé-grond.

Het zit zo.

Achter het vliegveld ligt een stuk grond dat grenst aan zee. Die grond
was vroeger van het Mahi-volk, maar een voorouder heeft hem geruild
voor een paar liter rode wijn. De ruil was onderhands geregeld, dus niemand kent de naam van de popa'a die het land voor zo weinig geld in
handen heeft gekregen. Het is niet zeker dat het een popa'a is, maar in
die tijd (de tijd dat het Mahi-volk de grond achter het vliegveld kwijt-

raakte) dreef het popa'a-volk veel ruilhandel met de Polynesiërs – allemaal onderhands.

Materena is dol op het stuk grond achter het vliegveld. Ze is er al zes keer geweest. Er staan *aito*-bomen voor de schaduw, er is wit zand en de zee is er rustig, zodat kinderen er veilig in kunnen zwemmen. Bovendien zijn er veel mosselen en Materena is dol op mosselen. Gebakken mosselen met knoflook en ui, of rauwe mosselen met een beetje citroensap.

Altijd als ze zin heeft om mosselen te eten, pakt Materena brood, limoenen, limonade, een paar blikken cornedbeef, een emmertje, een blikopener en een mes bij elkaar en gaat samen met haar kinderen naar dat speciale plekje. Het is ongeveer twintig minuten lopen van hun huis. Als ze bij de landingsbaan aankomen, kijkt ze goed of het verkeerslicht op groen staat en er geen vliegtuigen in de lucht zijn en dan geeft ze de kinderen een teken dat ze mogen gaan. Ze rennen altijd over de landingsbaan. Materena komt erachteraan en roept dat ze moeten opschieten.

Zodra ze op hun plekje zijn, gaan de kinderen zwemmen (ze mogen niet voorbij de rots, waar het warme, ondiepe gedeelte overgaat in donkerblauw water) en Materena gaat naar mosselen graven. Ze gaat in het kniehoge water zitten en graaft met haar vingers in het zand. Ze vindt altijd mosselen, maar ze neemt altijd maar een emmer vol mee.

Soms voelt ze de aanwezigheid van de mensen die daar vroeger naar mosselen groeven, de mensen die daar voor haar tijd hebben geleefd – haar voorouders en hun vrienden. Ze zitten in een cirkel te praten en te lachen en al die tijd graven ze mosselen.

Toen ze het plekje eenmaal had ontdekt, hoopte Materena dat ze er nog jaren naartoe zou kunnen gaan om naar mosselen te graven.

Maar toen kwam er een gendarme aanrijden in zijn politieauto.

Moana zag de auto het eerst. Hij verstopte zich achter zijn zus en gilde: 'Mamie, de gendarme!' En Leilani bedekte haar platte borstjes met haar handen, omdat ze geen T-shirt aan had.

Materena stopte met graven en haastte zich naar het strand, waar de gendarme op haar stond te wachten.

'Ia'ora'na.' Materena glimlachte naar de gendarme.

Die keek haar alleen maar aan.

'Bonjour, Monsieur.' Materena dacht dat hij de andere begroeting misschien niet op prijs stelde.

Weer keek de gendarme haar alleen maar aan en Materena keek terug.

Ze wist al wat er aan de hand was: hij was in een slechte bui. Zijn ogen stonden kwaad – misschien had hij ruzie gehad met zijn woman.

'Wat doet u hier?' vroeg hij nors.

'Mijn kinderen zijn aan het zwemmen.' Materena wees naar haar kinderen. 'En ik ben wat mosselen aan het zoeken.'

De gendarme was meer geïnteresseerd in de inhoud van het emmertje dat Materena bij zich had dan in de zwemmende kinderen. 'Weet u dat dit privé-grond is?'

'Privé-grond?' vroeg Materena, alsof ze niet wist waar hij het over had.

De gendarme haalde een zwart boekje uit zijn zak.

'Naam?' Hij drukte zijn zwarte pen in.

'Materena Loana Imelda Mahi.'

'Adres?'

'Faa'a, PK 5,5, achter de benzinepomp.'

De gendarme schreef alles als een razende op. 'Beroep?'

'Ik ben professioneel schoonmaakster.' Materena ging wat harder praten.

De gendarme keek haar aan en schreef schoonmaakster op. 'Huwelijkse staat?'

Materena trok een grimas. Dit was gênant.

'Huwelijkse staat?' Hij klonk ongeduldig.

'Monsieur,' antwoordde Materena. 'Ik ben nog niet getrouwd, omdat…'

De gendarme viel haar in de rede. 'U bent getrouwd of u bent niet getrouwd. Huwelijkse staat?'

'Ik ben niet getrouwd.'

'Bent u een alleenstaande moeder?' Hij keek even naar de kinderen, die nog steeds in het water waren.

'Non!' Materena wist niet waarom ze moest schreeuwen. 'Non,' herhaalde ze wat zachter. 'Ik woon samen met de vader van mijn kinderen.'

'Dus u heeft een de facto-relatie,' zei de gendarme.

'Ja, Monsieur.'

'Kon u dat niet eerder zeggen?' De gendarme keek zwaar geërgerd. 'Ik heb geen tijd voor dit soort raadspelletjes.'

Hij krabbelde 'de facto' in zijn boekje en beval Materena het terrein onmiddellijk te verlaten.

'Dit is dus privé-grond,' zei hij, terwijl hij wegliep. 'Weet u wel wat dat betekent?'

'Dat je er niet op mag,' zei Materena aarzelend.

'Het is verboden privé-grond te betreden,' zei hij. 'Onthoud dat goed. En verlaat nu onmiddellijk het terrein.'

Hij tikte even tegen zijn pet en vertrok.

Zodra de blauwe politieauto uit het zicht verdwenen was, kwamen de kinderen naar hun moeder rennen. Materena legde hun de verdrietige situatie uit en begon direct de spullen in te pakken.

'Die gendarme!' schreeuwde Tamatoa. 'Wie denkt hij wel dat hij is! Als papi hier was…'

'De gendarmes vertellen ons wat we moeten doen,' zei Materena. 'Niet andersom. Als wij hun vertellen wat ze moeten doen, slepen ze ons voor de rechter.' Heel ernstig voegde ze eraan toe: 'De gendarmes zijn de wet.'

'Maar we deden niets wat niet mag,' zei Leilani. 'De zee is niet van één persoon. Die is van iedereen.'

'De zee is van God.' Moana zwaaide naar de zee.

'We zijn over privé-grond gelopen om bij de zee te komen,' legde Materena uit.

'Maar,' zei Leilani koppig. 'Toen de gendarme kwam, waren we niet op privé-grond.'

Materena snauwde geprikkeld: 'Leilani, doe niet zo eigenwijs, wil je? We gaan naar huis.'

Die avond vertelde ze aan Pito wat er was gebeurd.

'Waarom heb je die gendarme je naam gegeven?' Pito was nijdig. 'Dat moet je nooit doen. Je moet gewoon een naam bedenken. En waarom heb je hem je adres gegeven?'

Volgens Pito, en die sprak uit ervaring, kan de gendarme niets beginnen als je je naam niet geeft. Hij kan proberen je te vinden, maar niemand zal hem iets vertellen, want op Tahiti praat niemand tegen de gendarme. Alleen tegen de *mutoi*, hun eigen politiemensen.

'En waarom moest je trouwens die landingsbaan oversteken?'

'We steken alleen over als het licht op groen staat,' zei Materena.

'Eh, soms doen de lichten het niet goed.'

Materena vertelde ook aan Loana wat er was gebeurd.

'Zit je daar nou naar mosselen te zoeken?' Loana was ook kwaad. 'Ik heb je verteld dat ze vergiftigd zijn. Er rust een vloek op, je kunt ze niet eten.'

Loana had een keer mosselen van achter het vliegveld gegeten en moest meteen met spoed worden geopereerd.

'Die gendarme had 's morgens vast ruzie gehad met zijn vrouw,' vervolgde Loana. 'En toen heeft hij zijn slechte bui op jou botgevierd. Eh, misschien heeft zijn woman hem in de steek gelaten voor een jongere man – een Tahitiaan.'

Drie dagen na de ontmoeting met de humeurige gendarme kreeg Materena een oproep om voor de rechter te verschijnen.

Ze liet hem aan Pito zien.

'Ah, dat stelt niks voor,' zei hij.

Maar Materena was er helemaal van uit haar doen. 'Kan ik hiervoor in de gevangenis komen?'

'Niemand komt in de gevangenis voor een emmer mosselen.' Pito lachte en verdiepte zich weer in zijn Akim-strip.

Materena liet de oproep aan Loana zien.

'Zit er maar niet over in, kind,' zei ze.

'Kan ik hiervoor in de gevangenis komen?'

'Dat moeten ze eens proberen. Dan kennen ze mij nog niet. Wij gaan naar Maeva, die zal dit zaakje wel even regelen.'

Maeva was precies degene die ze moesten hebben – zij kende de wet. Maeva is een verre nicht van Loana – van moederskant. Maeva is directiesecretaresse bij een groot bedrijf, maar ze zou eigenlijk advocate moeten zijn. Zij heeft een paar maanden geleden de regering voor de rechter gesleept over kroongrond in Rangiroa en ze heeft de zaak gewonnen. Het heeft in de krant gestaan. Maeva stond op een foto op de voorpagina, op haar blote voeten en met haar rieten tas in haar hand. Naast haar stonden de dertig getuigen die ze bij het tribunaal van Rangiroa had laten spreken. Een voor een hadden die de rechter – die voor de zaak uit Tahiti was overgevlogen – een verhaal verteld over hun grond.

Loana en Materena bezochten Maeva in haar kantoor. Ze zat een brief te typen en hoorde intussen hun verhaal aan. Ze had het die dag erg druk. 'Luister,' zei ze, terwijl ze even ophield met typen. 'Ik zie het zo. Er was daar een bord met privé-grond en dat heeft Materena genegeerd.'

Loana wilde gaan uitleggen dat Materena dat bord had genegeerd omdat de grond vroeger van de familie Mahi was geweest, maar dat een voorouder het voor een paar liter rode wijn had verkocht. Maeva stak echter haar hand op, ten teken dat ze nog niet klaar was.

'Ik weet dat van die wijn,' zei ze. 'We zijn allemaal grond kwijtgeraakt voor een paar liter wijn, maar daar gaat het nu niet om. Waar het om

gaat is dat er een bord stond met privé-grond en dat heeft Materena genegeerd. Is dat bord goed zichtbaar?'

'Nou ja, het zit tegen een boom gespijkerd,' antwoordde Materena.

'Hoe hoog?'

Materena begreep niet goed wat Maeva bedoelde.

'Zit dat bord op ooghoogte?'

'Non, het zit hoger.'

'Moet je omhoog kijken om het te zien?'

'Ah oui.'

'Kijk je altijd omhoog als je een boom ziet?'

'Oui, om te kijken of er rijpe vruchten in hangen.'

'We hebben het hier toch over een aito-boom, een eik, oui?'

'Oui.'

'En er hangt geen rijp fruit in een aito-boom.'

'Nee, de aito is geen fruitboom.'

Materena raakte steeds meer in verwarring.

'Goed. Als er in een boom geen fruit hangt, kijk je niet omhoog – cor-
rect?'

'Ja.'

Loana onderbrak het gesprek. 'Waarom praten we over bomen?'

'Omdat het bord waarover het hier gaat aan een boom zit gespijkerd.'
Maeva keek Materena aan. 'Beschrijf me dat bord eens.'

'Nou… het is een zwart bord met witte letters.'

'Hoe groot is het?'

Materena wees het met haar handen aan.

'Oké,' zei Maeva. 'Het is geen groot bord. En de letters – zijn het
hoofdletters?'

'Non – gewoon.'

'Staat de tekst er alleen in het Frans op?'

'Oui.'

Maeva knikte. 'Heb je dat bord de eerste keer dat je daar was meteen
gezien?'

'Non.'

'Hoe komt dat?'

'Je ziet het niet als je er niet naar zoekt.'

'Hoe komt dat?'

'Het zit achter de takken.'

'Heeft de gendarme je dat bord ooit aangewezen?'

'Non.'

Maeva stopte met typen en draaide haar bureaustoel naar Materena en Loana toe.

'Oké. Jullie gaan een foto maken van dat bord. Zorg dat je op de foto niet het hele bord kunt zien. Ga geen takken weghalen om het beter zichtbaar te maken.'

'Is dat alles?' vroeg Loana.

'Oui.'

Loana had verwacht dat haar niet zou zeggen dat ze zich moesten beroepen op een wetsartikel. Dat de wet bepaalde dat als grond voor een paar liter rode wijn is verkocht, de oorspronkelijke eigenaars nog steeds op een bepaalde manier recht hebben op die grond. 'Dus meer hoeven we echt niet te doen?' vroeg ze weer.

'Kan ik hiervoor in de gevangenis komen?' vroeg Materena.

Maeva keek haar veelbetekenend aan. 'Meisje, als jij de gevangenis in gaat, komt je verhaal op tv. Niemand kan worden beschuldigd van het betreden van privé-grond als het bord waar dat op staat niet zichtbaar is.'

Materena en Loana gingen dus een foto maken van het niet zichtbare bord.

Ook zijn ze drie dagen geleden naar de rechtszaal gegaan om vertrouwd te raken met de omgeving – Loana's idee. Ze gingen achter in de zaal zitten en keken en luisterden naar wat er gebeurde. Er was een jongeman die een tv had gestolen – hij werd veroordeeld. Er was een jongeman die een auto had gestolen – die werd ook veroordeeld. Er was nog een jongeman die een hifi-installatie had gestolen – ook veroordeeld. De rechter sprak hun streng toe en liet merken dat hij het fiu was om met dieven te maken te hebben. Overal zaten mama's en grootmama's te huilen. Eén man (degene die de auto had gestolen) schreeuwde: 'Ik ben onschuldig!'

En de rechter zei: 'Zoek een baan – en heb liever eens medelijden met je moeder.'

'Je kunt jezelf niet met hen vergelijken,' stelde Loana Materena gerust toen ze weer buiten stonden. 'Dat zijn schoffies en jij bent een hardwerkende moeder. Kleed je maar netjes aan – je moet er fatsoenlijk uitzien. Die schoffies hadden niet eens hun haar gekamd.'

Loana raadde Materena aan om de kinderen mee te nemen, omdat de rechter dan altijd medelijden krijgt, maar Materena wilde dat niet. De kinderen moesten naar school.

Ze weten niet dat hun moeder voor de rechter moet komen.

Haar baas weet het ook niet.

En Pito kan geen vrij nemen. Hij is al zo vaak weggebleven (als hij weer eens een kater had) dat hij misschien zijn baan kwijtraakt.

Materena en Loana zitten nu in de vrachtwagen naar Papeete. Het is halftien, ze hebben tijd genoeg, maar Materena wil ruim voor elven in de rechtszaal zijn. Dat is beter. Dan hoeft de rechter niet op je te wachten.

Ze heeft een jurk aan en twee vlechten in haar haar. Ze heeft geen rouge op haar wangen en geen bloem achter haar oor. Ze heeft alleen een jurk en haar gebleekte, witte, platte schoenen aan. En ze heeft haar rieten tas bij zich.

Ze heeft last van de rock-'n-rollmuziek in de vrachtwagen. De radio staat te hard. Maar je kunt de chauffeur moeilijk gaan vertellen wat voor muziek hij mag draaien in zijn eigen vrachtwagen.

'Heb je de foto's?' vraagt Loana in Materena's oor.

'Oui.'

'Weet je het zeker?'

'Ja, mamie.'

Loana wil ze echter met haar eigen ogen zien, dus haalt Materena het foto-etui uit haar tas. Er zitten zesendertig foto's in van de boom en van het bord met 'Privé-grond. Verboden voor onbevoegden' dat je niet goed kunt zien. Ze hebben een heel fotorolletje gebruikt. Loana kijkt de foto's door. Ze is tevreden en stopt ze terug in het etui. Materena stopt het etui terug in haar tas.

'Niet zenuwachtig zijn.' Loana legt haar hand geruststellend op Materena's schouder. 'Rustig blijven.'

'Ja.'

'Want als je zenuwachtig wordt, sla je onzin uit.'

Materena kijkt uit het raam en knikt.

'Bijvoorbeeld dat je er zes keer bent geweest,' vervolgt Loana. 'Ik had nog zó tegen je gezegd dat je daar niet naartoe moest gaan. Ah hia, hia, kinderen… Als ze volwassen zijn, denk je dat je je geen zorgen meer om ze hoeft te maken, maar de zorgen houden nooit op.'

Materena blijft uit het raam kijken.

'Rustig blijven,' zegt Loana.

'Ik ben rustig.'

'Niet bang zijn voor de rechter. Hij is ook maar een mens. Hij moet ook naar de wc, net als wij. Hij ís iemand, maar hij is niet God. Ah, als ik geld had gehad, had ik een advocaat ingehuurd om je te verdedigen. Dat is beter dan dat je jezelf moet verdedigen. Zo'n advocaat kent de trucjes en de regels. Jij hebt alleen maar foto's.'

'Ik kan mezelf verdedigen.' Materena zegt het zo overtuigend mogelijk.

'Niet huilen in de rechtszaal,' zegt Loana.

'Ik ga niet huilen.'

'Als we gaan huilen, is het net of we schuldig zijn. De rechter vindt het niet prettig als we gaan zitten huilen. Hij heeft liever dat we rustig blijven.'

'Ja.' Materena wou maar dat haar moeder haar mond hield. Ze probeert zich te concentreren.

'Vergeet niet dat je de rechter aanspreekt met Eerwaarde.'

'Ja, dat weet ik.' Wat zal de baas wel zeggen als ze hoort dat ze is veroordeeld?

'En spreek de Eerwaarde niet aan zoals je normaal persoon aanspreekt. We zeggen niet "eh" tegen een Eerwaarde.'

'Ja.' Pito kan niet eens rijst koken.

'Kijk de rechter recht in de ogen.'

'Ja,' mompelt Materena triest. En mijn arme kinderen, eh. Ik ga hoe dan ook niet naar de gevangenis.

'Denkt u dat u een piloot bent?' vraagt de rechter.

Materena staat voor hem. Ze houdt haar hoofd opgeheven, maar niet zo hoog dat de rechter haar respect aanziet voor arrogantie. De vraag verbaast haar. Ze had gedacht dat de eerste vraag van de Eerwaarde zou zijn: 'Heeft u het bord gezien?' Dan zou ze hebben gezegd: 'Nee, Eerwaarde, want het bord is niet goed te zien. Daar heb ik bewijs van, ik heb foto's.'

Of ze denkt dat ze een piloot is? Nee, natuurlijk niet! Waarom zou ze dat denken? Probeert de Eerwaarde haar in de val te lokken?

'Non, Eerwaarde,' zegt Materena aarzelend. 'Ik denk niet dat ik een piloot ben.'

'Uhm, het is Edelachtbare,' zegt de rechter. Dan vervolgt hij: 'Stelt u zich eens voor dat u met uw kinderen op de landingsbaan bent en dat er een vliegtuig moet landen.' Hij kijkt Materena in de ogen. 'Kunt u zich dat voorstellen?'

Materena wil de Eerwaarde (Edelachtbare) zeggen dat ze de landingsbaan alleen oversteken als het licht op groen staat en dat het licht nog steeds op groen staat als ze aan de overkant zijn. Ook kijkt ze altijd eerst in de lucht of er vliegtuigen aankomen. Ze weet dat vliegtuigen soms een noodlanding moeten maken en dat de piloot dan niet altijd tijd heeft om contact op te nemen met de verkeersleiding. Ze weet dat er gevaar aan zit om de landingsbaan over te steken, maar de weg oversteken is gevaarlijker.

Ze kan zich niet voorstellen dat zij en haar kinderen op de landingsbaan staan terwijl er een vliegtuig moet landen. Maar ze gaat niet met de Eerwaarde in discussie.

'Ja,' zegt ze. 'Dat kan ik me voorstellen.'

Er valt een kleine stilte.

'Er kan van alles gebeuren,' vervolgt de Eerwaarde. 'De piloot zal misschien proberen het toestel bij te sturen, maar als dat verkeerd gaat, komen er honderden mensen om... of misschien rijdt hij gewoon over u en uw kinderen heen. Kunt u zich dat voorstellen?'

Ah, ja, Materena kan zich dat nu wel voorstellen en ze voelt zich helemaal niet lekker.

'En dan heb ik het nog niet eens over het feit,' zegt de Eerwaarde, 'dat u uzelf en uw kinderen in gevaar brengt door bij het vliegveld te gaan zwemmen. Bij de elektrische kabels die daar onder water liggen, bijvoorbeeld.'

Materena kijkt de Eerwaarde geschokt aan. 'Liggen daar elektrische kabels onder water? Daar staat niets over op dat bord.'

'O, dus u wist wél dat dat bord daar hing.' De rechter kijkt nu een beetje boos.

Materena is ook boos. Ze denkt niet aan haar verdediging. Ze denkt er alleen maar aan dat zij en haar kinderen wel geëlektrocuteerd hadden kunnen worden.

'Monsieur,' zegt ze. 'Ik weet alles af van elektrische kabels. Mijn broer is vroeger elektricien geweest. Ik weet dat je niet mag knoeien met elektrische kabels en dat doe ik ook nooit. Dat kan je je leven kosten. En Monsieur, op dat bord staat niets over elektrische kabels.'

Materena vergeet de rechter Eerwaarde of Edelachtbare te noemen.

'Stelt ú het zich eens voor, eh? Mijn kinderen zijn daar aan het zwemmen en ze worden geëlektrocuteerd, omdat niemand me heeft gewaarschuwd voor die elektrische kabels. Stelt u zich eens voor hoe ik me zou voelen. Dan voel ik me alsof ik ze vermoord heb. Ik ga daar nooit meer naartoe. En Monsieur, dat bord moeten ze maar gauw in orde maken… ik ben blij dat de gendarme me voor de rechter heeft gedaagd.'

Ah ja, ze is die man nu eeuwig dankbaar. Ze neemt alle lelijke dingen die Loana en zij over hem hebben gezegd, terug. Dat zijn vrouw hem in de steek heeft gelaten voor een jongere man, omdat hij zo'n ouwe, cha-grijnige hufter is enzovoort. En dan begint Materena te huilen. Ze pro-beert het in te houden, maar wat ze nu te horen heeft gekregen over die elektrische kabels – de schok is te groot voor haar.

'Ik ben blij dat we niet zijn geëlektrocuteerd.' Materena veegt haar tra-nen weg met haar hand. 'Al geven ze me honderdduizend, nee, een mil-joen franc, dan nog ga ik nooit meer naar dat plekje achter het vliegveld.'

Zaak gesloten.

Leraar

Wat een schok, dat van die elektrische kabels... haar kinderen hadden wel dood kunnen zijn... Materena loopt nog steeds te huilen als ze op de markt langs de kledingstalletjes loopt. Ze veegt haar tranen weg met haar hand.

'Mamie,' zegt ze. 'Ik ga een verrassing kopen voor de kinderen.' Met een verrassing bedoelt Materena een gezinspak chocoladekoekjes – iets lekkers, wat haar kinderen niet vaak krijgen. Misschien koopt ze er zelfs nog een grote, sappige watermeloen bij. 'Ik kan het gewoon niet geloven...' Materena kijkt naar haar moeder en stopt met praten. Loana staat als aan de grond genageld, met een gepijnigde uitdrukking op haar gezicht.

'Mamie?'

Loana verstopt zich snel achter een rek met afgeprijsde kleren. Materena volgt haar.

'Kijk, die man,' fluistert Loana. 'Die zo langzaam loopt, met een rieten tas aan zijn arm.'

Materena kijkt van de oude man naar haar moeder. Moet zij weten wie dat is?

De man gaat op een bankje zitten om een sigaret te rollen. Hij ziet niet dat de twee vrouwen van achter het rek met afgeprijsde kleren naar hem staan te kijken. Hij haalt een boek uit zijn tas en begint al rokend te lezen.

Materena wacht tot haar moeder haar vertelt wie het is. Loana kent veel mensen en als ze in de stad is, komt ze wel vaker bekenden tegen. Materena is gewend dat haar moeder lange gesprekken voert met mensen die ze nog van vroeger kent, of die verre familie van haar zijn.

'Die man heeft mij vroeger lesgegeven.' Loana fluistert nog steeds. 'Hij is nu oud, maar toen hij me al die grammaticaregels en wiskundige formules leerde, was hij nog jong.'

'Op Rangiroa?' fluistert Materena terug.

'Ja, natuurlijk op Rangiroa,' antwoordt Loana nu met haar normale stem. 'Ik ben niet naar school geweest op Tahiti. Ik ben alleen op Rangiroa naar school geweest.'

'Ah... nou, ga even Ia'ora'na zeggen.'

'Oui, dat ga ik doen. Hij zal me vast herkennen, ik was zijn beste leerling.'

Maar Loana gaat niet naar hem toe. Ze verstopt zich nog steeds achter het kledingrek.

'Ga dan.' Materena weet niet wat ze ervan moet denken. Als haar moeder een praatje met iemand wil maken, loopt ze er meestal gewoon op af en roept: 'Ia'ora'na!'

'Hij zal waarschijnlijk denken dat ik nu iemand bén, snap je,' zegt Loana.

'Mamie, je hebt je kinderen grootgebracht. Je bént ook iemand.'

'Non, hij kan maar beter niet weten dat ik huizen schoonmaak,' mompelt Loana verdrietig. 'Hij kan beter denken dat Loana Mahi, de dochter van Kika, iemand ís – een secretaresse, of een onderwijzeres.'

De man heeft zijn sigaret opgerookt. Hij komt langzaam overeind en loopt weg – hij verdwijnt uit het zicht.

Er wellen tranen op in Loana's ogen. 'Mijn meester, eh.'

In de vrachtwagen, op weg naar huis, praat Loana verder over haar leraar en de tijd dat ze op school zat.

'In mijn tijd... was het verboden op het schoolterrein de inheemse taal te spreken. Op Rangiroa spreken we *miri-roa*. Dat is net Tahitiaans, alleen wat zangeriger en met een paar andere woorden.

Oui, we moesten Frans spreken, maar het is best moeilijk om in een vreemde taal te spelen. In de lunchpauze betrapte de meester dus altijd wel een leerling die zich niet aan zijn regels hield en zo'n leerling kreeg dan de porseleinen schelp. Als je de porseleinen schelp had, moest je iemand anders zoeken die ook miri-roa sprak en daar moest je de schelp dan aan doorgeven.

Met de porseleinen schelp was het net of je een besmettelijke huidziekte had. Iedereen rende snel bij je vandaan en noemde je een *tiho ti-*

ho, een spion. Alleen de echte rauwdouwers praatten en speelden gewoon door in de inheemse taal. Zij zeiden: als je me die schelp geeft, zul je er na school van lusten.

Als de eerste die de porseleinen schelp kreeg een rauwdouwer was, was hij dat ding zó kwijt. Hij liep gewoon naar iemand toe en zei: "Pak aan, anders zul je er na school van lusten."

Zo kreeg ik de porseleinen schelp altijd, kind.

Op een dag zei ik tegen de meester: "Het is veel gemakkelijker om te spelen in miri-roa. Frans is voor in de klas."

"Loana," zei hij. "Ik ben de meester en ik zeg je: zodra je het schoolterrein op komt, moet je Frans spreken. Denk je dat ik nu leraar zou zijn als ik me niet iedere dag zou dwingen meer Frans te spreken dan mijn eigen taal?"

Op sommige dagen, als de porseleinen schelp naar zijn zin niet vaak genoeg werd doorgegeven, gaf hij ons allemaal een speciale straf: onkruid wieden en de grapefruitbladeren vegen.

En honderd keer opschrijven: ik moet op school Frans spreken.'

Materena knikt. Ze weet precies waar haar moeder het over heeft. Toen zij nog op school zat, was het ook verboden op het schoolterrein Tahitiaans te praten. Ze herinnert zich nog hoe de nonnen over het schoolplein heen en weer liepen en opletten of ze geen vreemde woorden hoorden. Tegenwoordig is het anders: nu wordt de Tahitiaanse taal geleerd op school.

'Die man was echt een toegewijde leraar,' zegt Loana. 'Hij maakte er altijd een punt van als ouders hun kinderen van school lieten verzuimen – de meisjes om te helpen met schoonmaken, de jongens om te vissen en mee te werken op de kopraplantage.

"Papier is de toekomst!" zei hij vaak. En een van de ouders zei dan altijd terug: "Kokosnoten – volop aan de bomen. Vis – overal in de oceaan. Een meisje moet koken leren."

De meester had een droombeeld. Hij wilde dat er meer Polynesische leraren zouden komen. Zoveel, dat er geen mensen meer uit Frankrijk hoefden te komen om ons les te geven. Hij droomde er zelfs van dat er ooit een Polynesische gouverneur zou komen, wie weet wel iemand van Rangiroa!

De mensen lachten hem uit om zijn ideeën. Sommigen zeiden: "De oude meester was beter. Die bemoeide zich niet met ons leven. Die probeerde ons niet te veranderen." En: "Die meester is een dromer. Hij kan beter teruggaan naar Tahiti."

Hij vond het verschrikkelijk belangrijk dat zijn leerlingen hun diploma haalden, maar ieder jaar zakten ze weer. Een paar jaar voor ik bij hem in de klas kwam heeft hij er serieus over gedacht om uit het onderwijs te stappen, maar toen dreigde zijn vrouw bij hem weg te gaan. Ze zei tegen hem dat hij niet al die jaren had gestudeerd om postbode te worden.

De school had maar twee klassen. Eén voor de kleintjes en één voor de grotere kinderen. Meester heeft me drie jaar lesgegeven en in die tijd ontdekte hij dat ik… ik wil niet opscheppen, hoor… maar dat ik een geweldig goed geheugen had.'

Materena slaat haar armen om Loana heen. 'Mamie, dat heb je nog steeds. Je weet altijd hoe mensen heten en je weet nog precies wat ze je verteld hebben, ook al is het tien jaar geleden.'

Loana giechelt, maar ze doet het zachtjes. Ze wil niet dat de andere mensen in de vrachtwagen denken dat ze hen uitlacht. Er zijn Duitse toeristen bij met roodverbrande neuzen, slippers aan hun voeten en camera's om hun nek. Ze zitten uit het raam te kijken.

'Kind,' zegt Loana. 'Ik heb zo'n goed geheugen, omdat je grootmoeder het niet prettig vond om dingen twee keer te zeggen. Ze vertelde me één keer wat er moest gebeuren en dat had ik dan maar te onthouden… De meester hoefde mij maar één keer een grammaticaregel of een wiskundige formule te vertellen en dan wist ik het. Bij de andere leerlingen moest hij het telkens herhalen. Soms liet hij zich op zijn stoel vallen en ging hij een poosje met zijn hoofd op tafel liggen. Andere keren sloeg hij met zijn stok tegen het bord en ging hij de klas uit om buiten een sigaret te roken… Ik zie hem nóg voor me, mijn meester. Zijn handen wit van het krijt. Zijn gezicht rood van frustratie. Dan stond hij buiten een sigaret te roken en de klas was muisstil.'

Loana glimlacht. 'Ja, kind… De meester heeft mij persoonlijk uitgekozen om de gouverneur van Tahiti welkom te heten, toen hij naar Tiputa kwam om de nieuwe kade te openen.'

'Ah oui?' Materena is oprecht onder de indruk.

'Ah oui, kind. Hij koos mij uit vanwege mijn goede geheugen. Het hele dorp was het ermee eens, op een paar moeders na die vonden dat hun kind het moest doen. Ze gingen naar de meester toe om erover te praten.

Hij gaf ze een paar seconden de tijd om iets te zeggen en werkte ze toen de deur uit.'

Materena lacht. Ze stelt zich voor hoe die vrouwen in het kantoortje van de meester hebben geklaagd en gemopperd dat hun kind beter was dan Loana. Dat denken moeders natuurlijk. Materena begrijpt dat wel.

'De meester zei tegen me: "Loana, het hele dorp zal kijken hoe je het doet. Zorg dat ik geen spijt krijg van mijn beslissing."

De welkomstspeech was heel kort. "Welkom in Tiputa, Monsieur le gouverneur! We zijn vereerd…" En zo nog het een en ander, ook dingen waar ik niets van begreep.

Dagenlang leefde ik naar die toespraak toe. Ik repeteerde hem keer op keer, 's morgens, 's middags en 's avonds. Ik hoefde van mama verder niets te doen, ze wilde alleen maar dat ik die toespraak goed uit mijn hoofd leerde. Zij kon me er niet bij helpen, want ze sprak geen Frans. Alleen een paar zinnetjes, zoals: "Zie ik daar een uil in het bos?"

Kind, ik bibberde van de zenuwen toen ik het podium op ging. Toen zag ik niemand meer – mama niet, de meester niet, zelfs de gouverneur van Tahiti niet.

"Welkom in Tiputa!" begon ik en voor ik het wist, zat iedereen voor me te klappen.

Ik was de ster van de openingsplechtigheid. Eh, ik heb zelfs gedanst met de gouverneur! En ik heb naast hem gezeten aan de eretafel! En weet je wat de meester tegen me zei?'

'Dat het goed was?' vraagt Materena.

'Hij zei: "Loana, als ik met pensioen ga, kom jij voor mij in de plaats."' Loana kijkt uit het raam. 'Maar hier zit ik nu. Ik ben al over de vijftig en ik heb nog steeds geen schooldiploma.'

Materena weet dat Loana geen diploma heeft. Ze is drie maanden voor het eindexamen van school gegaan om met haar moeder naar Tahiti te vertrekken. De man van haar moeder lag ernstig ziek in het Mamao Ziekenhuis. Maar uiteindelijk stierf Loana's moeder aan een hartaanval. Haar man vertrok naar zijn eiland en liet Loana op Tahiti achter.

Sindsdien heeft Loana altijd huizen schoongemaakt.

Materena houdt teder haar moeders hand vast. Ze weet nog dat toen zij eindexamen moest doen, Loana helemaal in de studie opging. Ze hing overal in huis briefjes op. Overal waar Materena kwam, zelfs op de wc, werd ze geconfronteerd met grammaticaregels en wiskundige formules.

Ze werd er gek van en vluchtte de tuin in, maar toen besloot Loana de briefjes aan de bomen, de potplanten en het tuinhek op te hangen.

Loana bepaalde ook dat Materena voor haar mondeling examen geen gedicht moest voordragen, maar een lied moest zingen. Het moest natuurlijk een kerklied zijn, want volgens Loana zou Materena daarmee de hoogste score halen die maar mogelijk was.

De dag dat de examenresultaten bekend werden gemaakt, was Loana op van de zenuwen. Materena mocht haar niet zomaar vertellen of ze geslaagd was of gezakt. Ze moest haar een teken geven – als ze op díe manier met haar pareu zwaaide was ze geslaagd en als ze het op díe manier deed was ze gezakt. Het was allemaal erg ingewikkeld.

Nou, Materena slaagde voor haar examen en Loana ging de hele buurt af om met het ingelijste diploma van haar dochter te pronken. Het hangt nog steeds op een ereplekje bij Loana aan de muur.

Materena denkt eraan dat haar moeder eigenlijk haar eigen diploma aan de muur zou moeten hebben.

'Mamie,' zegt ze.

'Ja, kind.'

'Je kunt dat diploma nu nog halen. Ik kan je inschrijven. Op het Pomare College worden cursussen gegeven voor het schooldiploma. Je haalt dat zo. Je bent erg intelligent.'

Loana lacht een beetje en haalt haar schouders op.

'Eh mamie,' gaat Materena verder. 'Er staat nergens dat iemand op zijn tweeënvijftigste geen diploma meer mag halen. Kijk maar naar Mama Teta. Die heeft op haar zesenvijftigste nog haar rijbewijs gehaald.'

'Achtendertig jaar geleden had ik dat diploma nodig,' zegt Loana. 'Nu niet meer.'

Geloof

Arme mamie eh, denkt Materena, terwijl ze het familiepak chocolade-koekjes in de koelkast legt, eh-eh Mamie… Ze gaat aan de keukentafel zitten. Ze moet een beetje bijkomen van de dag – de rechtszaak, de leraar van haar moeder. Soms gebeurt er te veel op één dag. Maar wacht eens even, denkt ze, heeft ze haar moeder eigenlijk wel bedankt dat ze met haar naar de rechtszaal is gegaan? Non! Ze springt overeind en rent naar het huis van haar moeder.

Loana zit in de huiskamer patronen op een quilt te spelden. 'Eh?' zegt ze lachend. 'Ben je daar alweer?'

Materena slaat haar armen om haar moeder heen (ze vraagt nu maar eens niet naar haar gezondheid) en bedankt haar uitvoerig voor haar steun in de rechtszaal, voor al het eten dat ze van haar heeft gekregen, voor alles.

'Chérie,' zegt Loana. 'Het is wel goed.'

Materena houdt haar nog even vast, tot Loana zich zachtjes losmaakt. Ze heeft een quilt af te maken.

'Voor wie is hij?' vraagt Materena.

'Voor Pater Louis. Hij krijgt het als afscheidscadeau van Tante Celia. Hij gaat na zijn pensioen terug naar Quebec.'

'Ah oui?' zegt Materna. Ze vindt het jammer. Ze vindt pater Louis aardig. Hij is grappig. 'En wie komt er voor hem in de plaats?'

'Dat weet ik niet, maar ik hoop dat hij niet al te jong en knap is.'

Materena knikt, terwijl ze haar moeder helpt met het opspelden van de patronen. De ondergrond is wit, met daarop patronen van groene broodvruchtbladeren, rode hibiscusbloemen, gele jasmijn en lichtblauwe duiven. Als alle patronen zijn vastgespeld, gaat Loana ze er met de hand op naaien. Als ze daarmee begint, moet het helemaal stil zijn om haar heen – Loana kan niet praten als ze een quilt naait. Dan moet ze zich volledig concentreren. Maar nu is het nog niet zover.

'Wij, de Polynesiërs, zijn altijd gelovig geweest, kind, zegt Loana. 'In vroeger tijden, en dan heb ik het over heel lang geleden, baden we voor alles wat we deden. We baden voor het eten, voor het werk op het land, voor het beplanten van de tuin, voor het bouwen van onze huizen, voor het uitgooien van de visnetten en we baden voor we op reis gingen en als een reis was afgelopen. We baden altijd, kind.

We hadden een god, of eigenlijk meerdere goden,' vervolgt ze. 'Maar de belangrijkste God was Ta'aroa. Ken je de legende van Ta'aroa?'

Materena schudt haar hoofd. Die kent ze niet. Ze kent alleen het verhaal van God. God die vergeeft, de grote God, Jehova.

'Ik zal je de legende vertellen, kind. Dan kun jij hem weer doorvertellen aan jouw kinderen.'

Loana legt netjes het patroon van een duif op de stof en strijkt het een paar keer glad met de palm van haar hand.

'Lang geleden,' begint ze, 'was er Ta'aroa. Hij was zijn eigen schepper en woonde helemaal alleen in een schelp. De schelp zag eruit als een ei. Dat ei was in de ruimte en er was geen lucht, geen aarde, geen maan, geen zon en geen sterren. Er was niets, kind.

Ta'aroa verveelde zich een beetje in zijn schelp, dus op een dag brak hij hem open om te zien wat er buiten was. Buiten was het donker, er was niets. Op dat moment drong het tot hem door dat hij alleen was, helemaal alleen.

Hij sloeg zijn schelp aan stukken en schiep de rotsen en het zand. Met zijn ruggenwervel schiep hij de bergen. De oceanen, de meren en de rivieren ontstonden uit zijn tranen. Van zijn nagels maakte hij de schubben van de vissen en de schilden van de zeeschildpadden. Met zijn veren schiep hij de bomen en de struiken. En van zijn eigen bloed maakte hij de regenboog.

Toen besloot hij de mens te scheppen...'

Loana's stem wordt zachter.

'Zo is het in ieder geval volgens de legende,' zegt ze, terwijl ze kijkt naar het beeld van de Heilige Maagd Maria, dat in haar kamer staat. 'Maar dat wil niet zeggen dat het verhaal over Adam en Eva niet waar is.

Wij maakten *to'o*-beelden van onze goden. We gebruikten hout en steen en er werden rode en gele veren aan het beeld bevestigd. Die veren waren het symbool van goddelijkheid.'

Materena luistert vol aandacht. Ze vindt het fijn als haar moeder over vroeger praat. Loana weet daar veel van, want als Imelda en zij een praatje maken, vertelt Imelda altijd over vroeger en Loana luistert daar graag naar. Imelda weet zoveel over vroeger, omdat ze in de loop der jaren met zoveel oude mensen bevriend is geraakt. Ze zegt altijd: 'Wil je weten over vroeger? Dan moet je met oude mensen praten.'

'Het beeld werd bewaard in het huis van God,' zegt Loana. 'En als we met God moesten praten, vroegen we hem bij ons te komen – door in de gedaante te kruipen van de to'o, Zijn beeld.

We moesten lange ceremoniën houden, dagenlang waren we bezig om God te vragen naar ons toe te komen. Terwijl nu… als je nu wilt dat God naar je luistert, hoef je alleen maar te zeggen: "God, ik moet echt met u praten."' Loana zucht. 'Het is goed om te geloven.'

Materena knikt langzaam. Ze denkt: ja, dat is zo, het is goed om te geloven – in iets.

Ze gaan verder met patronen spelden, terwijl ze intussen kerkliederen neuriën.

Dan vraagt Loana: 'Weet je hoe we christenen zijn geworden? De Mahi-familie, bedoel ik. Ik weet niet hoe dat met mijn familie van moederskant is gegaan. Ken je het verhaal van de mangoboom?'

Nee, dat kent Materena niet.

'Weet je zeker dat ik je dat nooit heb verteld?' Loana kijkt Materena twijfelachtig aan.

'Dat weet ik zeker, mamie. Honderd procent zeker.'

'Het verhaal van de mango móét je kennen – en doorvertellen aan je kinderen. Goed, hier komt het verhaal van hoe we christenen zijn geworden.'

'Je overgrootmoeder lag op een dag op een mat bij de mangoboom toen er een priester bij haar op bezoek kwam. Ze gaf hem een koele begroeting, omdat ze niets met hem te maken wilde hebben. Bovendien vond ze het niet prettig om gestoord te worden in haar slaap – ze leek wel een beetje op mij.

De priester deed net of hij haar koele houding niet opmerkte en begon over het mooie weer. Je overgrootmoeder zei dat de zon wel gauw weg zou gaan: kijk maar naar de lucht, naar de grijze wolken. Je kunt voelen dat er regen aankomt. De priester hield vol dat het de rest van de week mooi weer zou blijven. 'Wie heeft dat tegen je gezegd?' vroeg ze. 'Die God van je?' Hij zei ja. 'Wat kom je hier eigenlijk doen?' vroeg ze aan hem.

Hij kwam om de goedheid van God te verspreiden. 'Die God van jou interesseert me niet, dus ga weg,' zei je overgrootmoeder.

Ze stond op en keek de man in zijn zwarte kleren recht aan. 'Jullie komen hier onze gebedshuizen verbranden, jullie vernietigen onze *marae*, onze religieuze plekken, jullie komen ons vertellen dat onze God niet bestaat. Je mag je God houden, ik hoef hem niet.'

Ze keek omhoog, naar een mango in de boom en op dat moment viel de vrucht naar beneden, op het hoofd van de priester. Hij wankelde en het leek even alsof hij zou flauwvallen. 'Ga van mijn grond af,' zei ze tegen hem. 'Ik heb gesproken.'

De priester keek omhoog naar de boom en zei: "Vanaf vandaag zul je geen fruit meer voortbrengen."

De volgende dag lag de mangoboom in de as en de dag daarop werd je overgrootmoeder een christen, een katholiek. En tot de dag van haar dood heeft ze de dag gezegend dat God, de echte God, in haar leven was verschenen.'

Materena kijkt naar haar moeder. Ze vermoedt dat de priester toen het donker was stiekem met een doosje lucifers en wat brandhout naar de mangoboom is teruggegaan.

Maar ze zegt: 'Is het waar?'

'Oh, oui, kind, ik zit het niet te verzinnen.'

Neuriënd gaan ze verder en al gauw zijn alle patronen op de stof gespeld. Loana moet ze nu gaan vastnaaien. Materena komt overeind. Ze gaat naar huis.

Moeder en dochter slaan hun armen om elkaar heen en geven elkaar een kus op het voorhoofd.

Onderweg naar huis denkt Materena na over God. God en Loana.

Loana is tussen de kerkmuren grootgebracht. Haar moeder en zij gingen iedere avond naar de mis en zongen mee in het koor. Het hele dorp deed dat, vooral als de mis werd geleid door de priester zelf en niet door een van zijn diakenen.

Het hele dorp was op zijn best als de priester er was. Maar zodra hij wegging om zich aan de behoeften van andere atols te wijden, braken er her en der in het dorp ruzies en gevechten uit, meestal over vrouwen en kokosnoten. De tienjarige Loana hielp haar moeder altijd met het wassen van het priestergewaad – een grote eer.

Toen Loana een jaar of twintig, dertig was, vergat ze God. Ze was op zoek naar de Liefde en ging van de ene man naar de andere. Maar haar nicht Imelda bracht haar langzaam terug bij God. En sindsdien is Loana's leven veel gemakkelijker geweest.

Ze zegt vaak: 'Ik ben mijn geloof dankbaar.'

Tegenwoordig gaat Loana in het weekend soms op retraite bij de nonnen. Soms, als haar zus dat vraagt, leest ze ook voor tijdens de mis. Materena helpt haar daar meestal bij. Ze luistert terwijl Loana de tekst keer op keer oefent en maakt er zelfs een opname van, zodat Loana zelf kan horen dat het helemaal goed is – dat ze de juiste toon te pakken heeft en niet te snel of te langzaam praat. En dan gaat ze mee naar de mis, om haar te steunen. Ze luistert terwijl haar moeder de gemeente een stuk voorleest uit de bijbel. Vroeger, toen Loana het nog niet zo vaak had gedaan, was ze op van de zenuwen en verstopte ze zich achter de kerk. Dan viel Materena voor haar in en werd Celia kwaad op Loana. Ze schreeuwde dan: 'Dat is de laatste keer dat je van mij de kans krijgt om bij de mis voor te lezen!'

Maar later vergat Celia haar boosheid weer, omdat haar jongere zus iets voor haar moest doen.

Die quilt maken, bijvoorbeeld.

Materena denkt nog steeds aan God terwijl ze naar huis loopt.

Er toetert iemand. Ze zwaait verstrooid – zeker een familielid.

Vroeger testte Materena altijd of God bestond. Als die vrouw zo naar me kijkt, bestaat hij. Als die baby daar gaat huilen, bestaat hij.

Op een dag vroeg ze aan haar moeder of God echt bestond. Loana zei geen ja en geen nee.

Ze zei alleen maar: 'Op een dag, kind, zul je dankbaar zijn dat je een God hebt om in te geloven.'

En het is zo, Materena is inderdaad dankbaar dat ze een God heeft om in te geloven. Maar ze bidt vaker tot de Heilige Maagd Maria dan tot God.

Eigenlijk bidt ze alleen maar tot Maria. De laatste tijd bidt ze dat ze niet langer zal leven dan haar kinderen, want kinderen zijn onvervangbaar. Dat kun je van mannen niet zeggen.

Kinderen laten merken dat ze van je houden en dat doen mannen niet.

Het verhaal van
de kokosnoot

Met een nijdige blik op Pito, die nog steeds roerloos als een kokosboom op de bank ligt, loopt Materena naar de deur om haar moeder te begroeten. Ze heeft een kokosnoot in haar hand, voor de kokosmelk.

'Ia'ora'na mamie!' zingt ze en kust haar moeder op de wangen.

'Ia'oran'na kind,' zegt Loana, met een blik naar de bank. 'Eh, ia'ora-na, Pito.'

'Ia'ora'na.'

Loana kijkt haar dochter aan en slaat haar ogen ten hemel, alsof ze wil zeggen: dóét hij ooit wel eens wat? Materena haalt haar schouders op, alsof ze wil zeggen: non, je kent je schoonzoon, hij houdt ervan om plat op zijn rug te liggen.

Allez, laten we maar naar de keuken gaan. Maar eerst wil Loana haar kleinkinderen gedag kussen, vooral de jongste, Moana, die nog geen brutale dingen zegt. De lieve achtjarige loopt achter zijn moeder en grootmoeder aan naar de keuken.

Hij kijkt naar de kokosnoot, die Materena met een kapmes wil gaan openbreken. Loana, die is uitgenodigd voor de lunch, pakt de kokosnoot uit Materena's hand en houdt hem naar voren.

'Kijk eens naar die kokosnoot, Moana.'

Hij kijkt.

'Wat zie je?' vraagt Loana.

'Ik zie stippen.'

'Hoeveel stippen zie je?'

'Drie.' Moana wijst ze een voor een aan: 'Eén hier, één hier en één hier.'

Loana glimlacht. 'En weet je waar die stippen voor staan?'

Moana schudt zijn hoofd.

'Deze twee stippen hier – naast elkaar – zijn de ogen van de aal,' zegt Loana.

Moana bekijkt de stippen nog eens goed en kijkt dan zijn grootmoeder aan. 'Ogen van de aal?'

'Ah oui, Moana. En deze losse stip hier is de mond van de aal. Ken je de legende van de kokosnoot?'

Nee, die kent Moana niet.

Daar gaat Loana dan verandering in brengen. Zij vindt dat iedereen de legende van de kokosnoot moet weten. Het is een prachtig verhaal.

'Lang geleden,' begint Loana, 'lang voor de vliegtuigen en de tv's waren uitgevonden, was er een prinses. Ze heette Hina.

Toen Hina zestien jaar werd, zei haar vader dat ze moest gaan trouwen met de prins van het Vahiriameer. Hina keek ernaar uit om de prins te ontmoeten, maar toen ze eindelijk aan elkaar werden voorgesteld, zag ze dat de prins van het Vahiriameer een lelijke aal was. Ze rilde van afschuw en bezwoer zichzelf dat ze nooit met die afschuwelijke aal zou gaan trouwen.

De aal had echter binnen enkele seconden zijn hart aan de mooie prinses verloren. Hij wilde per se met haar trouwen. Dus besloot prinses Hina om hem te laten doden. Ze vroeg God Maui haar te helpen. God Maui ving de aal, sneed hem in drie stukken en wikkelde zijn kop in *tapa*-doek. Hij gaf het pakje aan prinses Hina, met de uitdrukkelijke opdracht het onmiddellijk te begraven op de marae, de heilige plek van de familie.

Prinses Hina vergat echter wat Maui had gezegd en besloot onderweg naar huis te gaan zwemmen in de rivier. Niet lang daarna begon de aarde te beven en kwam er een vreemd uitziende boom uit de grond tevoorschijn – een boom die leek op een aal. Terwijl ze naar huis liep, hoorde ze een stem roepen: "Op een dag, prinses Hina, zul je me in de ogen kijken en mijn mond kussen. Ooit zul je van me houden."

Prinses Hina lachte alleen maar.

Jaren gingen voorbij en de eilanden van Tahiti werden getroffen door een verschrikkelijke droogte. Overal stierven mensen van de dorst. Hina ging terug naar die vreemd uitziende boom. Een van haar bedienden pakte een van de ronde vruchten van de grond en pelde hem af. Prinses Hina zag de drie stippen en herinnerde zich de woorden van de aal. De bediende boorde een gat in een van de stippen en prinses Hina drukte haar lippen tegen de mond van de aal en dronk het zoete water. Op dat moment besefte ze hoeveel de aal van haar had gehouden en nog steeds van haar hield.'

Moana wil de kokosnoot vasthouden en Loana legt hem in zijn hand. 'Dat was de legende van de kokosnoot,' zegt ze. 'Vertel hem maar door aan je kinderen.'

Moana heeft medelijden met de aal. Hij streelt over de kokosnoot. 'Alleen omdat de aal lelijk was. Arme aal, eh.'

Loana legt uit dat schoonheid, echte, eeuwigdurende schoonheid, van binnenuit komt. De aal was misschien lelijk, maar zijn hart was schoon en zuiver. Zijn liefde voor prinses Hina was oprecht.

'Arme aal.' Moana geeft een kus op de kokosnoot. 'Arme prins.'

Pito, die nog steeds roerloos als een kokosboom op de bank ligt, roept: 'Hina wilde die aal niet omdat het een aal was – basta!' Hij vindt dat de prins van het Vahiriameer er beter aan had gedaan iemand van zijn eigen soort te zoeken. Er waren vast genoeg leuke, knappe vrouwenaaltjes in de rivier die hem graag hadden willen hebben. Maar die stomme aal wilde per se een vrouw als bruid.

Moana heeft geen medelijden meer met de aal. Hij geeft de kokosnoot terug aan zijn grootmoeder. 'Stomme aal.'

Nu gaat Moana buiten spelen en Loana gaat terug naar huis. Ze heeft geen trek meer. Ze komt overeind en pakt haar tas.

'Ah, kom nou, mamie,' zegt Materena. 'Luister maar niet naar Pito.'

Terwijl ze haar moeder smekend aankijkt, vervolgt ze: 'Ik ben vanmorgen om vijf uur naar de markt gegaan om verse *ature* voor je te kopen.'

Loana gaat weer zitten.

'Zal ik een glas wijn voor je pakken, mamie?' vraagt Materena.

'Nee, het is nog te vroeg. Straks.'

Materena is echt nijdig op Pito. Het probleem met hem is dat hij niets van legendes begrijpt en daarom moet hij ze altijd verpesten.

Vorige keer dat Loana op visite was, vertelde ze Leilani de legende van de broodvrucht. Die gaat over een man die zichzelf midden in de nacht in een broodvruchtboom verandert, zodat zijn vrouw en kinderen te eten hebben. Die legende ging ook over de liefde en Loana houdt van liefdesverhalen. Ze houdt ook van romantische films en liefdesliedjes. Net als Materena.

Ook daar had Pito toen wat over te zeggen. 'Wat is dat nou voor raar gedoe? Wie verandert zichzelf nou in een boom?' riep hij vanaf de bank. 'Wat kun je nou voor je vrouw en kinderen doen als je een boom bent? Een man kan beter een paar wilde zwijnen of vissen vangen, dan heeft zijn gezin tenminste iets te eten!'

Loana werd natuurlijk nijdig en ging naar huis. Maar vandaag moet ze blijven, want het feest, de *ma'a Tahiti*, wordt gehouden ter ere van haar.

Materena pakt de kokosnoot. Ze wil hem openmaken, maar eerst moet ze nog even met Moana praten. Om hem de legende nog wat beter uit te leggen.

'Moana, lieverd!' roept ze.

Moana antwoordt meteen: 'Oui, ik kom eraan, mamie.'

Materena geeft hem de kokosnoot en zet hem in een stoel. 'Goed,' begint ze. 'Je weet van je vriend Albino.'

'Ja,' zegt Moana. 'Maar hij heet Vetea.' Vetea is Moana's beste vriend van school. Moana heeft het vaak over hem. Hij wordt veel geplaagd omdat hij een albino is en Moana heeft een keer een bloedneus opgelopen omdat hij het voor hem opnam.

'Wat is er met Vetea?' vraagt Moana.

'Stel je eens voor,' zegt Materena. 'Je vriend Albino, Vetea bedoel ik, wordt verliefd op een meisje, maar ze wil hem niet, omdat hij een albino is. Hoe zou je dat vinden?'

'Eh, dan word ik kwaad op dat meisje!' roept Moana uit.

'En zou je tegen Vetea zeggen dat hij beter een meisje kan zoeken dat albino is, enkel omdat hij dat ook is?'

'Nee,' antwoordt Moana zacht.

'En waarom niet?'

Moana aarzelt. 'Omdat we voor God allemaal gelijk zijn?'

Loana zit nu ernstig te knikken. Ze is erg tevreden met het antwoord van haar kleinzoon.

Materena stopt dus met haar uitleg. 'Goed.' Ze geeft Moana een zoen op zijn voorhoofd. 'Ga nu maar buiten spelen. En geef mij die kokosnoot.'

Moana geeft een zoen op de kokosnoot en geeft hem dan terug aan zijn moeder.

En Materena breekt hem handig open met het kapmes.

De lunch is voorbij en al het eten dat op tafel stond is op: de rauwe vis, de gebakken broodvrucht, de taro, de zoete aardappelen. Nu heeft iedereen zin om even lekker te gaan liggen, maar Loana wil vóór ze weggaat Materena nog even helpen de tafel opruimen.

'Dat hoeft niet, mamie,' zegt Materena. 'Ga maar naar huis om uit te rusten.'

'Dank je wel voor de lunch, kind.' Loana kust haar dochter op haar voorhoofd.

'Eh, wat is nou één lunch vergeleken bij alles wat je mij de afgelopen jaren te eten hebt gegeven?' antwoordt Materena.

Ze geven elkaar nog een paar zoenen en dan gaat Loana naar huis. Leilani besluit haar grootmoeder gezelschap te houden. De jongens gaan buiten knikkeren en Materena trekt zich terug in haar slaapkamer. Ze heeft een beetje de smoor in en de troep in de keuken kan haar gestolen worden.

Ze ligt in bed. Ze trekt de quilt over haar hoofd, alsof ze wil vluchten. De lunch was lekker en iedereen zat vrolijk te kletsen, maar Materena heeft geen woord meer tegen Pito gezegd. Ze heeft hem niet eens aangekeken. Ze heeft net gedaan of hij niet bestond.

Daar komt Pito de slaapkamer binnen.

'Ga maar op je bank liggen.' Dat zijn de eerste woorden die ze in twee uur tegen Pito zegt.

Pito laat zich op het bed vallen en probeert onder de quilt te kruipen.

'Dat had je gedroomd,' zegt Materena hard.

'Ah, kom nou, schatje,' zegt Pito.

'Waarom moet je altijd mamies legendes verpesten?' Materena klinkt uitgesproken onvriendelijk.

'Wat!' roept Pito uit. 'Ben je dáárom boos op me?' Hij probeert de quilt weg te trekken, maar Materena houdt hem stevig vast.

'Weet je wat het probleem met jou is?' zegt Materena. 'Jij begrijpt niets van dingen die met liefde te maken hebben. Jij begrijpt alleen maar dingen die helemaal nergens over gaan!'

Pito fluit. Materena springt uit bed en loopt stampend naar de keuken. Je kunt het gerammel met de potten en pannen mijlen in de omtrek horen.

Tupapa'u

Als Pito later de keuken in komt om zijn Akim-strip te zoeken, staat Materena met een heel ernstig gezicht de afwas te doen.

'Ben je nog steeds boos op me?' grinnikt Pito.

Geen antwoord.

's Avonds laat, als Materena bezig is de koelkast te ontdooien, praat ze nog steeds niet tegen hem. Maar nu begint hij te fluiten en Materena weet heel goed dat je beter alleen overdag kunt fluiten.

Als je 's nachts fluit, roep je daar de *tupapa'u* – de dolende geest – mee op. Ze kent een verhaal van een vrouw die altijd floot bij het bereiden van het avondeten. Op een avond kwam een tupapa'u met koeienpoten haar een bezoek brengen. De vrouw schrok zich een ongeluk, sprong overeind en belandde in de pan op het vuur. Na die ervaring verloor ze haar verstand. Ze floot nooit meer, zelfs niet overdag.

Materena fluit nooit 's avonds. Haar kinderen ook niet. Maar Pito wel.

Hij fluit nu nog harder en Materena kan het niet langer verdragen. Ze is echt niet bang voor tupapa'u's, maar ze heeft geen zin in een vreemde verschijning.

'Pito, hou op met fluiten.' Zo. Ze heeft de stilte verbroken.

Pito gaat door met fluiten. Hij is er echt voor in de stemming en hij laat zich er door niemand van afbrengen. Hij fluit zolang hij wil.

Volgens Materena zijn er goede en slechte tupapa'u's. Als er warme lucht om je heen cirkelt, is het een goede. Als de lucht om je heen koud is en er een vieze stank hangt, is het een slechte. Wees dan op je hoede.

Slechte tupapa'u's zijn meestal overleden mensen die niet dood willen zijn en kwaad zijn op iedereen die nog leeft.

Goede tupapa'u's dwalen gewoon rond tot ze klaar zijn om naar hun uiteindelijke bestemming te gaan. Ze komen naar je huis en halen gein-tjes met je uit. Ze leggen bijvoorbeeld je waspoeder op een andere plaats neer en luisteren mee terwijl jij loopt te zoeken en zegt: 'Ik dacht toch dat ik het waspoeder op de keukentafel had gelegd. Waar is het nou?' En dan lachen ze. Voor hen is het een goeie grap.

De slechte tupapa'u's halen vervelender dingen met je uit. Zij dringen je hoofd binnen. Ze maken je bang. Ze willen dat je rare dingen doet.

'Pito, hou op met fluiten!' beveelt Materena.

'Materena, let jij nou maar op je koelkast.' Pito slaat een bladzijde van zijn stripboek om.

Dolende geesten komen zelfs bij je als je niet fluit, maar als je het wel doet, wordt de kans dat ze bij je op bezoek komen veel groter. Ze kun-nen ook tegen je praten.

Materena herinnert zich dat ze een jaar of acht was. Ze zat haar moe-der te helpen met het maken van een *tifaifai*-quilt, toen er opeens een vie-ze stank de kamer binnendrong.

Loana stopte met naaien en keek om zich heen. 'Ga weg,' zei ze. 'Ik heb je hier niet uitgenodigd.'

De tupapa'u ging niet weg, omdat Loana overeind kwam en met haar gezicht naar de muur stond.

'Wat?' Loana balde haar handen tot vuisten. 'Wát zeg je daar? Is dit mijn grond niet? Praat eens wat harder, ik kan je niet verstaan!'

Materena greep angstig de quilt vast. Haar moeder zag eruit alsof ze bezeten was.

'Ik ben Mahi-bloed! Deze grond is van mij! Mijn vader is Apoto Ma-hi!' Loana stond te schreeuwen.

Materena wilde de crucifix gaan pakken. Ze wist dat tupapa'u's het beeld van Jezus aan het kruis niet kunnen verdragen, maar ze durfde niet te bewegen.

Loana zette de deur open, wees naar buiten en zei heel rustig: 'Ga weg, of anders vervloek ik je en moet je eeuwig blijven ronddolen. Dan zul je nooit het gezicht van God zien.'

Er streek een koud windvlaag langs Materena's nek en toen viel de deur met een klap dicht. Loana ging weer verder met haar quilt.

'Kind,' zei ze, 'maak je maar geen zorgen. Hij is weg.'

Materena huivert. Pito zit nu nog harder te fluiten.

'Pito, hou alsjeblieft op met fluiten,' smeekt Materena.

Ze vertelt hem het verhaal van haar moeder en de tupapa'u. Pito lacht. Volgens hem had Loana die avond een beetje te veel gedronken en was het een hallucinatie.

Materena vertelt hem het verhaal van de geest met de koeienpoten. Pito moet nog harder lachen. Volgens hem is dat verhaal verzonnen – dat soort verhalen vertellen moeders aan hun kinderen als ze 's nachts niet willen slapen. 'Pas op, anders roep ik de geest met de koeienpoten.' Pito heeft dat een paar keer van zijn moeder gehoord.. Maar ze deed het nooit, want er wás geen geest met koeienpoten.

Volgens Pito bestaan tupapa'u's alleen in de verbeelding. Als je dood bent, ben je dood – dan verga je en is het afgelopen.

'En mijn neef Mori dan? Die zag een keer een harige man uit een graf komen toen hij 's nachts langs het kerkhof liep…' Materena begint het een beetje koud te krijgen.

Pito lacht weer.

'… en de witte vrouw die langs de weg staat te liften en soms zelfs in je auto komt zonder dat je bent gestopt – je kijkt in je achteruitkijkspiegel en dan zit ze op de achterbank naar je te glimlachen.' Dit is ook een verhaal van Mori. Materena heeft nu echt de bibbers.

Pito lacht weer. 'Je neef Mori verzint ze waar je bij staat.'

Hij voegt eraan toe dat hij al heel wat keren 's nachts in een auto heeft gezeten en dat de enige lifters die hij dan tegenkwam, gewoon schoffies uit de buurt waren.

Hij fluit een vrolijk wijsje en haalt onverschillig zijn schouders op.

Materena gaat verder met haar koelkast. 'Fluit jij maar, Pito. Maar zeg later niet tegen me dat ik je niet heb gewaarschuwd.'

Dan bedenkt ze iets. 'Pito.'

Pito kijkt op, want Materena fluistert nu, terwijl ze net nog bijna stond te schreeuwen.

Ze laat har spons op de grond vallen. Ze spert angstig haar ogen open. 'Pito… kijk eens achter je, daar… daar…'

Precies op dat moment valt er een zware broodvrucht op het golfplaten dak en koude lucht (uit de open koelkast) strijkt langs Materena's huid.

Ze stort zich boven op Pito. Die valt van zijn stoel en samen vallen ze op de grond.

'Stom mens!' Pito is nu helemaal bleek. 'Wat doe je nou? Wil je me soms bang maken?'

De eerste dag hier

Die Pito, denkt Materena, terwijl ze naar de Chinese winkel loopt. Hij vindt zichzelf zo stoer, maar dat is hij helemaal niet. Hij is bang voor gekko's, hij is bang voor tupapa'u's...

Ze ziet weer zijn gezicht voor zich. Wat was hij bleek! Ah, als ze dat nieuws over de kokosnotenradio zou verspreiden, zou iedereen zich doodlachen. Dat zou een mooie wraak zijn voor alle vervelende dingen die Pito haar heeft aangedaan... zoals dat huwelijksaanzoek waar hij niets van meende.

De rotzak. Als Materena gemeen zou zijn... Maar dat is ze niet, dat is het probleem. Het is wel verleidelijk... Als ze neef Mori en haar andere neven tegenkomt... Ah, daar heb je neef Teva.

Hij zit met gebogen hoofd in zijn eentje te drinken. Dat is vreemd.

Materena loopt naar hem toe. 'Teva,' zegt ze. 'Gaat het met je?'

Hij heeft een foto van een jonge vrouw in zijn handen. Ze staat met een ernstig gezicht een kokosnoot te raspen.

'Dit is Manuia,' zegt hij.

'Ah. Ze ziet er sterk uit.' Materena heeft van Manuia gehoord en weet dat Teva met haar zou gaan trouwen.

'Manuia is vorige maand getrouwd.' Teva begint te huilen. 'Ik heb het van mama gehoord.'

Materena slaat troostend haar arm om zijn schouder. Ze heeft gemengde gevoelens. Ze heeft medelijden met hem, maar ze vindt ook dat hij het verdiend heeft om verdriet te hebben. Hij is met allerlei mooie plannen naar Tahiti gekomen, maar hij heeft er niets van waargemaakt.

Dit is het verhaal van Teva's komst naar Tahiti, zoals Materena het van Loana heeft gehoord.

Hij is zeventien en gaat voor het eerst weg van zijn eiland.

Hij verlaat Rangiroa en gaat naar Tahiti, waar mensen veel geld kunnen verdienen – op een makkelijke manier.

Veel familieleden zijn hem voorgegaan en ze hebben het allemaal goed. Geen van hen is teruggegaan. Maar hij gaat wel terug, over twee jaar. Hij heeft een plan. Hij gaat heel hard werken, lange dagen maken en het geld dat hij verdient opsparen. En dan gaat hij terug om een eigen bedrijf te beginnen: hij gaat van zijn geld een nieuwe speedboot kopen om met toeristen te gaan speervissen. En hij gaat natuurlijk trouwen met Manuia uit het dorp en samen met haar mooie kinderen krijgen.

Hij belooft dit allemaal aan zijn moeder. Zij zegt: 'Jongen, als jij eenmaal het leven op Tahiti hebt geproefd, wil je niet meer terug naar het trage, simpele leven op Rangiroa. Dan wil je geen visser meer zijn.'

En nu stapt hij aan boord van de *Temehani*, die hem naar Tahiti zal brengen. Hij kijkt naar zijn moeder, vader, broers en zusjes die hem op de kade staan uit te zwaaien. Hij zwaait terug tot hij ze niet meer kan zien.

Hij zwaait heel lang.

Dan gaat hij op het dek zitten en verstopt zijn gezicht in zijn handen.

Neef James komt hem op Tahiti van de boot halen. Teva herkent hem eerst bijna niet. Hij heeft een dikke buik, een wilde baard en vies, warrig haar. Vroeger had hij spieren van staal door het jagen op grote vissen. Hij zag er altijd schoon en gezond uit. Nu is hij een slons van een kerel geworden. Teva kijkt naar de tatoeage op zijn arm: een hart met een pijl. Hij moet bijna lachen, maar hij weet dat hij dat beter niet kan doen.

Ze kussen elkaar op de wang en slaan hun armen om elkaar heen. Dan lopen ze samen naar een oude, roestige Peugeot.

'Is dit jouw auto?' vraagt Teva.

James trekt zijn wenkbrauwen op, alsof hij wil zeggen: natuurlijk is dit mijn auto, wat denk je dan? Dat ik geen auto heb? Zie ik eruit als iemand die geen auto heeft? Natuurlijk is hij van mij, en het is een goeie ook.

Teva verbaast zich over de auto van James. In het dorp ging het gerucht dat James een nieuwe, rode Honda had, die nog harder kon dan Liu Songs speedboot.

Het duurt even voor de oude Peugeot wil starten. Dan komt hij ratelend en piepend in beweging. Teva moet bijna lachen, maar hij weet dat hij beter niet kan lachen om de roestige Peugeot van James. Bovendien is James ouder dan hij, dus hij moet een beetje respect tonen.

'Wat heb je daar in die tas?' vraagt James.

'Kleren.'

'Heb je mooie kleren bij je – om op knappe vrouwtjes te jagen?' vraagt James, terwijl hij een vrouw nakijkt die de weg oversteekt.

'Ik ben hier om te werken, neef,' zegt Teva ernstig.

Neef James lacht spottend. 'Werken! Er is hier geen werk! Wie heeft je verteld dat er hier werk is? De economie is ingestort, neef. Weet je iets af van economie?'

Teva geeft toe dat hij daar niets van afweet.

'Nou, neem het maar van mij aan, neef, de economie is ingestort.'

'Werk jij?' vraagt Teva.

'Als ik er zin in heb.' James toetert nijdig naar de auto voor hem, die hem te langzaam gaat. 'Donder toch van de weg af!' schreeuwt hij, terwijl hij gas geeft om de witte Fiat in te halen.

Teva kijkt naar de vrouw in de Fiat. Ze zit met haar borst tegen het stuur, alsof ze de weg niet kan zien. Hij voelt zich heel onbehaaglijk, want de vrouw is een mama en thuis schreeuw je niet tegen mama's. Alleen de papa's mogen tegen de mama's schreeuwen – jonge mensen niet.

James kijkt onder het inhalen ook naar de bestuurder van de Fiat. 'Verrek, het is Mama Teta! Wat doet die in een auto? Ze is een gevaar op de weg, verdomme!'

Dan haalt James een vrachtwagen in en Teva houdt zich vast aan zijn stoel.

'Ik hou er niet van als mensen me commanderen,' vervolgt James het gesprek over werk. 'Ik vreet geen shit van een ander. Je mag me twee miljoen franc geven, of vijf miljoen, ik doe het niet. Ik heb mijn trots. En jij? Vreet jij *merde* als je baas het je vraagt?"

'Non.'

'Mooi,' zegt James. 'Ik schaam me niet graag voor mijn familie.'

Teva kijkt naar buiten en denkt aan Rangiroa.

Eindelijk komen ze aan bij het huis van Noelene. Haar woning kan op zijn minst wel een paar laagjes verf gebruiken – het is een bouwval. Zodra Teva de auto uit komt, smoort dikke mama Noelene hem bijna met kussen. En dan huilt ze zo hard dat de hele buurt het kan horen: 'Aue, welkom… welkom in mijn huis… welkom, neef uit Rangiroa!'

Teva zegt: 'Dank u wel, tante.'

Toen Teva's moeder aan Noelene vroeg of hij bij haar kon wonen, stuurde ze meteen een boodschap: 'Jouw zoon is mijn bloed. Hij kan bij mij wonen. Ik heb een groot huis.'

'Gaat het goed met de familie thuis?' Noelene neemt Teva's tas van hem over.

'Petero is vorige week overleden.'

Noelene is geschokt. Dat wist ze nog niet. Als iemand de tijd had genomen om haar het nieuws te sturen, had ze misschien (voor het eerst van haar leven) het vliegtuig genomen om bij de wake en de begrafenis van haar oom Petero te zijn.

'Hoe is hij overleden?'

'In zijn slaap.'

'Dat is een goede manier om te gaan,' zegt Noelene.

Binnen praten ze verder, maar James gaat bij zijn vrienden zitten, die onder de mangoboom zitten te drinken en te kijken naar de auto's die voorbijkomen.

Het huis is schoon en ruikt naar bleekwater. Teva vermoedt dat zijn tante Noelene het huis speciaal voor hem goed heeft schoongemaakt. Als er een familielid uit een ander dorp bij zijn moeder op bezoek komt, is ze altijd uren bezig om het huis schoner dan schoon te maken. Niemand mag dan naar binnen en als het familielid komt, maakt die altijd een opmerking dat het huis zo mooi schoon is.

Dus zegt Teva vol respect: 'Uw huis is mooi schoon, tante Noelene.'

'Noem je dit huis schoon?' Noelene bewondert haar gebleekte muren.

'Oui, tante Noelene, uw huis is erg schoon.' Teva weet dat een compliment zoals dit herhaald moet worden.

Noelene klaagt dat het huis meestal schoner is, maar dat ze het altijd zo druk heeft.

Ze glimlacht en zegt: 'Jij slaapt in de huiskamer, tot die twee niksnutten van vrienden van James naar hun eigen moeder teruggaan. Ik kan me zó kwaad maken op James. Hij nodigt altijd vrienden uit om hier te komen logeren, en die lui werken niet! Wie geeft ze te eten, eh? Ik! Die niksnutten moeten nu snel vertrekken, voor ik ze er zelf uit gooi. Heb je honger?'

Teva weet niet wat hij hierop moet zeggen. Zijn moeder vraagt nooit zoiets. Ze zet gewoon een maaltijd op tafel en dan gaan ze samen eten. Teva heeft wel honger, maar als hij dat zegt, denkt ze misschien dat hij ook een niksnut is. Maar als hij nee zegt, blijft hij hongerig.

'Nee, ik heb nog geen honger.'

Noelene wordt nijdig. 'Wil je mijn eten soms niet? Kom. We gaan eten. Ik heb nu niets bijzonders gekookt, maar als tante Noelene haar loon binnen heeft, gaat ze iets heel lekkers voor je klaarmaken. Speciaal voor jou.'

Teva gaat aan de keukentafel zitten en begint met smaak te eten van de cornedbeef.

'Waarom ben je hiernaartoe gekomen?' Noelene zucht en rolt een sigaret. 'Er zijn veel te veel niksnutten op Tahiti... Ik hoop niet dat jij er ook zo een wordt. Ik schaam me niet graag voor mijn familie, eh?'

Teva knikt.

'Als je niet snel een baan vindt, moet je terug naar huis. Als je gaat wachten tot er een baan voor je uit de lucht komt vallen, word je een vervelende niksnut.'

Teva hoort tot zijn opluchting dat James hem roept en staat op.

'Onthoud wat ik je gezegd heb.' Noelene grijpt hem bij zijn hand. 'Als je niet snel een baan vindt, ga je naar huis. En luister niet naar die niksnutten die buiten zitten te drinken. En waag het niet om zelf ook zo'n niksnut te worden. Van dat soort heb ik er al genoeg in mijn leven.'

Teva haast zich naar buiten.

James zwaait naar hem. 'Waar blijf je nou? Het bier wordt warm.'

Teva gaat naast James zitten, die hem hartelijk op zijn schouder klopt. Dan richt hij zich tot de anderen.

'Zie je hem?'

'Ja... we zien hem.' De vrienden van James zijn al dronken.

'Hij is mijn neef,' zegt James. 'Als je hem iets doet, krijg je er spijt van. Dan praat je met een hoog stemmetje... dan snij ik je ballen eraf...'

James trekt een afschuwelijke grimas en de dronken niksnutten slaan hun blik neer.

'Hé James, wat doet dat joch hier?' vraagt er een.

'Werk zoeken.' James neemt een flinke slok van zijn Hinano.

Het gezelschap brult van het lachen. 'Weet je neef dan niet dat er een probleem is met de economie? Weet hij niet dat je op de universiteit gezeten moet hebben om de straat te vegen? Wat kun je, knul?'

Teva haalt zijn schouders op. Wat hij kan? Hij kan alles. Hij kan naar zwart koraal duiken, hij kan grote haaien doden die zijn vis proberen te stelen, hij kan van een kilometer afstand een school vis herkennen, hij kan in een donkere, stormachtige nacht de kust terugvinden. Teva van Rangiroa kan alles.

Het gezelschap wacht op zijn antwoord. Teva haalt weer zijn schouders op. Wat hij kan? Als hij dat moet vertellen, is hij voorlopig nog niet uitgepraat.

'Weet je het niet?' vragen ze.

James steekt zijn hand op. 'Laat hem met rust. Dit joch… is anders dan wij. Hij zal ons misschien nog verbaasd doen staan. Wij waren vroeger net zo.'

Dan geeft hij zijn jongere neef een koud biertje. Teva drinkt er langzaam van.

'Hij drinkt net als een meid!' Het hele gezelschap begint te lachen. 'Mannen nemen geen kleine slokjes. Je moet het in één keer naar binnen slaan, joh! Als je niet drinkt als een kerel, ben je geen kerel!'

James legt een arm om Teva's schouder. 'Het is nog maar zijn eerste dag. Hij verandert nog wel.'

'Teva.' Materena haalt haar arm van de schouder van haar neef. 'Een vrouw kan niet eeuwig blijven wachten. Je bent hier nu al meer dan twee jaar.'

Teva knikt en gaat door met huilen.

'Vind je dit geen teken dat je naar huis moet gaan?' vraagt Materena.

'Waarvoor zou ik teruggaan?' zegt Teva tussen zijn snikken door. 'Eh? Waarvoor? Het is nu te laat. Manuia is getrouwd, zij is van iemand anders. Ze heeft het gedaan om mij te kwetsen, om wraak te nemen.'

'Ze is getrouwd omdat ze het fiu was om op jou te wachten,' snauwt Materena. 'Wat had je dan verwacht? Dat ze haar hele leven op je zou blijven wachten?' Dan tikt ze de huilende jongeman op zijn schouder. Ze raadt hem aan de draad van zijn leven weer op te pakken. Om te beginnen moet hij een baan zoeken en dan moet hij teruggaan naar zijn naaste familie.

Met dit advies gaat Materena weg. Haar neef moet hier maar eens goed over nadenken – zij heeft boodschappen te doen. Ze moet ook nog wat schoonmaken en daarna kan ze hopelijk ook nog een beetje uitrusten, want ze heeft de rest van de dag vrij.

De elektriciteitsman

Materena wil net een middagslaapje gaan doen als ze buiten iemand hoort fluiten. Wie is dat? denkt ze bij zichzelf. Ze stapt uit bed en steekt voorzichtig haar hoofd door het luik. Dan rent ze in paniek naar buiten.

Ze gaat voor het elektriciteitskastje staan en vraagt de elektriciteitsman wat hij van plan is.

Hij zegt dat hij haar elektriciteit gaat afsluiten.

'Dat kunt u niet doen,' zegt Materena. 'Bent u gek geworden?'

De elektriciteitsman legt haar uit dat hij niet de baas is van het elektriciteitsbedrijf. Hij moet alleen de elektriciteit afsluiten bij mensen die hun rekening niet betalen.

'En u hebt uw rekening niet betaald – dat staat in de computer, oké?'

Maar voor Materena is dat niet oké. Ze staat nog steeds als een schildwacht voor het elektriciteitskastje. Ze wil niet dat haar elektriciteit wordt afgesloten. Vanavond is *Dallas* op tv en dat mist ze nooit. Ze zegt tegen de man dat ze hier van tevoren geen bericht van heeft ontvangen.

'U kunt niet zomaar mijn elektriciteit afsluiten.' Ze kijkt hem uitdagend aan.

Hij kijkt uitdagend terug. 'Denkt u dat ik dat niet kan doen, enkel omdat u dat zegt? Als u uw rekening – het volledige bedrag – hebt betaald, kom ik terug en sluit ik u weer aan. En nu opzij – ik heb werk te doen.'

Maar Materena gaat niet opzij. De man kan alleen bij het elektriciteitskastje als hij haar opzij duwt, maar zij is een boze vrouw, een grote, boze vrouw.

'Ik betaal de rekening altijd zodra ik bericht krijg dat de elektriciteit wordt afgesloten,' zegt ze weer. 'En ik heb geen bericht gekregen. Wanneer gelooft u me nou eens, eh?'

De elektriciteitsman begint gemaakt te lachen. 'Ik kan een boek volschrijven met alle verhalen die mensen ophangen om te voorkomen dat ik hun elektriciteit afsluit. Ik vertel die verhalen vaak aan mijn vrienden als we op vrijdag samen een biertje drinken en die moeten er altijd om lachen. Ze zeggen: eh, ouwe jongen, vertel nog eens zo'n verhaal dat mensen verzinnen als ze niet willen dat hun elektriciteit wordt afgesloten, maar...' de elektriciteitsman spert zijn ogen open, 'ik ben die verhalen helemaal fiu!'

Materena spert haar ogen ook open en antwoordt: 'Ik verzin geen verhaal. Ik vertel de waarheid!'

De man steekt zijn vinger naar haar uit. 'Zal ik u eens iets vertellen? Altijd als ik opgeroepen word, bid ik dat er niemand thuis zal zijn. Maar volgens mij hebben de meeste mensen die hun rekening niet betalen, niets beters te doen dan thuis zitten. Ze doen niks anders dan tv-kijken, drinken en slapen. Ze hebben het te druk om te werken.'

Ah, nu gaat hij te ver. Materena knijpt haar ogen tot spleetjes. 'Ik werk wel, maar mijn baas is vandaag ziek. Ik hoef vandaag haar huis niet schoon te maken. Ze heeft me een dag vrij gegeven. Ik werk wel, oké?'

De elektriciteitsman en Materena kijken elkaar strak aan.

'Oké, ik zal u vertellen waarom ik mijn rekening niet heb betaald,' zegt Materena. 'Meestal ga ik vrijdagmiddag het loon van mijn man ophalen. Het meisje op kantoor kent me goed. Zij geeft me de envelop en ik teken het register, geen probleem. Maar afgelopen vrijdag moest ik naar mijn mamie, die was een beetje ziek. Ik ben naar haar toe gegaan met de kinderen, om haar wat op te vrolijken, begrijpt u wel. Toen ik weer thuiskwam, was het over negenen en mijn man was stomdronken. Hij was nijdig op me, omdat er geen eten voor hem in huis was. Mijn man is een luie donder. Ik probeerde hem te vertellen over de elektriciteitsrekening, maar hij kreeg de pest in. Hij wil niet door mij gecommandeerd worden. Het is zijn taak om op de elektriciteitsrekening te letten. Ik zei tegen hem: "Ja hoor, jij bent de baas. Zou je dan nu die rekening even willen betalen?" Hij kwam me achterna. Toen heb ik de kinderen gepakt en zijn we naar mamie gevlucht.'

Materena heeft het hele verhaal uit haar duim gezogen (omdat de elektriciteitsman niet wil geloven hoe het echt is gegaan, namelijk dat ze geen bericht heeft ontvangen dat haar elektriciteit afgesloten zou worden). Ze hoopt dat hij nu medelijden met haar krijgt. Ze wil echt niet dat haar elektriciteit wordt afgesloten – dat is stomvervelend.

Het is haar twee keer eerder overkomen. De eerste keer was omdat Pito zijn hele loon had opgedronken (dat was vóór zij zijn loon van kantoor ging ophalen). Ze wilde Loana toen niet om een lening vragen, omdat ze dan kwaad zou worden op Pito.

De tweede keer was ook omdat Pito zijn hele loon had opgedronken (en ook vóór zij zijn loon ging ophalen). Toen had ze Loana wel om een lening willen vragen. Het kon haar niet meer schelen of ze kwaad zou worden op Pito. Maar Loana was dat weekend op retraite op Taravao en uiteindelijk moest Materena het geld lenen van Rita. Dat wil zeggen, toen Rita de kaarsen zag staan, gaf ze Materena, die Moana de borst zat te geven, tienduizend franc en zei: 'Hier, dat is voor de luiers van mijn petekind.'

Materena bedenkt dat ze de elektriciteitsman misschien een schuldgevoel kan aanpraten.

'Eh, voelt u zich niet schuldig dat u dit uw eigen mensen aandoet?' vraagt ze.

'Non, daar voel ik me niet schuldig over, en ik heb u al verteld dat ik niet de baas ben van het elektriciteitsbedrijf. Als ik mijn werk niet goed doe, raak ik mijn baan kwijt. Het heeft me maanden gekost om die te krijgen. Het is een goede baan.'

Hij zwijgt even om hierover na te denken. Dat geeft Materena de tijd om te bedenken hoe ze verder zal gaan.

'De andere elektriciteitsman was beter dan u,' zei ze. 'Die begreep mijn problemen. Hij zei tegen me: "Maak u maar geen zorgen. U krijgt van mij nog een paar dagen de tijd om het geld te regelen." Ik kan het geld morgen krijgen. Mijn mamie heeft stapels geld staan bij de Socredo. Morgenochtend ga ik met mijn mamie praten en dan kom ik u bij uw firma opzoeken.'

Een beetje vleien kan geen kwaad, maar blijkbaar is de elektriciteitsman daar niet gevoelig voor.

'Opzij,' zegt hij.

'Ik ga niet opzij,' antwoordt Materena.

De elektriciteitsman zet zijn rechtervoet naar voren. 'Opzij, zeg ik.'

Materena zet haar rechtervoet ook naar voren. 'Wat bent u van plan?'

De elektriciteitsman zet zijn linkervoet naar voren.

'Vergeet het maar.' Materena zet ook haar linkervoet naar voren.

De elektriciteitsman duwt haar opzij.

En zij duwt hem opzij. 'Pas op, jongeman, ik laat niet met me sollen.'
De man kijkt haar strak aan. 'Opzij.'

'Ah non.' Materena slaat haar armen over elkaar en zet haar voeten stevig naast elkaar op de grond.

De elektriciteitsman steekt zijn handen omhoog. 'Oké, goed dan... blijf maar staan. Ik zal wel een speciaal rapport over u schrijven en dat geef ik dan aan mijn baas... Weet u wat dat betekent?'

Hij wacht niet tot zijn lastige klant antwoord geeft.

'Het betekent dat u nooit meer uw jurken voor de zondagsmis kunt strijken. Ik ga er namelijk voor zorgen dat uw naam helemaal uit de computer verdwijnt. Ik heb een vriend die werkt op de computerafdeling. Het is heel makkelijk om namen te laten verdwijnen. Hoe denkt u dat de firma weet dat u uw rekening niet heeft betaald, eh? Door de computer! Mijn vriend is computerexpert, hij hoeft maar op een knopje te drukken en ffffrrrrr, u bestaat niet meer. Als ik dat speciale rapport schrijf, krijgt u geen elektriciteit meer... zelfs niet als u uw rekening volledig betaalt. Tel maar na hoeveel kaarsen u moet kopen bij de Chinese winkel. Uw huis – het enige huis met kaarsen. Denk u eens in. De mensen zullen u uitlachen... en wat dacht u van uw man, eh? Wat zal hij zeggen als hij hoort dat hij door u geen koude pilsjes meer uit de koelkast kan halen?'

'Mijn man!' Materena kijkt de elektriciteitsman aan alsof hij iets heel stoms heeft gezegd. 'Hij is mijn man niet. Zou ik trouwen met zo'n luie donder?'

'Eh, het kan me niet schelen of hij uw man is of niet,' snauwt de elektriciteitsman. 'Voor mijn part is hij uw minnaar of een stille aanbidder. Het enige wat mij interesseert is de elektriciteitsrekening. En nu ga ik u afsluiten. Ga opzij en laat me mijn werk doen, anders schrijf ik vandaag dat speciale rapport nog.'

Materena kijkt de man wantrouwig aan.

Kan iemand als hij een speciaal rapport schrijven? Is dat niet de taak van de baas van het bedrijf? Of desnoods van de baas daaronder? Kan een elektriciteitsman iets regelen op de computerafdeling? Dat ik de rest van mijn leven kaarsen moet kopen?

Materena doet een stap opzij. 'Oké, doe dan maar. U hoeft geen speciaal rapport te schrijven. En waar is de brief waarin staat dat mijn elektriciteit wordt afgesloten? Als ik zo'n brief krijg, betaal ik altijd meteen.

Het moest verboden zijn om zonder waarschuwing zomaar de elektriciteit af te sluiten.'

Materena gaat naar binnen, rent naar de slaapkamer en kijkt in haar doosje met rekeningen (elektriciteit, schoolgeld, belastingen). Misschien heeft ze toch wel een waarschuwing ontvangen, maar is ze het door de huwelijksvoorbereidingen vergeten.

Aha, wat is dat? Een ongeopende envelop van het elektriciteitsbedrijf? Materena scheurt hem open en daar is hij: de waarschuwing dat de elektriciteit wordt afgesloten, geadresseerd aan Mademoiselle Materena Mahi. *Merde*, nu voelt ze zich een idioot. Ze vraagt zich af of ze de elektriciteitsman haar excuses moet aanbieden... Maar dat is misschien geen goed idee, hij zou het tegen haar kunnen gebruiken.

Ze scheurt de brief in stukken. Dan hoort ze de man buiten praten. Ze loopt naar het raam en steekt voorzichtig haar hoofd naar buiten.

De elektriciteitsman staat te praten met neef Teva en Materena luistert wat hij te zeggen heeft.

'Misschien zie ik er niet sterk genoeg uit. Als je er sterk uitziet, als je spieren hebt, hebben mensen respect voor je. Ik ben mager. Ik ben jong.'

'Zó mager ben je niet,' zegt Teva.

'En die dikke vrouw probeerde me maar te vleien,' vervolgt de elektriciteitsman. 'Daar weet ik alles van, van vleierij. Als mensen je proberen te vleien, hebben ze iets van je nodig. Ach ja, vleierij heeft altijd een reden. Als Suzie wil dat ik iets voor haar doe, vleit ze me altijd met mijn spieren, of met mijn ogen. En als ze niets van me nodig heeft – nou, dan kan ik wachten tot ik een ons weeg, voor ze eens iets aardigs zegt.

Ik kan er niets aan doen. 90, misschien zelfs 99 procent van de mensen die hun rekeningen niet betalen zijn mensen zoals ik, Tahitianen. Ik kom zelden bij de popa'a's thuis en als het eens zo is, komt het door een misverstand: de man dacht dat de vrouw had betaald en andersom. Dan betalen ze de rekening, ik sluit de elektriciteit weer aan en de popa'a's bieden hun verontschuldigingen aan voor het ongemak. De popa'a's geven mij het gevoel dat ik belangrijk ben, dat ik niet lastiggevallen mag worden.

Maar mijn eigen mensen – ah hia, die doen moeilijk en verwachten een voorkeursbehandeling. Ze zweren op het graf van een of andere voorouder dat ze de rekening betaald hebben. En als ik dan om het betalingsbewijs vraag, kan ik een klap voor mijn kop krijgen. Ze zweren op het graf van hun voorouder dat het verhaal dat ze ophangen niets is dan de waarheid. En als ik ze dan vraag om het te zweren op de bijbel, kan ik een klap voor mijn kop krijgen.

Mijn eigen mensen zijn de lastigste klanten, ah oui. En ook de slechtste betalers.

Het probleem is dat bij Tahitianen de familieleden alles mogen: ze mogen de telefoon gebruiken, urenlang tv-kijken, de hele koelkast leeg eten, alle cola opdrinken, de wasautomaat gebruiken, kleren lenen. Het is een belediging als je je huis op slot doet. Stel je voor dat een van je familieleden dringend iets moet lenen! En dan heb je geen geld om de rekeningen te betalen.

Het probleem met ons Tahitianen is dat we te veel familieleden hebben zonder werk. We hebben te veel familieleden in het algemeen.'

'Het is goed om familie te hebben.' Teva doet eindelijk zijn mond open.

'Soms wel,' zegt de elektriciteitsman. 'Niet altijd… Ik ben hier nu klaar, ik moet nog naar acht andere adressen. Wens me maar succes.'

'Succes.'

Materena wacht tot de elektriciteitsman weg is en doet dan de deur open. Teva staat nog steeds buiten. 'Wat is er, neef?' Ze heeft weinig zin in een nieuwe discussie over de vrouw met wie hij had willen trouwen.

Maar Teva wil Materena alleen bedanken voor hun gesprekje van daarnet. Hij wil zeggen dat hij zich nu een stuk beter voelt en dat hij gauw teruggaat naar zijn familie. Dat was het enige wat hij kwam zeggen.

Rijke Fantasie

De elektriciteit is weer aangesloten en Materena is helemaal blij – vooral nu haar knappe dochter Leilani uit school komt met een prijs: ze heeft een oorkonde gewonnen voor Rijke Fantasie. De prijs is voor een verhaal dat ze heeft geschreven.

Het verhaal gaat over een meisje van tien, dat haar slipper kwijtraakt terwijl ze op een drijvende steiger zit. Ze zit naar de zonsondergang te kijken als een van haar slippers van haar voet in het water glijdt. Ze kan niet zwemmen, dus ze kan haar geliefde slipper niet redden. Ze kan alleen maar toekijken terwijl hij naar de horizon wegdrijft. Ze is erg verdrietig, want ze heeft die rode slippers van haar beste vriendin gekregen.

Die nacht droomt het meisje dat de slipper met de stroom terugkomt, maar als ze de volgende ochtend snel op het strand gaat kijken, ligt er niets. Ze ziet alleen een oude vrouw, die op het strand vis zit schoon te maken.

'Waarom huil je?' vraagt de oude vrouw. Het meisje vertelt haar de reden van haar verdriet.

'Aue...' zucht de oude vrouw. 'Het is niet voor het eerst dat de zee een slipper heeft meegenomen. Maar huil maar niet kind, op een dag komt hij terug.' Ze vertelt dat ze een meisje kent dat ook haar slipper had verloren in de zee en hem twaalf jaar later terugvond, onder een stapel takken op het Papara-strand.

Materena vindt het een mooi verhaal. Ze begrijpt het.

In het huis van Materena's baas staan overal boeken. Het eerste wat Materena iedere ochtend doet is de boeken die er liggen oprapen en terugzetten in de kast – waar ze maar een plekje vrij ziet. Soms bladert ze er een door en leest ze een paar regels, maar de woorden zijn te moeilijk.

Ze heeft eens een stukje gelezen dat ging over de lucht: dat de wolken net leken op plukken katoen en zo.

Leilani's verhaal is eenvoudig. Het is half werkelijkheid en half fantasie. Leilani is vorig jaar haar slippers kwijtgeraakt, maar dan niet op een steiger, maar in een vrachtwagen. Ze was gewoon zonder slippers uitgestapt – nieuwe slippers, nota bene. Materena was er kwaad om.

Ze voelt zich nu schuldig dat ze toen zo boos is geweest. Misschien was ze al in een slechte bui en was dat nog erger geworden toen Leilani haar nieuwe slippers was kwijtgeraakt.

Materena bergt Leilani's verhaal en de oorkonde op in haar doos met dingen die nooit weg mogen. Leilani wil haar verhaal later vast aan haar kinderen voorlezen en haar ingelijste oorkonde in haar huis ophangen, zodat iedereen hem kan zien en er iets over kan zeggen.

Materena weet zeker dat haar dochter later schrijfster gaat worden.

Ze zegt dit tegen Pito, die buiten zit te oefenen op zijn ukelele.

'Je moet voorzichtig zijn met dat soort uitspraken,' zegt Pito. 'Kijk maar naar je neef James.' Hij stopt niet eens met spelen.

'Wat is er dan met mijn neef James?' vraagt Materena.

'Waar zijn die kano's van hem, eh?' vraagt Pito. 'Die bestaan alleen in zijn dromen. Nu is James kwaad omdat hij geen kano's bouwt en zijn moeder is kwaad omdat hij geen werk heeft.'

James had zijn oom Hotu een keer geholpen met een kano bouwen en de oom zei: 'James, dat is een goede kano die je daar gebouwd hebt.' James vertelde zijn mama wat zijn oom had gezegd en zij besloot meteen dat James kanobouwer moest worden. Ze raasde maar door dat haar zoon kano's ging bouwen. En niet zomaar kano's, nee, de beste op de wereld! 'Jij wordt kanobouwer,' zei ze tegen haar zoon. 'Mijn zoon wordt kanobouwer,' zei ze tegen de hele buurt.

'Je kunt mijn neef James niet met Leilani vergelijken.'

Materena is niet blij met de vergelijking. Zij vindt dat je niet moet wachten tot je dromen uitkomen – je moet er zelf voor zorgen dat dat gebeurt. Die James denkt dat zijn kano's vanzelf uit de lucht komen vallen. Hij droomt erover, maar intussen zit hij langs de weg te drinken en auto's te tellen. Met dromen kom je er niet.

Maar Leilani kan wel schrijfster worden. Er staat haar niets in de weg.

'En als Leilani zegt dat ze piloot wil worden? Ga je dan tegen haar zeggen dat dat ook mogelijk is?' vraagt Pito.

'Oui.'

'President van Tahiti?'

'Oui.'

'President van Frankrijk?'

'Ah oui! Natuurlijk!' Materena zegt het uit de grond van haar hart.

Pito schudt zijn hoofd. Materena gaat naar binnen om Leilani's verhaal te halen. Ze wil het Pito laten lezen.

'Straks,' zegt hij.

Nu heeft hij het te druk met zijn ukelele.

Die avond leest Pito Leilani's verhaal als hij in bed ligt. Materena verwacht dat hij zal zeggen: 'Eh, dit is een goed verhaal.' Want dat ís het ook. Pito fronst echter zijn wenkbrauwen terwijl hij zit te lezen. Dan trekt hij een gezicht en als hij uitgelezen is, zegt hij dat het nergens op slaat. Wat is dat voor heisa over een slipper? Huilen doe je als er iemand doodgaat, niet als je een slipper kwijtraakt. En waarom springt dat stomme kind niet in zee om haar slipper terug te halen, in plaats van als een martelaar te blijven toekijken hoe dat ding langzaam naar de horizon drijft?

Materena herinnert hem eraan dat het meisje niet kan zwemmen.

'Ah oui,' zegt Pito. Toch vindt hij dat het verhaal nergens op slaat. Je kunt bij de Chinese winkel toch gewoon andere slippers halen?

Materena begint zich steeds meer te ergeren. Die Pito, denkt ze. Die begrijpt nooit iets, behalve zijn Akim-strips.

Ze stopt het verhaal terug in het doosje en doet het licht uit. Ze stapt in bed en gaat zo ver mogelijk bij Pito vandaan liggen. Ze is kwaad op hem.

'Materena,' zegt Pito na een poosje.

'Wat?' antwoordt ze.

'Heeft Leilani tegen je gezegd dat ze boeken wil gaan schrijven?'

Materena antwoordt bijna onverstaanbaar: 'Non.'

Maar ze weet dat de kinderen haar niet altijd alles vertellen. Ze hebben geheimen.

De volgende betaaldag koopt Materena daarom een dagboek voor Leilani, een in leer gebonden dagboek met een sleuteltje. 'Hier,' zegt ze, terwijl ze het Leilani terloops in de handen duwt. 'Het was een goedkope aanbieding bij Hachette Pacific. Ik dacht dat jij er misschien iets aan zou hebben. Zo niet, dan geef je het maar aan een van je vriendinnen.'

Van mij mag je worden
wat je wilt

Materena weet dat niemand in een dagboek mag lezen, behalve degene die er zelf in schrijft. Maar ze wil alleen de eerste zin lezen. De eerste twee zinnen. De eerste drie, meer niet. Ze wil alleen kijken hoeveel bladzijden Leilani heeft gebruikt van het dagboek dat ze haar heeft gegeven. Misschien heeft ze al een nieuw nodig. Ze wil ook weten of Leilani ergens iets heeft geschreven over haar hardwerkende, liefhebbende moeder.

En als het dagboek op slot zit, laat ze het gewoon zo.

Materena gaat dus naar Leilani's slaapkamer en doet de deur achter zich dicht. Ze kijkt onder het kussen, onder de matras, in de bureauladen. Het dagboek ligt verstopt onder de bijbel, die Loana haar heeft gegeven voor haar eerste communie.

Materena kijkt schichtig achterom naar de deur. Maar Leilani is met Loana mee om de kerk te vegen. Iedere zesde zaterdag is Loana aan de beurt om de kerk te vegen. Meestal gaat Materena mee om haar te helpen, maar vanmorgen bood Leilani aan om in haar plaats te gaan.

Het dagboek zit niet op slot. Materena doet het dus open en leest de eerste twee zinnen.

> *Ik weet dat Mamie graag wil dat ik schrijfster word, omdat ik een oorkonde heb gekregen voor Rijke Fantasie. Maar eigenlijk, God, wil ik u dienen. Diep in mijn hart wil ik het liefste non worden…*

Materena slaat met een klap het dagboek dicht. Omdat erin wordt geschreven over God, voelt het voor haar als een zonde om in Leilani's dagboek te lezen.

Ze gaat een beetje geschokt op Leilani's bed zitten en denkt aan haar nicht Heipua.

Toen Heipua op haar eenentwintigste aankondigde dat ze non wilde worden, verbaasde dat niemand.

Nicht Heipua was altijd graag in de kerk.

Ze woonde zondags altijd twee missen bij, de ochtend- en de avondmis. Ze ging ook samen met de oude mensen naar de dagelijkse ochtendmissen van zes uur.

En in haar slaapkamer had ze een heleboel beeldjes staan van de heilige maagd Maria, zelfs lichtgevende beeldjes en een beeld met een kloppend, rood hart dat je op het lichtnet moest aansluiten. Als klein meisje had Heipua een keer gezegd dat de heilige maagd Maria naar haar glimlachte. Niemand dacht dat ze zich dat verbeeldde.

Op haar zestiende had Heipua posters van Jezus Christus aan de muur hangen. Haar zussen hadden allemaal posters van filmsterren en zangers. Een van de zussen zei: 'Eh, vind je ook niet dat Jezus er met zijn lange haar een beetje uitziet als een filmster?'

Heipua werd daar nijdig om.

Ze keek nooit naar jongens, in tegenstelling tot haar zussen, die midden in de nacht over de schutting klommen om achter de jongens aan te gaan. Heipua bleef gewoon thuis om tv te kijken of te bidden. Ze was een erg serieus meisje.

Ze bezocht oude en zieke mensen in het ziekenhuis en als ze alleen maar hun hand vasthield, voelden ze zich al beter. Soms glipte ze de kraamafdeling binnen om naar de pasgeboren baby's te kijken.

Ze moest dat wel stiekem doen, omdat de vrouw die over de ziekenhuisbezoekjes ging, liever niet had dat ze naar de baby's keek. Ze wilde liever dat ze naar de mensen keek die op sterven lagen.

Heipua droeg jurken tot op haar enkels en ze had altijd een paar zware vlechten in haar haar. Ze droeg ook een bril: haar ogen waren achteruit gegaan van het nachtenlang lezen in de bijbel.

Op een avond, toen ze pas eenentwintig was geworden, zei Heipua: 'God heeft tot me gesproken.'

Haar moeder rende meteen weg om het nieuws te verspreiden via de kokosnotenradio. Niemand zei: 'Wat zijn dat voor wilde verhalen?'

En toen, twee dagen nadat God tot haar had gesproken, kondigde Heipua aan dat ze non wilde worden. Haar moeder verspreidde het goede nieuws meteen via de kokosnotenradio en weer zei niemand: 'Wat zijn dat voor wilde verhalen?'

Heipua's moeder voelde zich vereerd dat een van haar dochters non wilde worden. Ze zei tegen haar andere kinderen: 'Jullie groeien op voor galg en rad.'

Heipua bracht een week door bij de nonnen van de missie. Toen ze thuiskwam, was ze er sterker dan ooit van overtuigd dat zij God moest dienen. Ze zei: 'De nonnen zijn gewone vrouwen, behalve dat hun man God is en hun kinderen de hele bevolking.'

Ze wilde zich onmiddellijk bij de missie aansluiten, maar de non die daar de leiding had, raadde haar aan eerst nog twee maanden goed over haar roeping na te denken. Ze zei: 'Als je eenmaal non bent, blijf je dat de rest van je leven.'

Heipua ging dus naar de kerk om na te denken. Ze ging naar de vroegmis en als die afgelopen was, ging ze niet naar huis, maar bleef ze tot laat in de middag in de kerk zitten om te bidden.

Op een middag kwam er een jongeman van haar leeftijd naar de kerk om daar net als zij te bidden. Ze spraken niet met elkaar. De volgende dag kwam hij terug en de dag daarop ook. Ze zeiden elkaar gedag.

De jongeman bad om priester te worden.

Binnen twee weken kusten en liefkoosden ze elkaar.

Heipua veranderde niets aan haar uiterlijk (ze droeg nog steeds lange jurken en een bril en ze had nog steeds twee zware vlechten in haar haar), dus niemand vermoedde dat er in de kerk iets anders gebeurde dan bidden.

Aue, die twee deden hun best om de verleiding te weerstaan, maar als een jongen en een meisje zich tot elkaar aangetrokken voelen, is het moeilijk weerstand te bieden. Het onvermijdelijke gebeurde. Na het kussen en liefkozen kwam de ontucht. Het was ook voor hem de eerste keer.

En Heipua raakte zwanger.

Aue, wat een schande voor haar moeder. Ze wilde verhuizen naar een andere stad, een ander eiland, een ander land zelfs. Ze wist heel goed dat de mensen achter haar rug over haar praatten, haar bespotten, grapjes maakten over de Onbevlekte Ontvangenis van haar dochter.

Ja, Heipua's zwangerschap was een hele schok.

Haar moeder gooide haar het huis uit.

En Heipua raapte haar beelden bij elkaar, pakte haar koffer en ging naar het huis van de jongeman.

Toen zijn moeder opendeed, legde nicht Heipua de situatie uit. De geschokte moeder zei: 'Wat? Wat is dit voor verhaal? Mijn zoon wordt priester!' Toen riep ze haar zoon erbij. Hij kwam meteen. Ze zei: 'Dit meisje zegt dat ze zwanger is van jou. Is dat zo?'

En hij zei: 'Ik heb haar nog nooit eerder gezien, mamie.'

De moeder knalde de deur voor nicht Heipua's neus dicht.

Heipua liep over straat. Ze wist niet wat ze moest doen. Het werd donker en ze ging op een steen zitten wachten tot het dag werd. En toen nam ze de vrachtwagen naar Papeete.

Twee maanden later zag een familielid haar in een bar in Papeete. Ze zat daar samen met een zeeman en ze dronk en lachte en gedroeg zich (zoals het familielid via de kokosnotenradio vertelde – wat ze daar zelf deed weten we niet) als een hoer.

Heipua moet toen al een aardig poosje zwanger zijn geweest, maar aan haar buik was niets te zien. Er was zeker iets gebeurd met de baby, maar niemand wist precies wat.

Haar moeder zei: 'Ah, ze eindigt in de goot.' Want zij was ervan overtuigd dat je gestraft wordt als je God onrecht doet.

Maar vorige maand kreeg ze een brief uit Frankrijk, van Heipua. Ze schreef dat ze tegenwoordig in Frankrijk woont en non was geworden. Ze heet nu zuster Louise.

Er zat een foto bij van Heipua gekleed als non, haar handen gevouwen in gebed, naast een boom.

Maar niemand weet of de foto de waarheid vertelt. Misschien heeft ze de nonnenhabijt gehuurd bij zo'n winkel waar je alle kleding kunt huren die je wilt. Maar iedereen wil graag geloven dat Heipua nu zuster Louise heet en erg gelukkig is.

Wat de jongeman betreft: er is de afgelopen vijftien jaar geen enkele Polynesische priester bij gekomen. Dat had anders zeker de voorpagina van de krant gehaald.

Misschien had hij zo de smaak te pakken gekregen van wat Heipua met hem had gedaan, dat hij had besloten toch maar geen priester te worden. Of misschien is hij priester geworden in een ander land.

Dat is het nonnenverhaal van Heipua en nu denkt Materena aan haar eigen nonnenverhaal.

Toen ze een jaar of elf was, zei ze tegen haar moeder dat ze non wilde worden.

'Wat!' riep Loana uit. 'Heeft God tot je gesproken?'

Materena gaf toe dat dat niet was gebeurd.

Toen vroeg Loana waarom ze non wilde worden en ze zei: 'Dat weet ik niet. Maar als ik een non zie, denk ik altijd dat ik dat ook graag zou willen.'

Loana raadde haar aan dit nieuws niet via de kokosnotenradio te verspreiden, maar eerst nog een paar jaar af te wachten.

'Misschien verander je nog wel van gedachten,' zei ze. 'Als de hormonen gaan werken.'

En inderdaad, toen Materena vijftien werd, begonnen de hormonen te werken en daarna dacht ze er niet meer aan non te worden.

Maar zou het kunnen dat Leilani...

Materena heeft altijd gehoopt dat haar dochter schrijfster zou worden, omdat ze zo goed verhalen kan schrijven. Maar het belangrijkste vindt ze dat ze gelukkig wordt. Dat ze een aardige man krijgt die veel van haar houdt en lieve dingen tegen haar zegt. Nou ja, ze hoeft niet met hem getrouwd te zijn, als het maar een goede man is die haar gelukkig maakt. Maar als Leilani non wil worden...

Materena vindt het niet erg. Er zijn genoeg gelukkige nonnen.

Nu zijn Materena en Leilani alleen in de badkamer. Leilani staat haar tanden te poetsen en Materena doet alsof ze iets zoekt in het kastje onder de wastafel.

'Ah, Leilani, kind,' zegt Materena. 'Heb je er al eens over nagedacht wat je wilt gaan doen als je groot bent?'

Nog voor Leilani antwoord kan geven, voegt ze er, met haar hoofd half verscholen in het kastje, aan toe: 'Ik heb namelijk op de radio gehoord dat het goed is als ouders weten wat hun kinderen willen gaan doen. Dan kunnen ze misschien helpen.'

Ze komt overeind en moeder en dochter kijken elkaar aan in de spiegel.

'Nou? Enig idee?' Materena vraagt het op luchtige toon, zodat Leilani niet zal denken dat ze wordt uitgehoord.

'Ik weet het nog niet zeker, mamie.' Leilani heeft nog tandpasta in haar mond.

'Goed dan,' zegt Materena. En dan zegt ze, heel ernstig: 'Als je maar onthoudt dat je van mij mag worden wat je wilt.'

Leilani knikt en glimlacht.

Geprakte banaan

Het is een poos geleden dat Materena de kinderen heeft meegenomen naar hun grootmoeder, Mama Roti. Ze heeft het zo druk gehad met de bruiloft en zo – en allemaal voor niets, zonde van haar tijd! Maar goed, vandaag lijkt het een mooie dag om op bezoek te gaan. Materena heeft er niet bijzonder veel zin in, maar het is niet anders. Ze doet het voor de kinderen.

Mama Roti ligt op de *peue*-mat buiten en klaagt tegen Materena over haar rug. Die probeert intussen te bedenken hoe ze weg kan komen. Ze is er een kwartier en ze wil naar huis, maar Mama Roti heeft veel te klagen. Ze heeft behoefte aan een luisterend oor.

'Aue, mijn rug, eh. Ik ben de jongste niet meer. Mijn rug is versleten, alles is versleten, aue… Eh, kinderen! Gaan jullie voor Mama Roti eens een stuk brood en een banaan halen.' Ze voegt er snel aan toe: 'Een rijpe banaan, geen groene!'

Nog geen minuut later komt Moana zijn grootmoeder een stuk brood brengen.

'En waar is de banaan voor Mama Roti?' vraagt Mama Roti.

Die zit tussen het brood.

Mama Roti kijkt en slaat haar ogen ten hemel. 'Eh, heb ik gevraagd om geprakte banaan op brood?'

Moana kijkt naar zijn voeten en schudt zijn hoofd.

'Wat heb ik gevraagd?'

'Een stuk brood en een banaan?'

'Wegwezen, kokoskop, *va!*' Mama Roti wuift Moana ongeduldig weg. Dan gooit ze het stuk brood met de geprakte banaan naar de kippen en de hond. Materena strijkt Moana even over zijn hoofd en werpt Mama

Roti een kille, boze blik toe. Maar die kijkt de andere kant op.

Materena is nijdig. Ze staat op. Ze gaat naar huis.

'Ga je nu al weg, kind?' vraagt Mama Roti.

'Ik bedenk me opeens dat ik kip in de oven heb staan.'

'Ah, goed, kind.'

Materena geeft Mama Roti een oppervlakkig zoentje (meestal omhelst ze haar) en roept naar Tamatoa en Leilani dat het tijd is om naar huis te gaan. De kinderen komen meteen blij naar haar toe rennen. Ze vinden het niet zo leuk bij Mama Roti thuis, omdat ze daar maar zo weinig mogen.

Ze mogen niet alleen binnen zijn, omdat Mama Roti dan bang is dat ze achter haar rug iets kapot maken. Ze heeft liever dat de kinderen overdag buiten spelen. Zij liet haar kinderen vroeger ook nooit binnen rondhangen als de zon scheen. Dat is waarschijnlijk de reden waarom Pito nu de hele dag op de bank ligt als de zon schijnt. De kinderen mogen ook niet in de tuin rennen, omdat Mama Roti bang is dat ze dan de planten plat trappen. En ze mogen niet met de bal spelen, omdat dan de jaloezieën eraan gaan.

Nu zijn ze thuis en Materena is nog steeds nijdig op Mama Roti. Moana is nog maar acht. Zo praat je niet tegen je kleinzoon. Toch probeert Materena excuses voor haar te bedenken. Misschien deed haar rug echt pijn. En ze is een beetje oud.

'Eh, maar je noemt mijn kinderen geen "kokoskop",' moppert ze.

Wat Materena betreft is zij de enige die haar kinderen kokoskop mag noemen. Mama Roti heeft gewoon geen manieren, denkt ze, terwijl ze de aardappelen staat te schillen. Ze is nu blij dat ze niet dezelfde achternaam heeft als zij. Ze weet zeker dat de mensen die Roti Tehana kennen, haar maar een onbeschofte tante vinden en Materena wil niet met haar worden vereenzelvigd.

De volgende dag staat Mama Roti (zoals altijd onverwacht) voor haar neus. Ze heeft een bananentaart bij zich.

'Hallo, kind!' roept ze uitgelaten.

Materena begroet haar een stuk minder uitgelaten. Mama Roti vertelt dat de hele tros bananen in één nacht rijp is geworden en dat ze toen besloten heeft er een taart van te bakken.

'Ah.' Materena toont weinig interesse voor de taart. Ze gaat door met de keuken vegen.

'Zal ik een stuk voor je afsnijden?' vraagt Mama Roti.

'Nu nog niet, Mama Roti. Straks misschien.'

Materena kan Mama Roti's taart nu niet naar binnen krijgen. Ze is nog steeds kwaad op haar. Toen ze haar zag, hoorde ze weer het woord 'kokoskop' weer in haar hoofd. En ze vindt het niet overdreven om zo te reageren. Neem bijvoorbeeld haar nicht Giselle. Toen Ramona's *maman* tegen haar zei: 'Wat een belachelijke naam, Isidore Louis Junior. Ik moet er bijna om lachen,' heeft Giselle haar een asbak naar haar hoofd geslingerd.

Materena weigert nu alleen maar een stuk te nemen van Mama Roti's bananentaart. Omdat ze kwaad is en omdat ze toch al nooit gek is op haar taarten. Ze doet er te veel suiker in.

Mama Roti gaat zitten en babbelt over de warmte, de muggen van gisteravond en de rijpe bananen.

'Gek, hè?' zegt ze. 'Al mijn bananen zijn in één nacht rijp geworden.'

'Ja, gek,' zegt Materena.

'En waar zijn de kinderen?' vraagt Mama Roti.

'In hun slaapkamer, denk ik.'

'Met die zon!'

Materena onderdrukt een zucht.

Mama Roti roept: 'Eh, kinderen, kom gauw hier! Mama Roti heeft een bananentaart voor jullie gebakken en de bananen komen van haar eigen tros!'

Alleen Moana roept terug: 'Ik kom eraan!' Normaal gesproken zou Materena naar de slaapkamer van de kinderen rennen en hen aansporen snel te komen kijken naar de taart die Mama Roti voor hen heeft gebakken. Ze zou dat natuurlijk discreet doen. Mama Roti mag niet weten dat haar kleinkinderen gedwongen moeten worden van haar taarten te eten.

Maar vandaag gaat ze gewoon door met vegen.

Mama Roti snijdt een stuk taart af en Moana eet het helemaal op.

'Uw bananentaart is erg lekker, Mama Roti,' zegt hij.

Mama Roti lacht voldaan en slaat haar armen om hem heen. Ze houdt hem stijf tegen zich aan en zucht. 'Ah, jij weet hoe je je oude grootmoeder blij moet maken, eh.'

Ze geeft hem een zoen op zijn voorhoofd. 'Mijn eendje, mijn kippetje, mijn kleine schat.'

Materena loopt naar Tamatoa's slaapkamer. Hij ligt een Akim-strip te lezen in bed. Ze beveelt hem de bananentaart te komen eten die zijn grootmoeder heeft gebakken.

'Ik vind Mama Roti's taarten niet lekker.' Tamatoa slaat een bladzijde om.

Materena trekt hem aan zijn oor en moppert: 'Kom onmiddellijk uit bed en ga die taart eten. En als je tegen haar zegt dat je hem niet lekker vindt, krijg je met mij te doen.'

Dan gaat ze naar Leilani's slaapkamer. Die zit foto's uit de krant te knippen.

'Kind,' zegt Materena rustig. 'Mama Roti heeft een bananentaart voor jullie gebakken. Kom mee, dan krijg je een stuk.'

'Of anders?' Leilani kijkt haar moeder aan.

Materena laat haar de palm van haar hand zien. Leilani legt haar schaar weg en staat op.

'En zeg niet tegen Mama Roti dat haar taart niet lekker is,' zegt Materena.

'Oké. Ik zal wel tegen haar zeggen dat hij verrukkelijk is.' Leilani glimlacht naar haar moeder. De laatste keer dat Materena een baksel van Mama Roti heeft gegeten (het was een boterkoek), moest ze naar de badkamer rennen om het stuk uit te spugen.

Materena grinnikt en glimlacht terug naar Leilani. 'Je hoeft niet te zeggen dat hij verrukkelijk is. Zeg maar gewoon dat hij lekker is.'

Marae

Er is een schoolexcursie naar de marae. Tamatoa vraagt zijn moeder het briefje van school te tekenen en hem het geld mee te geven.

'Weet je zeker dat je naar de marae wilt?' Materena bekijkt het briefje niet eens.

'Ah, ja, dat weet hij zeker. De hele klas gaat en de meester zei dat iedereen mee moest, omdat marae horen bij de geschiedenis van Tahiti.

Materena vraagt een pen en Tamatoa gaat er een halen.

Ze denkt na over de excursie. Ze heeft er een ongemakkelijk gevoel bij. Tamatoa kliert veel te graag. Tijdens de mis vindt hij altijd wel een manier om zijn broer en zus en wie er verder nog maar bij hem in de buurt zit, dwars te zitten. Hij gaat nooit rustig slapen, zoals Leilani en Moana. Hij knijpt, schopt, fluistert grapjes, maakt de priester belachelijk. Soms misdraagt hij zich zo dat Materena hem naar buiten stuurt. Maar meestal geeft ze hem alleen een klap tegen zijn hoofd, trekt ze hem aan zijn oor, of dreigt ze dat hij naast tante Celia moet gaan zitten, als hij zo doorgaat.

Hoe zal hij zich gedragen bij de marae?

Tamatoa komt terug met de pen, maar Materena wil het briefje nog niet meteen tekenen.

'Weet je dat de marae een heilige plek is?' vraagt ze.

Ah ja, natuurlijk weet hij dat. Ze hebben het er in de klas over gehad en er staat een hele bladzijde over in zijn boek – dat gaat hij vanavond lezen. Materena vraagt of ze die bladzijde mag zien. Tamatoa loopt met tegenzin naar zijn schooltas en brengt het boek naar de keuken. Materena beveelt hem de bladzijde voor te lezen. Hij laat zich op de stoel naast haar neerploffen en en zucht.

'Maraes zijn heilige plekken en er zijn zes typen maraes,' begint hij. Dan kijkt hij naar zijn moeder.

'Kijk maar niet naar mij,' zegt Materena. 'Kijk maar in je boek.'

'Het eerste type is de marae in Oppa, die is gewijd aan de God van de Oorlog,' vervolgt Tamatoa. 'Het is een internationale marae, want er waren hoofdmannen van vele eilandengroepen aan die marae verbonden. Het tweede type is de nationale marae met een hogepriester die was verbonden aan een vorst – op een nationale marae konden mensenoffers worden gebracht. Dan zijn er de lokale maraes voor de dorpen, die werden bestuurd door een hoofdman en een hogepriester. Op dat soort maraes konden geen mensenoffers worden gebracht. Dan hebben we de voorouderlijke maraes, die werden gebouwd op de grond van iedere familie; de sociale maraes, die waren gewijd aan de belangrijkste Goden en ten slotte de maraes die waren opgedragen aan specialisten zoals dokters, kanobouwers en vissers.'

Er staat nog meer, maar Tamatoa wil eerst weten of zijn moeder nog meer wil horen.

Materena kijkt Tamatoa ernstig aan. 'Natuurlijk wil ik meer horen. Maar eerst wil ik weten wat de marae Arahurahu voor marae is.'

Wat de marae Arahurahu voor marae is?' Tamatoa haalt zijn schouders op. Wat kan hem dat nou schelen?

'Daar ga je naartoe!'

'Ah.'

Nou, Tamatoa weet niet wat voor een het er is – misschien wel een lokale marae.

Hij dreunt de tekst verder op. 'Hier volgt een lijst van de ceremoniën die op de maraes plaatsvonden. Het begin en het eind van een oorlog. De erkenning door de koning van de macht der goden. Het rijpen van het jaar. Goedmaken van de zonden van de priesters – zoals schending van hun heiligheid door het doen van huishoudelijk werk, fouten begaan tijdens de rituelen, gulzigheid bij het opeten van de kop van een schildpad. Deze overtredingen van de priester konden de priester zelf, de bevolking en het eiland ongeluk brengen. De schuldige moest daarom zijn fout erkennen en werd vervolgens gestraft met degradatie naar een gewone sociale status. Bij de marae was er een ceremonie voor iedere belangrijke gebeurtenis met betrekking tot de koninklijke familie, zoals geboorte, ziekte en dood.'

Tamatoa slaat zijn boek dicht. 'Dat was het,' zegt hij.

Materena besluit nog wat extra informatie toe te voegen.

'Luister goed.' Opnieuw kijkt ze Tamatoa heel ernstig aan. 'Ook al worden de maraes tegenwoordig niet meer gebruikt, toch zijn er nog geesten die daar de wacht houden. Zij cirkelen rond de maraes en zorgen dat alle mensen die er komen, hun respect tonen. De ogen en oren van de geesten staan wijd open. Pas op dat je ze niet kwaad maakt, want dan moet je boeten.'

Tamatoa zet grote ogen op.

Materena vertelt hem over het kind dat op een marae had gespuugd. Nauwelijks twee minuten later kreeg hij een stuip en kwam er wit schuim op zijn mond. Hij stierf op het moment dat hij het ziekenhuis werd binnengebracht: hij was gestikt in zijn eigen tong. (Haar neef Mori heeft haar dit verhaal verteld.)

Tamatoa zet nog grotere ogen op.

Materena drukt hem op het hart dat hij onder geen voorwaarde iets van de marae mag meenemen.

Ze vertelt hem het verhaal van een toerist, die een steen van een marae had meegenomen. Hij wilde ermee pronken bij zijn familie in zijn eigen land. Midden in de nacht werd hij echter wakker van een verschrikkelijke nachtmerrie, waarin hij zichzelf een dodelijke val zag maken van een klif. Een stem beval hem de steen terug te brengen waar hij thuishoorde. Breng de steen terug waar hij thuishoort – breng de steen terug waar hij thuishoort, zei de stem. De toerist rende nog diezelfde nacht het hele eind terug naar de marae en de volgende dag nam hij het vliegtuig naar huis. (Dit verhaal kent iedereen.)

Tamatoa's ogen rollen bijna uit hun kassen. 'Is dat allemaal waar, mamie?'

'Toon respect aan de waakgeesten. Die zijn daar, echt waar.' Materena ondertekent het briefje.

Dan haalt ze de munten uit het geldblikje en stopt ze samen met het briefje in een envelop.

Tamatoa bleef bij de marae in de vrachtwagen zitten. Hij zei tegen zijn meester dat hij een beetje last had van zijn maag, maar in werkelijkheid wilde hij niet over de marae lopen. Hij was bang.

En Materena is niet boos dat ze voor niets excursiegeld heeft betaald.

'We kunnen de heilige plekken maar beter met rust laten,' zegt ze tegen Tamatoa.

Besnijdenis

Pito was twaalf toen hij besneden werd. Zijn vader nam hem mee naar het ziekenhuis en Pito kon een hele week geen korte broek aan, omdat zijn moa helemaal dik en blauw was. Hij moest een pareu om.

En nu wil Pito Tamatoa in het ziekenhuis laten besnijden, maar daar moet Materena eerst toestemming voor geven. Hij vraagt haar dus de machtiging te tekenen.

'Pito, jij gaat niet met mijn zoon naar het ziekenhuis, zijn moa is prima zoals hij is.' Materena gaat gewoon door met wasgoed ophangen. Ze bekijkt het machtigingsformulier niet eens.

Pito legt uit dat een besneden moa veel makkelijker schoongehouden kan worden, omdat je de huid bij het wassen niet omhoog hoeft te trekken. Het is hygiënischer en de moa stinkt niet. Volgens Pito zal Tamatoa haar dankbaar zijn als ze de machtiging tekent. Geen enkele man wil met een onbesneden moa rondlopen, behalve een popa'a misschien.

'Popa'a's hebben er niks mee te maken.' Materena kijkt Pito nijdig aan.

'Ah oui, sorry,' zegt Pito. 'Ik vergeet altijd dat je vader een popa'a is.'

'Besnijdenis is een mannenzaak,' vervolgt hij.

'Ah oui,' zegt Materena. 'Dat zullen we nog wel eens zien.'

Pito besluit Materena wat geschiedenis bij te brengen. Hij vertelt haar dat vroeger de vaders met hun zoons naar de *tahua'a tehe* gingen, een besnijdenisspecialist, en daar hadden de moeders niets over te zeggen.

'Nou, dat was vroeger,' zegt Materena. 'Nu is alles anders. Nu kunnen moeders als ze dat willen een machtigingsformulier tekenen.'

Pito verwenst het machtigingsformulier en roept Tamatoa naar buiten.

Vanuit de woonkamer roept Tamatoa terug: 'Papi, we zijn aan het knikkeren en ik ben aan het win…'

'Hier. Nu!' Pito klinkt heel streng en Tamatoa staat binnen een paar seconden naast hem.

'Wil jij een man zijn?' vraagt Pito aan hem.

Tamatoa begrijpt de vraag niet. Hij kijkt Pito wezenloos aan.

'Wat?' snauwt Pito. 'Wil je geen man zijn?'

'Ah oui, dat wil ik wel,' zegt Tamatoa snel.

'Weet je wat besnijdenis is?'

'Oui.' Tamatoa ziet nu een beetje bleek.

'Wil je besneden worden?'

Tamatoa ziet eruit alsof hij nauwelijks kan slikken.

'Wil jij de rest van je leven een stinkende moa!' roept Pito geërgerd uit.

'Non,' zegt Tamatoa zacht.

'Dan wil je dus besneden worden.'

Tamatoa's antwoord is nauwelijks hoorbaar. 'Oui.'

'Nou, vraag dan maar aan je moeder om de machtiging te tekenen.' Pito geeft zijn zoon het machtigingsformulier en de pen.

'Mamie. Wil je alsjeblieft de machtiging tekenen?' Tamatoa klinkt helemaal niet overtuigend.

Materena kijkt haar zoon aan en ziet de angst in zijn ogen. Tamatoa denkt waarschijnlijk dat ze Pito zijn zin zal geven. Dat heeft ze inderdaad al vaak gedaan, maar vandaag gebeurt het niet.

Materena is blij dat er een machtigingsformulier is. Ze weet zeker dat een vrouw dat heeft bedacht.

'Je hoeft mij niet te vragen dat papier te tekenen, Tamatoa,' zegt Materena. 'Mijn antwoord is nee. Als je oud genoeg bent om voor jezelf te zorgen, mag je met je moa doen wat je wilt. Maar tot die tijd beslis ik daarover.'

Tamatoa schenkt zijn mamie een heimelijke glimlach en geeft het machtigingsformulier en de pen terug aan zijn vader. 'Mag ik nu gaan?'

Pito wuift Tamatoa weg. 'Ja, ga maar. Maar als ze je *moa taioro* noemen, weet je dat je dat aan je moeder te danken hebt.'

Leilani roept vanuit de keuken: 'Wordt Tamatoa besneden?'

'Bemoei je met je eigen zaken, Leilani!' roept Pito terug.

Leilani komt naar buiten en vraagt haar broer of hij besneden wordt. Tamatoa vertelt haar dat hij dat wel zou willen, maar dat mamie het machtigingformulier niet wil tekenen.

'O,' zegt Leilani. 'De broer van mijn vriendinnetje is ook besneden, maar de dokter heeft een fout gemaakt en nu heeft hij zó'n piemeltje.'

Leilani wijst aan hoe groot het piemeltje van de broer van haar vriendinnetje nu is. Ongeveer twee centimeter.

'Hij is nu twintig,' vertelt ze verder. 'En hij kan geen vriendin krijgen.'

'Is dat waar jullie op school over praten? Over piemeltjes!' Materena is half-ernstig, maar ze moet ook lachen.

'Non, mamie,' zegt Leilani, helemaal verlegen nu. 'Mijn vriendinnetje vertelde het me gewoon.'

'Ik laat me nooit besnijden!' Tamatoa legt zijn handen beschermend over zijn schaamstreek.

Pito frommelt het machtigingsformulier in elkaar. Hij weet kennelijk niet wat hij verder nog moet zeggen. Eh, hij gaat een koud biertje pakken.

Materena draait zich naar Tamatoa. 'Nou, zullen wij eens samen een potje knikkeren? Vooruit, ga de knikkers maar halen. Je kunt beter buiten spelen dan binnen. En haal je kleine broertje ook maar.'

Materena vindt het leuk om te knikkeren met haar jongens. Vroeger knikkerde ze op school, maar dan verloor ze altijd. Sommige mensen mikken hun knikkers zó in de pot en anderen niet. Het is Materena een raadsel hoe dat komt.

Haar nicht Lily kon op school altijd erg goed knikkeren, tot haar hormonen begonnen te werken. Haar knikkers gingen er nooit in één keer in, maar ze lagen altijd wel het dichtst bij de pot. Misschien had ze ook wel succes omdat ze alleen met jongens knikkerde. Die lieten zich misschien afleiden door haar lange, gespierde benen.

Materena knikkerde ook met jongens, maar haar knikkers lagen nooit het dichtst bij de pot.

Materena verwacht niet dat ze vandaag zal winnen. Daar gaat het haar ook niet om. Ze vindt het gewoon leuk om iets samen te doen met haar jongens.

Tamatoa geeft iedere speler vijf knikkers. Materena heeft de eer om als eerste op te gooien.

Met haar ogen strak op de pot gericht en in opperste concentratie gooit ze op. De knikker volgt een zigzaglijn en schiet langs de pot.

'Niet gek, mamie,' zeggen de jongens.

'Materena, zo moet het niet.' Pito is met een biertje in zijn hand naar buiten gekomen. Hij zegt dat ze goed moet opletten hoe hij het doet. Hij was vroeger de beste knikkeraar van de hele school en hij weet zeker dat niemand zijn record nog heeft verbeterd.

'Kijk maar eens even hoe een professional dat aanpakt.' Hij zet zijn biertje weg en laat de knikker in de palm van zijn hand rollen. Hij gooit op en de knikker rolt in een rechte lijn de pot in. Pito slaat zijn handen in elkaar.

'Prima worp,' zegt hij.

Dan zijn de jongens aan de beurt. Moana's knikker gaat naast. Hij haalt alleen zijn schouders op. Tamatoa's knikker gaat ook naast. Hij stampt op de grond.

Materena is weer aan de beurt. Ze laat de knikker in de palm van haar hand rollen. Ze gaat hier een aardig poosje mee door en Pito vraagt of ze tot morgen wacht met opgooien.

'Pito, ik gooi op wanneer ik wil.'

Ze gooit. De knikker rolt zigzaggend een eind naast de pot.

'Deze ging beter dan de vorige, mamie,' zegt Moana.

Maar Pito schudt zijn hoofd. 'Materena, je doet het helemaal verkeerd.'

De jongens volgen en dan is Materena weer aan de beurt. Ze gooit op en de knikker schiet weer langs de pot.

'Je knikker komt steeds dichter bij het potje,' zegt Moana, terwijl hij zijn moeder medelijdend aankijkt.

Pito spuugt in zijn handen en laat de knikker in de palm van zijn hand rollen. Hij wil net opgooien als Materena een vrolijk liedje begint te fluiten. Pito klaagt dat hij niet kan gooien met dat gefluit. Dat kost hem zijn concentratie.

'Pito eh,' lacht Materena. 'Het is geen knikkerwedstrijd. Je krijgt geen medaille.'

'Waarom fluit je? Wil je dat ik mijn concentratie verlies?' Pito kijkt Materena strak aan, alsof hij haar gedachten probeert te lezen.

'Ik fluit omdat ik daar zin in heb,' zegt Materena.

'Fluit maar als mijn knikker in de pot ligt,' zegt Pito.

Hij gooit op – en de knikker verdwijnt natuurlijk weer regelrecht in de pot.

'Ik ben de beste.' Pito knipt met zijn vingers.

Materena heeft nu haar laatste knikker en ze is blij dat het spelletje bijna afgelopen is. Ze heeft nog meer te doen.

'Materena,' zegt Pito.

Ze steekt haar hand op, ten teken dat ze het niet wil horen. Pito praat toch verder. Volgens hem kan Materena beter niet proberen de knikker meteen in de pot te mikken – dat is niet realistisch. Ze kan beter proberen de knikker zo dicht mogelijk bij de pot te krijgen.

'Ah, meen je dat nou?' zegt Materena. 'We zullen zien.'

Ze laat de knikker niet in haar hand rollen. Ze concentreert zich niet op de pot.

Ze gooit gewoon op.

De knikker rolt in één keer de pot in. Materena kan haar ogen niet geloven. Haar jongens rennen op haar af en schreeuwen: 'Mamie heeft hem erin!'

Leilani steekt haar hoofd naar buiten en roept: 'Wat heeft mamie erin?'

'De knikker!' schreeuwt Moana terug.

'Ah.' Leilani gaat verder met wat ze aan het doen was.

'Hoe deed je dat nou?' vraagt Pito aan Materena.

Ze knipoogt. 'Ah, ik heb ook zo mijn technieken. Je bent niet de enige met een techniek.'

Pito wil dat ze het nog eens doet.

'Een andere keer,' zegt ze. Ze weet dat je het na zo'n worp niet nog eens moet proberen. Die regel past ze ook toe met bingo. Zodra ze gewonnen heeft, haalt ze haar prijs op en gaat ze naar huis. Er gaat niets boven stoppen als je gewonnen hebt.

Materena buigt sierlijk voor haar juichende en klappende zoons. Pito werpt haar een wantrouwige blik toe, alsof hij wil zeggen: 'Raar hoor, zoals die knikker van jou erin ging.'

'Mamie is de kampioen,' schreeuwt Tamatoa met zijn vuisten in de lucht. Materena glimlacht naar haar oudste zoon en denkt: hij is nog maar een kind.

Ach, dat gedoe met die besnijdenis, denkt Materena weer. Ze kijkt naar haar zoon, die in diepe slaap is. Het is allemaal flauwekul.

De dag dat haar broer besneden was, begon hij opeens heel stoer te doen en brutale monden te geven tegen hun mamie. Hij was een stuk beleefder toen hij nog niet was geopereerd aan zijn moa.

Met Pito was het net zo gegaan, klaagde Mama Roti tegen Materena.

Hij was eerst een lieve jongen, die alles voor zijn mama deed en haar vaak knuffelde. Maar toen zijn papi hem had meegenomen naar het ziekenhuis om besneden te worden, werd hij opeens bikkelhard. Mama Roti werd niet meer geknuffeld. Pito stond de hele dag voor de spiegel om zijn spierballen te trainen.

Maar niet alle jongens veranderen als ze besneden zijn.

Mori bijvoorbeeld is nog steeds erg lief tegen zijn mama. Als hij langs een tuin met mooie bloemen komt, plukt hij er een boeket van en geeft dat aan zijn moeder met de woorden: 'Voor mijn mooie mama.' Mori's mama zegt soms: 'Ach mijn zoon, ik zegen de dag dat jij geboren bent.' En soms zegt ze: 'Hou op met bloemen jatten en zoek een baan.'

Materena streelt Tamatoa over zijn haar en geeft hem een kus op zijn voorhoofd.

Het is over elven. Ze heeft haar kinderen al een zoen gegeven toen ze om acht uur naar bed gingen, maar ze geeft ze ook altijd nog een kus op hun voorhoofd als ze zelf naar bed gaat. Voor de zekerheid.

———

Het zwembad

Het is warm en vochtig en er zitten mieren in de keuken.

Materena zet de suikerpot in een andere pot, die halfvol water staat. De mieren kruipen in de pot en verdrinken. Het gaat binnenkort regenen, maar op dit moment is de hitte ondraaglijk.

Het is weekend. Tamatoa en Leilani zijn in de huiskamer. Ze maken ruzie over een potlood dat Tamatoa heeft gepakt zonder toestemming te vragen. Materena probeert niet naar hun geschreeuw te luisteren.

'Geef mijn potlood terug!'

'Als ik klaar ben!'

Het geschreeuw gaat door en Materena kan er niet meer tegen.

Ze grijpt de houten lepel en loopt met grote stappen de kamer in. Tamatoa en Leilani liggen op de grond. De een stompt en de ander bijt. Zodra ze de houten lepel zien, krabbelen ze overeind en rennen naar hun slaapkamer. Het lukt Materena nog net een paar meppen tegen hun benen te geven.

Wat is het heet!

Ze is terug in de keuken.

'Wat kan ik doen?' zegt Materena hardop tegen zichzelf. 'Ah, ik ga limonade maken voor de kinderen.' Ze pakt twee citroenen en een fles koud water uit de koelkast. Ze giet het koude water in de kan en vult de fles met kraanwater voor als ze straks nog meer limonade willen. Ze snijdt de citroenen door midden en knijpt ze uit boven de kan tot er geen sap meer uit komt. Als ze de suiker erdoor mengt, ziet ze een paar mieren drijven. Ze vist ze eruit klaagt weer over de hitte.

'Waar blijft die regen toch!'

Ze roept de kinderen, maar alleen Moana reageert. Hij komt aanlopen met een potlood en tekenpapier in zijn hand.

'Ben je aan het tekenen?'vraagt ze aan hem.

'Ja, ik teken een zwembad.'

'Je bent een lieve jongen.' Materena glimlacht. Ze vindt het vreemd dat Moana een zwembad tekent. Meestal tekent hij bomen. Bomen en dieren.

'Waarom teken je een zwembad?' Ze wil het graag weten.

'Omdat ik het warm heb!'

Moana drinkt zijn limonade op en gaat dan terug naar zijn kamer om zijn zwembad af te tekenen.

En Materena besluit een zwembad te maken.

Ze heeft nog steeds die badkamertegels liggen – de tegels die ze bij Lily had opgehaald, nadat die haar badkamer opnieuw had betegeld.

Materena pakt pen en papier en gaat aan de keukentafel zitten om haar zwembad te tekenen. Het wordt vierkant. Een meter bij een meter en een halve meter diep. Ze bestudeert haar plan en komt dan tot de conclusie dat het eigenlijk meer een vijver is dan een zwembad.

Nou ja, een vijver is beter dan een wastobbe, denkt Materena.

De vijver komt in de achtertuin, naast de rode jasmijn. Materena gaat de schep halen. Pito, die buiten op zijn ukelele zit te oefenen, schudt zijn hoofd als Materena met de schep over haar schouder langsloopt.

'Wat ga je met die schep doen?' vraagt hij.

Ze legt de situatie uit en Pito begint te lachen..

'Dus jij hebt opeens verstand van vijvers?'

'Dat heb ik helemaal niet gezegd.' Materena wou maar dat Pito zijn aandacht bij zijn ukelele hield.

'Maar je weet wel wat je moet doen?'

'Oh oui!' En om dat te bewijzen, begint ze als een razende te scheppen.

Pito roept naar de kinderen dat ze moeten komen kijken hoe hun moeder een vijver graaft. Binnen een paar minuten staan ze alledrie buiten.

'Ga je een vijver graven?' vraagt Moana.

Materena knikt.

Moana's ogen beginnen te stralen van opwinding en hij trekt meteen zijn kleren uit. 'Wanneer is hij klaar?'

'Gauw,' zegt Materena vol zelfvertrouwen.

Pito snuift schamper en Tamatoa doet hem meteen na. Besnijdenis of niet, Materena heeft gemerkt dat hij de laatste tijd is veranderd. Eh, het is de leeftijd. Maar ze wordt er wel een beetje verdrietig van.

'Laat ik je nooit in mamie's vijver zien, Tamatoa,' waarschuwt Leilani.

'Wordt het een grote vijver?' vraagt Moana.

'Groot genoeg voor jou, Leilani en mij,' antwoordt Materena, terwijl ze Tamatoa strak aankijkt.

Ze gaat door met graven. Ze heeft zweet op haar voorhoofd, onder haar armen, tussen haar benen. Ze heeft nooit geweten dat een vijver graven zo moeilijk was. Ze graaft verder en neuriet een vrolijk liedje om de moed erin te houden. Ze stelt zich voor hoe de vijver eruit zal zien als hij klaar is. Zij is ervan overtuigd dat je in jezelf moet geloven, dan kan het niet fout gaan. En zij gelooft in zichzelf. Ze wil die vijver erg graag hebben.

Het gat is klaar, nu is het tijd om de zaak te betegelen. Ze gaat de tegels halen, die achter het huis staan. Leilani en Moana komen achter haar aan. Er zijn ruim driehonderd tegels – meer dan genoeg. Moana en Leilani stellen meteen voor te helpen, en met z'n drieën dragen ze de tegels naar het gat.

Materena legt de eerste tegel en duwt hem stevig in de grond.

'Denk je dat het water erin blijft staan?' vraagt Pito.

'Natuurlijk.'

'Weet je dat zeker?'

'Oui, dat weet ik zeker. Honderd procent.'

'Denk je niet dat het eruit gaat lekken?'

Pito's vragen beginnen Materena op de zenuwen te werken.

'Non,' zegt ze. 'Ik denk niet dat het water eruit gaat lekken, ik denk dat mijn vijver volloopt met water.'

'Je praat over die vijver alsof hij al klaar is,' zegt Pito. 'Maar ik kan je één ding vertellen, vrouw. Wat jij doet is tijdverspilling. Je moet beton hebben.'

Materena haalt haar schouders op. Pito's woorden gaan haar het ene oor in en het andere uit. 'Kun je geen vijver maken met tegels, papi?' vraagt Tamatoa. Hij wil het even zeker weten.

'Je hebt beton nodig,' zegt Pito. Tamatoa kijkt naar zijn moeder en schudt zijn hoofd.

Materena is een hele tijd bezig om de tegels netjes naast elkaar in het zand te duwen. En nu is het tijd om de tuinslang te halen. Moana loopt naar de buitenkraan, zet hem open en rent lachend terug, met de tuin-slang in zijn handen.

Materena vult de vijver met water. Het water loopt tussen de tegels door weg in het zand. Pito en Tamatoa kijken elkaar even aan en trek-ken een zelfgenoegzame grijns. Materena schuift de tegels een stukje op, maar het water blijft weglopen. Bovendien wordt het een modderboel.

Ze is heel boos en verdrietig, maar aan haar gezicht kun je niet zien dat ze op het punt staat in tranen uit te barsten. Het is net of het haar niets kan schelen of haar vijver er komt of niet.

'Oh, nou ja,' zegt ze onverschillig. 'Vandaag lukt het niet meer.'

'Je hebt...' begint Tamatoa.

Maar met één enkele blik maakt Pito zijn zoon duidelijk dat hij zijn mond moet houden.

Materena heeft veel zin om de tegels met de schep kapot te slaan, maar dat heeft geen zin. Ze kan nu beter weggaan en later zien wat ze met de tegels doet. Nu gaat ze een lekkere koude douche nemen. Ze loopt waar-dig weg, nagekeken door Pito en de kinderen.

Moana trekt zijn kleren weer aan. 'Arme mamie.'

Materena huilt onder de douche. Ze is zo kwaad, ze kan zichzelf wel slaan. Wat haalde ik me in mijn hoofd, om een vijver te willen maken. Een vijver nota bene! Stom mens! Ze knarsetandt van woede. Waarom heb je niet gewoon de grote badkuip gepakt, zoals je anders altijd doet? Waarom doe je toch zo moeilijk? De wastobbe is perfect!

Materena weet niet of ze huilt omdat haar vijver is mislukt, of omdat ze gisteravond moest denken aan de bruiloft. De bruiloft die er nooit komt, zodat ze later doodgaat zonder ring aan haar vinger en zonder in-gelijste trouwakte aan de muur. Ze begrijpt niet waarom ze gisteravond aan de bruiloft moest denken. Ze had echt gedacht dat ze daar overheen was – genezen.

Nou ja, misschien huilt ze daar wel helemaal niet om. Misschien huilt ze gewoon omdat ze daar zin in heeft. Omdat het soms lekker is om te huilen.

Er klinkt een donderslag en meteen daarna weer een. Dikke regen-druppels vallen op het golfplaten dak en binnen een paar minuten giet het van de regen. Buiten heerst grote opwinding.

'Mamie!' roept Leilani. 'Kom kijken!'

Materena, die denkt dat Pito een kunstgreep heeft uitgehaald met haar vijver, slaat een handdoek om zich heen en rent naar de achterdeur om te zien wat er aan de hand is.

De regen heeft de vijver opgevuld.

Leilani en Moana zitten er stijf tegen elkaar aangedrukt in. Ze lachen en spatten elkaar nat met het modderige water. Iedere keer als Tamatoa erbij probeert te komen, duwen ze hem weg.

Materena heeft opeens geen zelfmedelijden meer.

Wie heeft er beton nodig als het regent?

De adoptie

Het regent nog steeds en alleen al het geluid van de druppels op het dak maakt Materena melancholiek. En als ze zich zo voelt, moet ze huilen. Ze merkt dat ze deze week snel huilt, soms zonder duidelijke reden. Het kan bijvoorbeeld gebeuren dat ze staat te vegen en zich plotseling verdrietig voelt.

Maar vandaag huilt ze om haar nicht Tepua.

Tepua's bijnaam is *po'o neva-neva*, hoofd in de wolken. Haar neef James zei eens tegen haar: 'Tepua, de paus is op Tahiti en hij preekt aanstaande zondag in de kathedraal van Papeete.' Toen het zondag was, boende Tepua haar kinderen goed schoon, trok ze nette kleren aan en stapte met hen op de vrachtwagen naar Papeete om de paus in de kathedraal te zien.

Maar sinds haar tragedie noemt niemand Tepua meer hoofd in de wolken. Het is ongeveer een jaar geleden gebeurd.

Op een zondag, na de mis, kwam Tepua de popa'a-vrouw voor het eerst tegen. Ze gaf Tepua een complimentje dat haar kinderen er in hun witte, zondagse kleren zo schattig uitzagen. Tepua vond het wel leuk dat die vrouw zulke aardige dingen zei over haar gezin. Ze praatten naast de kerk nog wat door over het weer, de kerkdienst, Tepua's zesde kind dat over vier maanden geboren zou worden... en over het feit dat de popa'a-vrouw geen kinderen kon krijgen.

De vrouw, Jacqueline heette ze, was al jaren van haar treurige toestand op de hoogte. Ze had zich er ten slotte in geschikt, tot haar man naar Tahiti werd overgeplaatst. Hier zag Jacqueline overal waar ze kwam kinderen. Ze droomde er zelfs van.

Tepua had medelijden met Jacqueline. Ze nodigde haar uit om een keer bij haar thuis te komen. Ze vertelde haar precies waar het was: achter de snackbar, het vierde huis, groen en geel geschilderd, met een kapotte wasautomaat in de voortuin.

Tepua maakte haar huis van onder tot boven schoon en dat was maar goed ook, want Jacqueline kwam meteen al de volgende ochtend. Ze praatten nog wat met elkaar en toen Jacqueline wegging, zei Tepua tegen zichzelf: wat een aardige vrouw – en zo zielig eh.

Twee dagen later kwam ze weer en twee dagen daarna weer. En toen kwam er een splinternieuwe wasautomaat. Tepua zei tegen de bezorgers dat ze het adres beter even konden controleren, want dat zij echt geen nieuwe wasautomaat had besteld. Maar op het afleveringsformulier stond haar naam en ook de naam van haar popa'a-vriendin – Madame Jacqueline Pietre.

Tepua werd een beetje boos op Madame Jacqueline Pietre. Ze had helemaal niet geklaagd dat ze geen wasautomaat had en mensen die je niet goed kent, geef je niet zomaar een splinternieuwe wasautomaat cadeau. Eigenlijk wilde ze hem teruggeven. Maar ze was het wassen op de hand beu en aangezien haar nieuwe vriendin (haar zus nu bijna) genoeg geld op de bank had staan...

Tepua vroeg haar popa'a-vriendin of ze peettante van de baby wilde worden en Jacqueline accepteerde dat aanbod onmiddellijk. Ze viel zelfs voor haar op haar knieën en zegende haar.

Daarna begon het vreemde gedoe. Jacqueline begon rare dingen te zeggen – ze klaagde over pijn in haar onderrug, gezwollen borsten en misselijkheid en ze had vreselijke trek in aardbeien en pompoenen. Ze deed ook raar: ze wilde steeds Tepua's buik aaien en de baby gedichtjes voorlezen, alsof die dat kon horen. Tepua was bang dat haar popa'a-zus haar verstand begon kwijt te raken.

Jacqueline richtte een hele slaapkamer in haar huis in voor haar petekind. Ze kocht een splinternieuwe wieg met een klamboe, ze hing mobielen aan het plafond en ze kocht speelgoed, speelgoed en nog meer speelgoed. Ook schafte ze een complete babyuitzet aan, met kleertjes van dure, geborduurde stof.

Twee maanden voor de baby geboren zou worden kwam Tepua voor het eerst bij haar popa'a-zus thuis. Jacqueline leidde haar rond. Toen pakte ze haar handen vast en begon ze met zachte stem te praten over adoptie.

Tepua rukte zich los. 'Ik ben niet zo'n moeder die haar kinderen weggeeft.'

Jacqueline verzekerde haar dat adoptie niet hetzelfde was als 'wegge-ven'. Het kind zou van Tepua blijven. Maar het eten, de kleertjes en de opleiding zou zij betalen. Ze wilde alleen maar een goede peettante zijn.

Nachtenlang dacht Tepua over het voorstel na. Ze wilde het doen, maar toch ook weer niet. Ze dacht na over de wasautomaat, de slaapka-mer, haar moeilijke leven, de kinderen die ze al had en nog zou krijgen – zes, zeven misschien. Ze vroeg God om een teken. De volgende dag ging ze naar de priester om toestemming te vragen voor een operatie om geen kinderen meer te krijgen, maar hij vond dat niet goed, omdat ze ge-zond was.

Dus stemde Tepua ermee in dat Jacqueline de baby zou krijgen. Te-pua zou de baby mogen bezoeken wanneer ze maar wilde. In Jacquelines huis, achter een elektronisch beveiligd hek.

'Mijn huis is jouw huis,' bezwoer Jacqueline haar.

En om dat te bewijzen, gaf ze haar de code van het hek.

Er moesten wat papieren worden getekend – alleen maar een formali-teit om de erfenis te regelen. Monsieur Pietre nam Tepua's man mee naar de kroeg en betaalde voor zijn rit naar huis.

Madame Pietre's geadopteerde dochter werd op een zaterdagmorgen geboren. Madame Pietre voelde de weeën en perste haar baby de wereld in. En toen de dokter haar het pasgeboren kind met het donkere haar en de bruine huid in de armen legde, riep ze uit: 'O, ze lijkt sprekend op mij!'

Twee weken na de geboorte kwam Tepua bij Madame Pietre op be-zoek. Het was de tweede keer dat ze daar kwam. Ze toetste de code in en het hek ging open. Toen hoorde ze de baby huilen en ze rende naar haar toe om haar te redden.

Jacqueline gaf Tepua geen zoen. Ze nam haar alleen maar van top tot teen op, terwijl ze de baby stijf in haar armen hield. Tepua mocht haar niet vasthouden. 'Het is beter als je hier niet meer komt,' zei ze.

Tepua ging naar huis. Ze voelde zich een beetje verloren. Ze begreep er niets van dat Jacqueline tegen haar praatte alsof ze haar niet kende. Ze waren vriendinnen. Ze waren zussen. Misschien is mijn zus moe door slaapgebrek, dacht ze. Weinig slaap en een huilende baby – daar kun je agressief van worden.

Tepua ging twee dagen later weer naar Jacquelines huis. Ze toetste de code in, maar het hek ging niet open. Misschien was het kapot. Tepua klom eroverheen en riep: 'Jacqueline! Vriendin! Jacqueline!'

Jacqueline kwam direct het huis uit. 'Ga van mijn grond!' schreeuwde ze. Ze leek wel gek geworden. Ze rende het huis in om de gendarmerie te bellen en even later kwam er een gendarme om Tepua van Madame Pietre's grond te gooien.

'Weet u wel dat het verboden is om zonder toestemming privé-terrein te betreden?' zei de gendarme, terwijl hij Tepua hardhandig bij de arm pakte.

'Ik ben al te vaak bestolen, Monsieur,' klaagde Madame Pietre. 'Dit moet afgelopen zijn.'

De gendarme was het met haar eens dat stelen een ernstig probleem was op Tahiti. Hij zei: 'Het probleem met die mensen is dat ze het verschil niet kennen tussen stelen en lenen.'

Tepua sloeg de splinternieuwe wasautomaat kapot met een hamer. Toen haalde ze een bijl en hakte erop in, terwijl de tranen haar over de wangen stroomden.

Geen van haar familieleden zei tegen haar: 'Hé, hoofd in de wolken, waarom heb je die papieren dan getekend?'

Mori kwam de vernielde wasautomaat ophalen en bracht hem naar de vuilnisbelt. Hij nam meteen de andere kapotte wasautomaat mee, die hij al maanden geleden zou hebben opgehaald.

Gisteravond was er bij Loana thuis een gebedsbijeenkomst om de Heilige Maagd Maria te smeken Tepua te helpen bij het verwerken van haar verlies. Lily gaf Loma een klap in haar gezicht omdat ze zei: 'Ik begrijp niet waarom Tepua haar kind heeft weggegeven.' En Materena huilde zo hard dat het net leek alsof zij de moeder was die haar kind was kwijtgeraakt.

Ze huilt nu nog steeds, maar de kinderen zijn terug van school. Ze hoort Tamatoa en Leilani ruzie maken op het pad. Ze komt overeind en haast zich naar de badkamer om haar gezicht te wassen.

In de vuilnisbak

De zon is terug!

Na meer dan een week regen, zijn alle moeders van Tahiti opgelucht dat de zon weer schijnt. Het betekent dat ze kleren kunnen wassen, blad kunnen harken en de kinderen naar buiten kunnen sturen om te spelen, zodat zij het huis van onder tot boven kunnen schoonmaken.

Materena maakt het huis schoon en klaagt.

Ze klaagt omdat ze dingen van de grond moet oprapen. Dat is niet haar favoriete bezigheid, maar omdat ze het niet kan hebben als er dingen op de grond liggen, zit er niets anders op dan ze op te rapen.

Maar ze klaagt vooral omdat Pito met zijn ogen dicht op de bank ligt. Ze ergert zich groen en geel aan hem. Als ze het huis schoonmaakt, heeft ze het liefst dat iedereen naar buiten gaat. Pito gaat dan meestal buiten op zijn ukelele oefenen. Maar vandaag wil hij met zijn ogen dicht op de bank liggen. Materena doet net of ze hem niet ziet, maar het lukt niet erg.

'Eh Pito, heb je geen zin om naar buiten te gaan?' vraagt ze vriendelijk. Hij moet niet denken dat ze hem loopt te commanderen.

Maar nee, Pito wil blijven liggen waar hij ligt.

Materena raapt mopperend alle spullen van de kinderen van de grond. Daar ligt Tamatoa's gehavende robot, die Mama Roti hem voor zijn tiende verjaardag heeft gegeven en daar Leilani's kam en haarelastiekjes en daar Moana's doos met potloden.

En er ligt nog veel meer dat niet op de huiskamervloer thuishoort.

Pito zegt tegen Materena dat ze alle dingen die op de grond liggen in de vuilnisbak moet gooien. Als spullen niet liggen waar ze thuishoren, wil niemand ze blijkbaar meer hebben. Hij komt helemaal op dreef. Als hij het huishouden deed, zou hij van alles vijf hebben: vijf vorken, vijf borden, vijf glazen, vijf lakens, vijf slopen, meer niet.

'En als mijn mamie dan op bezoek komt, eh? Wat moet ik haar dan voor bord geven? Of moet ze van een blad eten?' Materena vindt die Pito ongelofelijk!

'Dan moet een van de kinderen zolang maar zonder bord doen en wachten tot er een vrij komt,' zegt Pito.

Hij zegt dat hij de kinderen met hun kleren aan onder de douche zou zetten. Dan zouden ze er gauw achter komen dat ze beter niet in de modder kunnen spelen. Als ze tenminste geen zin hebben om stevig te worden afgeboend. Hij zou ze ook de kleren laten opvouwen zodra ze van de waslijn kwamen – dat spaart strijken. En hij zou één keer per dag vegen en niet zes of zeven keer.

'Jij veegt te veel.' Hij heeft dit al veel vaker gezegd.

'Ik vind het fijn om te vegen. En wat zeur je nou? Ik klaag toch niet dat ik moet vegen?'

Pito vindt dat Materena enorm veel tijd verspilt met dat geveeg. Als hij het voor het zeggen had, zou hij de kinderen laten schoonmaken. Dan zou het een halfuur duren en geen uren.

'Pito, doe jij nou maar je ogen dicht en hou je mond. Ik heb jouw advies niet nodig.'

Materena kijkt onder de bank of daar nog iets ligt om op te rapen.

'Ik wil je alleen maar helpen,' zegt Pito.

Materena zegt dat hij dan beter van de bank af kan komen.

'Oké. Welterusten.' Hij bedoelt: laat me met rust, ik ben er niet.

Materena brengt alle dingen die ze van de grond heeft gehaald naar de keukentafel. Dan roept ze naar de kinderen, die buiten aan het spelen zijn, dat ze onmiddellijk hun spullen moeten komen halen, omdat ze anders de vuilnisbak in gaan.

'Ik meen het! Dit is geen grapje!'

De kinderen komen meteen aanrennen. Ze vegen eerst netjes hun voeten voor ze naar binnen gaan.

'Van wie is dit?' Materena houdt een vieze sok in de lucht.

'Niet van mij,' antwoorden de kinderen.

'Oké. In de vuilnisbak. En dit?'

De kinderen kijken naar het lege zakje Chinese snoepjes en zeggen in koor: 'Niet van mij.'

'Oké,' zegt Materena, nadat ze zeker twintig voorwerpen heeft afgewerkt. 'Naar buiten, jullie. Ik roep wel als jullie weer binnen kunnen komen.'

Pito's spullen liggen nog steeds op tafel en Materena weet dat hij denkt: Pah, ze gooit mijn spullen toch niet weg. Ze ruimt altijd alles voor me op. Materena stopt zijn slippers en twee Akim-strips in de vuilnisbak. Later haalt ze de slippers er weer uit. Die kun je niet weggooien. Pito heeft zijn slippers nodig. Die heeft iedereen nodig. Maar die Akim-strips… nou ja, die zijn niet zo belangrijk.

Materena is heel tevreden met zichzelf. Ze heeft nog nooit spullen van Pito in de vuilnisbak gegooid, maar eens moet de eerste keer zijn. Niet dat ze zo fanatiek is als haar nicht Rita. Als die kwaad is op Coco, gooit ze altijd zijn spullen in de vuilnisbak.

Materena begint te vegen. Ze veegt onder de bank en even komt ze in de verleiding om Pito een klap op zijn kop te geven met de rieten bezem. Maar dan doet hij zijn ogen open.

Na twee uur is het hele huis schoon en Materena is tevreden. Ze roept naar de kinderen dat ze nu binnen mogen komen, als ze willen. Ze komen, want ze hebben honger en ze maken een bende in de keuken.

's Avonds vraagt Pito aan Materena of ze zijn Akim-strips heeft gezien – de laatste twee nummers.

Ze gaat met haar rug naar hem toe staan. 'Heb je al op de koelkast gekeken?'

'Ik leg mijn Akims nooit op de koelkast.'

Hij gaat toch kijken en komt weer terug. De strips liggen niet op de koelkast.

'En onder de bank, heb je daar al gekeken?' Materena doet of ze iets zoekt in de voorraadkast.

Hij kijkt onder de bank.

'Onder het bed misschien? In de wc? Achter de tv?' zegt Materena.

Pito kijkt geërgerd. 'De kinderen hebben ze zeker meegenomen,' zegt hij.

'Eh, niet de kinderen de schuld geven. Je weet zelf niet waar je ze hebt gelaten.'

Pito krabt op zijn hoofd. Hij probeert zich te herinneren wanneer hij zijn Akims voor het laatst heeft gehad, maar hij weet het niet meer. 'Weet je zeker dat je ze niet hebt gezien toen je het huis schoonmaakte?'

Materena, die nog steeds met haar rug naar hem toestaat, houdt vol dat ze dat zeker weet, honderd procent zeker. Als ze ze had gezien, had ze ze in de kartonnen doos in de slaapkamer gelegd. Dat doet ze altijd.

'Goed kijken, dan vind je ze wel,' zegt ze.

'Wat gek dat jij niet weet waar ze zijn. Meestal weet je alles te vinden.'

'Eh, beste jongen – je moet niet te veel op mij vertrouwen. Ik ben ook niet volmaakt,' zegt Materena met een glimlach.

'Een vrouw hoort te weten waar de spullen van haar man zijn!' Pito is pisnijdig.

Materena draait zich om en kijkt hem recht aan. 'Wat klets je nou? Je bent mijn man niet. Ik zie geen trouwring aan mijn vinger.'

Pito loopt stampend de keuken uit.

Woorden van liefde

'Een prima dag om te zonnen.' Rita vouwt de mat uit en legt hem op het gras. 'Vooral na al die regen.'

Materena is het met haar eens. Ze legt haar kussens op de mat en maakt het zich gemakkelijk.

Rita smeert haar armen en benen in met een mengsel van bakolie en sojasaus.

'Die tip heb ik van Lily,' legt ze uit. 'Je schijnt er sneller bruin van te worden.'

'Nicht, je bent al bruin.' Materena doet haar best om geïnteresseerd te klinken, maar het lukt niet erg.

Rita is klaar met insmeren. Ze gaat naast Materena liggen en begint meteen aan de chips en de avocadodip die ze heeft meegenomen.

Als ze er een stuk of wat op heeft, vraagt ze of Materena ook wat wil. Ze gaat die chips echt niet allemaal in haar eentje opeten. Materena antwoordt dat ze geen trek heeft in chips.

'En de gezouten mango's dan?' vraagt Rita. 'Wil je daar wat van?'

'Non, ik hoef niet.'

Materena kijkt Rita aan en probeert te lachen. Ze heeft tot nog toe heel vrolijk gedaan, maar nu heeft ze geen zin meer om te doen alsof.

Ze voelt zich ellendig.

Ze kan niet lachen.

Ze zit in de put. Ze wil Rita graag vertellen waarom ze zo somber is, ze wil haar vertellen over Pito's dronken huwelijksaanzoek. Maar dat zal Rita niet interesseren. Wie wil er nou horen dat Materena zo dom is geweest om Pito serieus te nemen? Dat ze zelfs prijsopgaven heeft gevraagd van de bruidstaart, de muziek en de rit naar de kerk en door Papeete? Het is een lang verhaal, en niet zomaar een lang verhaal. Er komt geen eind aan. Soms kun je je narigheid beter alleen verwerken.

Bovendien: Pito houdt niet van Materena.

Gistermiddag heeft Materena de fotoalbums bekeken en op alle familiefoto's (nou ja, niet op allemaal, maar op de meeste) staat Pito er met een verveeld of geërgerd gezicht bij. Hij kijkt alsof hij er niet bij wil zijn, alsof hij geen vrouw en kinderen wil hebben. Maar als hij samen is met Ati, loopt hij altijd met een stralende glimlach op zijn gezicht. Hij lacht ook als hij een paar biertjes op heeft, maar daar hecht Materena geen waarde aan. Als je gedronken hebt, is alles leuk.

Materena heeft gisteren wat gedronken en daarna heeft ze geluisterd naar haar nieuwe bandje met liefdesliedjes. Toen ze naar bed ging, was ze redelijk opgewekt, maar toen ze vanmorgen wakker werd, voelde ze zich somber.

Leilani vroeg voor ze naar school ging: 'Mamie, gaat het?'

En Materena zei: 'Ah, kind, maak je maar geen zorgen. Het is maar vrouwengedoe.'

Haar lip beeft. Rita kijkt haar eens goed aan. 'Er is iets mis.'

'Maak je maar geen zorgen.'

'Zie ik eruit als iemand die zich geen zorgen maakt om jou?' vraagt Rita.

'Je lacht me vast uit.'

'Ik!' roept Rita uit. 'Ik! Jou uitlachen? Ik lach als je gek doet, maar niet als je verdrietig bent!'

Rita knijpt haar ogen tot spleetjes en zegt: 'Gaat het over Pito?'

Materena geeft geen antwoord.

'Het gaat over Pito, waar of niet?' zegt Rita. 'Wat heeft hij gedaan? Heeft hij naar een andere vrouw gekeken?'

'Nee, nicht, dat is het niet.'

'Nou, wat heeft hij dan gedaan?'

Materena zucht. 'Het gaat meer om wat hij niet heeft gedaan. Wat hij nog nooit heeft gedaan.'

'Oké, Materena.' Rita zet de schaal met chips opzij. 'Ik ga hier niet vandaan voor je me hebt verteld wat er is. Ik meen het. Desnoods blijf ik dagen op deze mat zitten.'

'Hij heeft nog nooit tegen me gezegd dat hij van me houdt,' zegt Materena.

Rita kijkt haar stomverbaasd aan. 'Nog nooit? Geen enkele keer, zelfs niet toen jullie voor het eerst met elkaar uitgingen? Dan zeggen mannen toch allemaal lieve dingen om een vrouw het bed in te krijgen?'

'Nog nooit.' Materena herinnert zich dat Pito niet degene was die haar het bed in wou krijgen. Zij wou met hem naar bed.

'Waarom ben je daar nú verdrietig over? En niet vorige maand? Of vorig jaar?' vraagt Rita.

En Materena vertelt haar het verhaal.

Eergisteravond stond ze het fornuis schoon te maken. Er was een programma op de radio waarin mensen liefdesliedjes voor elkaar kunnen aanvragen. Ze luistert altijd naar dat programma. Ze houdt van liefdesliedjes en ze wordt er nooit verdrietig van. Maar eergisteravond, toen ze al die mensen, al die mannen hun vrouwen openlijk de liefde hoorde verklaren... nou, toen werd ze verdrietig.

'Je moet wel bedenken,' zegt Rita, 'dat niet al die liefdesverklaringen echt zijn. Sommige mannen bellen alleen naar dat programma omdat ze moeten van hun vrouw. Ik ken een vrouw die zelf naar de radio belt om er zeker van te zijn dat haar man in plaats van dat programma niet stiekem de tijd opbelt... Giselle doet dat ook.'

Materena weet al dat haar nicht Giselle dat doet. Giselle kiest ook zelf het liedje uit dat haar vriend voor haar moet aanvragen.

'Waarom werd je verdrietig toen je naar dat programma luisterde?' vraagt Rita.

Materena zegt dat het misschien iets te maken heeft met dat liedje dat ze hoorde toen ze in de vrachtwagen van haar werk naar huis reed. Alle vrouwen in de vrachtwagen moesten erom huilen en een van hen was al een jaar of tachtig.

'Wat was dat dan voor liedje?' Rita lijkt geïnteresseerd, hoewel ze niet echt houdt van liefdesliedjes.

'*La vie en rose*,' zegt Materena.

Rita kent het niet. Ze wil dat Materena het voor haar zingt, maar dat is niet nodig.

Materena heeft het bandje gisteren gekocht. Ze is naar de muziekwinkel gegaan en heeft tegen de verkoper gezegd: 'Ik wil dat liedje kopen, "*La vie en rose*".' En de verkoper wist meteen welk liedje ze bedoelde.

Materena rent naar de keuken om haar cassetterecorder te halen. Het bandje zit er al in. Ze heeft er gisteravond wel twintig keer naar geluisterd. Pito werd er gek van. Hij zei: 'Ik begin die kraakstem van dat mens fiu te worden.'

Materena haalt de batterijen uit haar slaapkamer en stopt ze in het apparaat. Ze spoelt het bandje terug – 'La vie en rose' is het eerste nummer.

'Daar komt het, Rita.' Materena drukt op 'play' en doet haar ogen dicht. Edith Piaf begint te zingen: als haar minnaar haar in zijn armen neemt en zachtjes tegen haar praat, ziet ze *la vie en rose*. Materena heeft een brok in haar keel. Ze hoort hoe Edith zingt als een vrouw die liefheeft, bemind wordt; met liefde en hartstocht zingt over haar man – haar man die liefdevolle woorden tegen haar zegt, gewone, alledaagse woorden. Hij is er voor haar en zij voor hem...

... en dit is hun leven! De tranen stromen haar over de wangen.

'Nou, zo is het wel genoeg.' Rita drukt op 'stop'.

'Vind je het niet mooi?' vraagt Materena stomverbaasd, terwijl ze haar ogen afveegt.

Rita trekt een gezicht. 'Je weet hoe ik ben. Ik hou meer van liedjes waar je op kunt dansen. Van dit liedje val ik in slaap.'

Rita is intussen allang naar huis en iedereen is thuis. Materena besluit een broodvrucht uit de boom te gaan halen. Pito zit buiten op zijn ukelele te oefenen en het geluid irriteert Materena mateloos. Ze wil tegen hem zeggen dat hij nooit goed ukelele zal kunnen spelen, omdat hij geen gevoel heeft voor muziek. Als je muziek maakt, moet je gevoel hebben voor muziek, zoals haar neef Mori.

Ze zegt echter niets. Ze klimt alleen hoger en hoger de boom in.

Ze heeft Pito gevraagd een broodvrucht voor haar te halen en hij zei: 'Ja, even wachten.' Dat was een halfuur geleden en Materena wacht nu geen minuut langer.

Ze zit anderhalve meter boven de grond en denkt eraan dat ze van een speedboot zou kunnen vallen zonder dat Pito een hand naar haar uitstak. Als ze morgen doodging, zou Pito nog geen jaar om haar rouwen.

Ze denkt eraan dat Pito niets om haar geeft, hij is gewoon aan haar gewend. Zoals je went aan een boom, een tafel, een lepel.

Ze denkt erover om zijn spullen in een tas te stoppen en hem terug te sturen naar zijn mama.

Want wat ze het allerliefste wil in haar leven – liever dan een nieuw bed, of een nieuwe linnenkast, of een trouwring – is dat iemand van haar houdt.

Er breekt een tak. Materena valt. Ze strekt haar armen uit om een andere tak te grijpen.

'Pito!' roept ze zo hard ze kan.

Ze valt plat op haar billen en het doet zeer. En daar komt Pito op haar af rennen. Ze weet niet of het door de pijn komt, maar het is net of hij in *slow motion* gaat.

Nu staat hij naast haar. 'Gaat het? Hoe is het met je benen, beweeg je benen eens. Kun je je benen bewegen? Waarom moest je nou in die boom klimmen? Ik zei toch dat ik die broodvrucht voor je zou gaan halen? Even wachten, zei ik. Wat doe je me aan?' Hij klinkt bezorgd en zo kijkt hij ook.

Dan kijkt hij haar diep in de ogen.

Oh, ze ziet het aan die blik in zijn ogen… hij houdt van haar. Pito doet zijn mond open om iets te zeggen, maar het is of de woorden in zijn mond blijven steken.

Uiteindelijk zegt hij teder: 'Jij stom mens.'

Materena giert het uit van het lachen en geeft hem een stomp tegen zijn schouder.

De vriezer

Een week later komt Rita weer bij Materena op bezoek. Ze drukt op haar claxon en even later staan Materena en de kinderen buiten. De nichten omhelzen elkaar en de kinderen gluren naar de plastic zakjes die Rita in haar hand heeft. Rita neemt altijd iets mee voor Materena's kinderen.

Rita geeft de kinderen een zoen en strijkt ze door hun haar.

'Hier.' Ze geeft ze alledrie een zakje. 'Tante Rita heeft een kleinigheidje voor jullie meegebracht.'

Dan merkt ze op dat de kinderen zo gegroeid zijn sinds ze hen voor het laatst heeft gezien. Ze geeft Leilani een complimentje over haar glanzende, zwarte haar, Tamatoa over zijn sterke spieren en Moana over zijn mooie, groene ogen. Ze plaagt Leilani dat ze vast stiekem een vriendje heeft en de jongens dat ze stiekem een vriendinnetje hebben.

De kinderen popelen om te zien wat er in hun zakje zit. Tante Rita neemt altijd iets lekkers voor hen mee.

'Zo, gaan jullie maar,' zegt Rita. 'Eet snel jullie ijsje op, voor het smelt. Ik heb ook yoghurt meegebracht en Twisties.'

De kinderen zijn in een oogwenk vertrokken.

Materena en Rita lopen de keuken in. Rita gooit de zak met snoep die ze voor zichzelf en Materena heeft meegebracht op de keukentafel. Dan kijkt ze verbaasd op. Ingeperst tussen de keukentafel en de voorraadkast staat een vriezer.

'Heb je een vriezer gekocht?' vraagt ze.

'Ga zitten, nicht,' antwoordt Materena. 'Ik zal je het hele verhaal vertellen.'

Maar eerst moet Rita de deksel van de vriezer tillen om te kijken wat erin zit. 'Er zit niets in.'

'Natuurlijk zit er niets in,' zegt Materena. 'Hij staat niet aan. Voelde je kou toen je het deksel opendeed?'

Rita ziet dat de stekker niet in het stopcontact zit. 'Wil je hem niet aanzetten?'

'Ga nou maar zitten, nicht, dan vertel ik je het verhaal.'

Rita gaat zitten en haalt een doosje crackers en wat kaas uit de plastic zak. Ze heeft ook pinda's, chips en een fles cola meegebracht. 'Ik heb nog niet geluncht,' legt ze uit. 'Kom erbij zitten, dan gaan we eten.'

Materena neemt een stuk van de dure kaas en begint haar verhaal over de vriezer. 'Vorige week zei Pito tegen me dat hij iets voor me had gekocht. Iets groots. Hij zei dat ik er blij mee zou zijn. Nou, ik dacht dat hij een linnenkast voor me had gekocht...'

'Waarom dacht je dat?' vraagt Rita.

'Omdat,' legt Materena uit, 'ik eerverleden week tegen hem had gezegd dat ik wel een nieuwe linnenkast zou willen hebben – voor het linnengoed en de quilts. Nu zit alles in kartonnen dozen en ik ben die dozen in de slaapkamer een beetje fiu.'

'Oui, oké, vertel verder.'

'Oui, dus toen Pito zei dat hij iets groots voor me had gekocht, dacht ik meteen dat hij het over mijn linnenkast had. Ik probeerde een beetje te vissen, maar hij wilde het een verrassing houden. Je zult je ogen niet geloven, zei hij tegen me.'

Rita kijkt naar de vriezer en trekt haar getekende wenkbrauwen op.

'Ik vroeg hem hoe hij die grote verrassing ging betalen,' vervolgt Materena. 'En hij zei: "Maar je daar maar geen zorgen over. Dat is geregeld." Ik zal je vertellen, nicht, ik wist écht niet wat ik zag toen ze die vriezer kwamen brengen. Ik was zó geschokt.'

'Waarom? Omdat hij zo groot was?' zegt Rita.

'Nee, nicht, dat was het niet. Ik was geschokt vanwege die vriezer, nergens anders om. Denk je eens in. Je neemt een vriezer als je veel vlees eet, maar dat doen wij niet. Wij eten veel cornedbeef.'

Rita knikt. Ze kent Materena's financiële situatie. Cornedbeef is goedkoop.

'Ik was van plan tegen Pito te zeggen dat hij die vriezer maar terug moest brengen,' vervolgt Materena. 'Maar toen hij thuiskwam, zei hij: "En, Materena, ben je blij met de vriezer die ik voor je heb gekocht?" En toen zei ik ja. Ik kon hem de waarheid niet zeggen. Toen vertelde hij dat hij van een collega was geweest en dat hij hem goedkoop had overgenomen. Tienduizend franc, op afbetaling.'

'Ah oui,' zegt Rita. 'Tienduizend franc is echt goedkoop voor een vriezer. Pito had een koopje.'

'Ik vind tienduizend franc voor een vriezer die het niet doet niet goedkoop. Ik vind het afzetterij,' zegt Materena, maar ze lacht erbij.

'Ah, doet hij het niet?'

'Non. Hij ging na twee dagen kapot.'

'Na twee dagen!' Rita verslikt zich bijna in haar pinda's.

'Oui, nicht. Twee dagen.'

'Nou, kun je hem niet gewoon laten repareren?' vraagt Rita.

'Eh, we hebben een reparateur laten komen en weet je wat die zei?'

Voor Rita kan raden, onthult Materena het antwoord: 'Breng dat stuk schroot maar naar de belt.'

'Non, nicht.' Rita leeft met Materena mee.

'Oui, nicht. Dat zei hij. "Breng dat stuk schroot maar naar de belt."' Materena kijkt nijdig naar de vriezer.

'En heeft Pito zijn geld teruggekregen? Wat hij zijn collega al betaald had? Hoeveel had hij al betaald?'

'Tweeduizend franc.'

'En heeft hij die teruggekregen?'

Het gesprek wordt onderbroken.

Moana komt de keuken in. Hij duikt in de vriezer en voor hij het deksel dichtdoet, zegt hij tegen Materena en Rita: 'Niet tegen Tamatoa zeggen dat ik in de vriezer zit, oké? We doen verstoppertje.'

'Moana,' zegt Materena. 'Kom uit die vriezer. Je kunt wel stikken. Verstop je maar in de achtertuin.'

'Ik vind het leuk om me in de vriezer te verstoppen.' Moana springt eruit en rent naar buiten.

Twee seconden later staat Tamatoa in de keuken, op zoek naar Moana. Hij loopt regelrecht naar de vriezer. 'Ik weet dat je in de vriezer zit, Moana. Daar zit je altijd.'

'Hij zit niet in de vriezer,' zegt Materena.

Tamatoa tilt voor de zekerheid toch de deksel op.

'Ik zei toch dat hij er niet in zat?' zegt Materena.

Maar Tamatoa rent al naar buiten en roept: 'Ik weet waar je zit, Moana!'

'Ik heb tegen Pito gezegd dat hij zijn collega die tweeduizend franc moest terugvragen,' vervolgt Materena haar gesprek met Rita. 'Maar dat wilde hij niet. Hij zei: "Toen ik die vriezer kocht, deed hij het nog goed. Ik kan mijn geld niet terugvragen." Hij gaat die vriezer zelfs helemaal afbetalen.'

'Hmm,' zegt Rita. 'Dat is het probleem als je iets koopt van een bekende, in plaats van rechtstreeks uit de winkel. Dan is het moeilijk om je geld terug te vragen.'

'Dat is het probleem,' knikt Materena.

'Dus je gaat de vriezer naar de belt brengen?'

'Wel, oui, wat moet je anders met een vriezer die het niet doet? Mori heeft een vriend met een vrachtwagen. Die jongen staat bij Mori in het krijt en hij gaat de vriezer voor ons naar de belt brengen.'

Rita kijkt naar de vriezer. 'Jammer dat hij het niet doet.'

'Aan de ene kant wel, aan de andere kant niet. Wat heb je aan een vriezer als je alleen maar geld hebt om er soepstengels in te stoppen? Ergens ben ik blij dat hij kapot is. Ik was die bevroren soepstengels een beetje fiu.'

De nichten lachen.

'Eh, nou ja,' vervolgt Materena. 'Ik hoop dat Mori's vriend gauw komt, want ik ben die kapotte vriezer in mijn keuken beu. Maar zijn vrachtwagen staat op het ogenblik bij de garage om gerepareerd te worden.'

Rita kijkt weer naar de vriezer en glimlacht. 'Ik heb een idee. Wil je het horen?'

'Heeft het met de vriezer te maken?'

'Oui, nicht.'

'Weet jij iemand die hem morgen voor me naar de belt kan brengen?'

'Eh, misschien hoef je hem helemaal niet naar de belt te brengen.'

Materena luistert naar Rita's idee. Eerst moet ze erom lachen, maar dan lijkt het haar toch wel wat.

'Oké, aan de slag.' Materena staat al. Ze wrijft opgewonden in haar handen.

De nichten slepen de vriezer naar de slaapkamer. Hij is een beetje zwaar, dus Materena roept de kinderen om te komen helpen. Voor ze iets kunnen vragen, zegt ze dat ze alleen moeten helpen duwen en geen vragen mogen stellen.

De vriezer staat nu in Materena's slaapkamer. Materena maakt hem schoon en Rita veegt de binnenkant af met een doekje met eau de cologne.

Even later brengen ze het linnengoed en de quilts van de dozen over naar de vriezer. Dan legt Materena er een oude quilt overheen en Rita loopt naar buiten om een potplant te halen die ze er bovenop kunnen zetten.

Zo.

Ze gaan op het bed zitten en kijken vol bewondering naar de nieuwe linnenkast.

'Je bent een genie, nicht.' Materena is echt onder de indruk. Ze was zelf nooit op het idee gekomen.

'Ah, nicht. Je moet gewoon even nadenken,' zegt Rita en dan begint ze te lachen. 'Wat zal Pito opkijken als hij je nieuwe linnenkast ziet.'

Materena lacht met haar mee. 'Eh, hij wilde me een pleziertje doen. Ik heb hem vorige week zo laten schrikken.'

Rita kijkt haar aan. 'Wat heb je dan gedaan?'

Voor Materena antwoord kan geven, zegt ze: 'Heb je zijn spullen gepakt en op straat gegooid?'

'Welnee, Rita. Ik ben uit de broodvruchtboom gevallen.'

'Ben je uit de broodvruchtboom gevallen! Hoe hoog? Mankeer je niets? Zijn er foto's gemaakt?'

'Natuurlijk mankeer ik niets, maar Pito was bang dat ik me had bezeerd. Het ging zo snel. Hij dacht dat ik ernstig gewond was.'

Rita knikt langzaam. 'Soms weet een man pas hoeveel zijn vrouw voor hem betekent als hij denkt dat hij haar kwijt is.'

'Misschien moet ik vaker uit de boom vallen, eh?' lacht Materena.

'Wie weet wat Pito dan doet,' zegt Rita. 'Misschien vraagt hij je wel ten huwelijk.'

Materena lacht. 'Voor dát gebeurt, moet ik eerst alle botten in mijn lichaam breken.'

Niet dat dat trouwen haar nog iets kan schelen.

Ze voelt zich weer normaal – en dat nieuwe bed krijgt ze tóch.

Meteen als Pito thuiskomt ziet hij dat de vriezer niet meer in de keuken staat. 'Ah, is die vriend van je neef langs geweest met de vrachtwagen?' vraagt hij, terwijl hij de koelkast open trekt om een biertje te pakken.

'Kijk maar eens in de slaapkamer,' zegt Materena zachtjes.

Ze praat zacht omdat ze er niet helemaal gerust op is. Ze heeft nog nooit gehoord dat iemand een vriezer in een linnenkast heeft veranderd. Misschien vindt Pito het helemaal niks om er iedere dag aan herinnerd te worden dat hij een waardeloze vriezer heeft gekocht. Materena loopt dus achter hem aan en herinnert hem eraan dat de vriezer van haar is en dat ze er dus mee kan doen wat ze wil.

Pito is in de slaapkamer. Hij vermoedt dat dat grote ding in de hoek met die oude quilt eroverheen de vriezer is. Hij kijkt Materena aan en loopt er naartoe. Hij haalt de potplant eraf en tilt de deksel op. Hij ruikt de eau de cologne en ziet het linnengoed en de quilts keurig opgestapeld in de vriezer liggen.

'En?' vraagt Materena met haar liefste stemmetje.

Pito doet de deksel dicht en zet de plant terug. Hij gromt, neemt een slok van zijn Hinano en geeft dan toe dat het geen slecht idee is.

Later, in bed, vertelt hij haar echter dat het hem niet lekker zit dat zij een vriezer als linnenkast heeft.

'Ach, wat geeft het,' zegt ze. 'Ik ben blij met mijn nieuwe kast.'

Maar Pito is er nog steeds niet blij mee. Hij zegt dat hij niet zal rusten voor ze een echte linnenkast heeft.

'Pito…' Materena omhelst hem. Ze vindt hem zo lief.

'Ik neem er een baantje bij,' verklaart Pito. 'Ik ben niet bang om hard te werken. Ik ben pas tevreden als mijn woman een echte linnenkast heeft.'

'Oui, dat weet ik wel,' zegt Materena. Ze gelooft er geen woord van. Maar ze omhelst hem alsof ze hem wel gelooft. Dit is het zorgzaamste wat Pito in tijden tegen haar heeft gezegd.

Medewerker van
de maand

'Ik ga vandaag niet naar mijn werk,' kondigt Pito de volgende ochtend aan.

'Waarom niet?' Materena weet het antwoord al: Pito gaat niet naar zijn werk, omdat hij daar geen zin in heeft.

'Ik heb een beetje last van mijn maag,' zegt Pito.

'Wat is er dan met je maag?' Materena gelooft niet dat er iets met zijn maag aan de hand is.

'Dat zeg ik toch,' zegt Pito. 'Ik heb er een beetje last van.'

'Ik heb hetzelfde gegeten als jij en mijn maag is prima in orde.'

'Misschien heb ik gistermiddag bij de snackbar iets verkeerds gegeten.'

'Wat heb je daar dan gehad?' Materena is zich ervan bewust dat ze te veel doorvraagt.

'Ah hia hia!' Nu heeft Pito er genoeg van. 'Ben jij een dokter of hoe zit het? Ik ga naar de dokter.' Pito moet naar de dokter voor een medische verklaring.

'Ga je naar je eigen dokter of naar de mijne?' vraagt Materena.

Pito kijkt haar aan alsof hij wil zeggen: je vraagt te veel. 'Naar mijn eigen dokter natuurlijk. Waarom zou ik naar jouw dokter gaan? Ik ben tevreden met mijn dokter.'

'Die dokter van jou is alleen maar goed in het uitdelen van medische verklaringen.'

'Nou, daarom ben ik tevreden met hem.' Hij hoeft alleen maar tegen zijn dokter te zeggen dat hij zich niet honderd procent voelt en dan zegt die meteen: 'Hoeveel dagen wil je thuis blijven, Pito?' Materena's dokter stelt allerlei vragen, alsof hij niet gelooft dat je te ziek bent om naar je werk te gaan. Er gaan maar weinig zieke mensen naar hem toe. Ze wachten liever uren op de andere dokter – die begrijpt hen beter.

'Bel even naar mijn werk, oké?' Pito maakt het zich gemakkelijk in bed. 'Zeg maar tegen de secretaresse van mijn baas dat ik naar de dokter ga.'

'Je belt zelf maar naar je werk. Ik bel niemand.'

'Kun je niet even bellen als je naar je werk gaat? Waarom niet? Is het zo moeilijk om het nummer van mijn werk te draaien?'

'Waarom kun je zelf niet bellen?'

'Zieken bellen niet naar kantoor,' zegt Pito. 'Dat moet iemand anders doen. Als je zelf belt, ben je niet echt ziek. Als je ziek bent, ga je naar de dokter.'

'Ik praat liever niet met de secretaresse van de baas.' Materena stapt uit bed. Ze moet het ontbijt klaarmaken.

'Je hoeft niet met haar te práten,' zegt Pito. 'Je zegt alleen maar tegen haar: "Pito komt vandaag niet naar zijn werk."'

Materena haalt de quilt van het bed en vouwt hem op. 'Ze stelt altijd zoveel vragen. Ze vraagt steeds: "Wat mankeert Pito dan?" Alsof ze niet gelooft dat je te ziek bent om naar je werk te gaan. En dat mens praat ook zo irritant door haar neus.'

'Je wordt niet de secretaresse van de baas omdat je een mooie stem hebt,' zegt Pito. Hij trekt de quilt weer over zich heen. Hij gaat er nog niet uit. 'Zeg maar gewoon tegen dat mens dat je nergens vanaf weet. Dat je geen dokter bent. Ja, zeg maar tegen haar: "Wacht maar tot Pito weer naar zijn werk komt. Dan kun je de medische verklaring zien."'

'Kan ik het niet gewoon doorgeven aan Josephine?'

'Josephine is niet de secretaresse van de baas.'

'En wat ga je vandaag dan de hele dag doen?' vraagt Materena. En nog voor Pito kan zeggen dat hij de hele dag in bed blijft liggen, voegt ze eraan toe: 'Je gaat niet vissen met Ati. Dan word je veel te bruin.'

Het is twee dagen later. Pito komt van zijn werk en zegt dat hij iets te vertellen heeft.

Materena stopt met uien snijden. 'Heb je iets te vertellen? Is het iets leuks of iets vervelends?'

Pito haalt een biertje uit de koelkast en gaat aan de keukentafel zitten.

'Wat heb je te vertellen?' Materena is een beetje ongerust. Pito neemt genietend een slok van zijn Hinano.

'Pito?'

'Mag ik het verhaal alsjeblieft vertellen als ik zover ben?' vraagt hij.

'Ah, is het nu al een verhaal dat je moet vertellen?' Materena is nu echt bezorgd. Meestal als er iets verteld moet worden met een verhaal erbij, is het iets vervelends. Meestal wel.

'Ga maar door met uien snijden en luister,' zegt Pito.

'Loopt het verhaal goed af?' Materena wil het nu weten, maar Pito wil het van het begin tot het eind vertellen en als hij klaar is, weet Materena wat ze weten moet.

Maar eerst moet ze hem beloven dat ze hem rustig laat uitpraten, want als ze hem in de rede valt, raakt hij de draad kwijt.

Goed, hier komt Pito's verhaal over wat er vandaag op zijn werk is gebeurd.

'De baas wil je spreken,' zegt een collega tegen Pito.

'Waarom is dat?' vraagt Pito.

De collega haalt zijn schouders op. Hij weet het niet. De baas heeft alleen tegen hem gezegd: 'Ga Pito halen – onmiddellijk.'

Dat woord 'onmiddellijk' zit Pito niet lekker. Als de baas je onmiddellijk wil spreken, zit je in de problemen. Dan heb je iets gedaan wat hij niet prettig vindt. De laatste die hij onmiddellijk wilde spreken, vloog de laan uit. Pito vraagt aan zijn collega of hij zeker weet dat de baas 'onmiddellijk' heeft gezegd.

'Oui, de baas zei "onmiddellijk".'

De collega raadt hem aan meteen naar het kantoor van de baas te gaan en Pito doet dat – langzaam. Hij denkt aan alle extra uren die hij voor het bedrijf heeft gewerkt – allemaal onbetaald. Ah, ja, het gebeurt wel dat Pito nog na vieren aan de zaagmachine staat.

Hij denkt ook aan de dagen dat hij zich ziek heeft gemeld.

Hij houdt zich voor dat hij recht heeft op ziektedagen – je krijgt geen bonus als je nooit ziek bent. En hij is niet de enige die zich ziek meldt. Iedereen doet het – en maandag is een populaire dag om ziek te zijn. Pito is nog nooit ziek geweest op maandag. De baas vertrouwt het niet als je op die dag ziek bent – dat weet Pito. Vrijdag is ook geen goede dag om je ziek te melden. Pito is nooit ziek op vrijdag.

De een na laatste keer dat Pito zich een dag ziek had gemeld, was hij gaan vissen met Ati en was hij verbrand in de zon. Maar de drie dagen daarna had hij twee keer zo hard gewerkt als anders. Hij praatte niet en concentreerde zich alleen op de machine.

Pito staat op het punt aan te kloppen bij het kantoor van zijn baas, maar hij durft hem nog niet onder ogen te komen. Zou hij ook de laan uit worden gestuurd?

De laatste die de laan uit is gestuurd, is niet echt ontslagen. Hij kreeg een ernstige waarschuwing en nam daarna zelf ontslag.

Maar Pito houdt van zijn baan. Hij wordt redelijk goed betaald. Hij heeft al zoveel jaar bij dit bedrijf gewerkt dat hij zich niet kan voorstellen dat hij ooit iets anders zal doen dan hout zagen. Hij is gewend aan hout zagen en aan de mensen met wie hij werkt. Zijn collega's, zijn vrienden.

Zijn oom heeft gezorgd dat hij deze baan kreeg. Die kende de baas. Niet deze baas – de vorige. Als die oom nu nog zou leven, zou hij niet blij zijn dat Pito de laan uit vloog. Als je je connecties gebruikt om voor een familielid een baan te regelen, moet dat familielid die baan wel tot zijn pensioen houden. Dat is de prijs die je betaalt als je alleen via de connecties van een familielid aan een baan kunt komen.

Pito is zenuwachtig, hij veegt het zweet van zijn voorhoofd. Een andere keer dat hij zich had ziek gemeld, de keer vóór die keer dat hij met Ati was gaan vissen, was hij met Ati iets gaan drinken in de stad.

Pito klopt aan. Twee klopjes.

'Binnen!'

Pito doet de deur open en steekt zijn hoofd naar binnen. 'Wilde u me spreken, baas?'

'Ga zitten.' De baas zit papieren te tekenen.

Pito loopt het kantoor in en gaat in de stoel tegenover de baas zitten. Hij kijkt zijn baas recht in de ogen. Dat moet je altijd doen. Als je je baas niet recht aankijkt, heb je iets te verbergen.

'Werk je hier graag?' De baas zet zijn bril af.

'Oui, baas,' antwoordt Pito.

Hij wil zeggen dat hij anders wel een andere baan zou nemen – hij heeft genoeg connecties; hij heeft overal neven. Maar hij zegt niets, hij kijkt zijn baas alleen recht in de ogen.

De baas glimlacht. Hij zegt: 'Aha.' Hij kucht en zwijgt. Pito verwacht dat hij gaat zeggen: 'Het spijt me, maar…'

Maar de baas begint met: 'Het doet me plezier…'

Hij vertelt Pito dat hij is benoemd tot medewerker van de maand. Pito is zo blij dat hij zijn baas de hand schudt. De baas vertelt dat hij zijn medewerkers altijd in de gaten houdt. Niets, helemaal niets ontsnapt aan zijn aandacht. Hij weet alles wat er te weten valt. Hij kijkt Pito recht in de ogen en herhaalt: alles. Pito knikt en even dwalen zijn ogen af naar het plafond, de bril, de dikke wenkbrauwen van de baas, dan weer naar zijn ogen.

Vóór die keer dat hij met Ati naar de kroeg is geweest, is hij ook nog een keer biertje met hem wezen drinken op het vliegveld.

Volgende keer dat hij niet naar zijn werk gaat, blijft hij thuis, dat staat vast. Het is veel te riskant om naar buiten te gaan terwijl je thuis in bed hoort te liggen. Heeft de baas hem soms gezien in de bar bij het vlieg-veld?

Volgende keer meldt hij zich alleen nog maar ziek als hij echt ziek is.

'Maar hoe dan ook,' zegt de baas, terwijl hij zijn bril weer opzet, 'ge-feliciteerd.'

Hij hoopt dat Pito ervoor zal zorgen dat hij er geen spijt van krijgt dat hij hem tot medewerker van de maand heeft benoemd.

'Oké, baas. Dank u wel, baas.'

Pito vertelt zijn collega's dat hij medewerker van de maand is gewor-den en ze zeggen: 'Fijn voor je, Pito.' Dit is niet iets om te vieren in de kroeg. Er zit aan de benoeming geen bonus vast, Pito gaat geen rondjes geven.

Pito gaat terug naar de machine en werkt twee keer zo hard als anders.

Voor hij naar huis gaat, loopt hij nog even langs het kantoor bij de ingang om het benoemingsformulier te bekijken. Het hangt op het me-dedelingenbord. De woorden 'medewerker van de maand' zijn in hoofd-letters getypt. Zijn naam staat er met de hand geschreven onder: Pito Tehana.

In de vrachtwagen naar huis denkt Pito erover na. De benoeming van medewerkers van de maand is drie maanden geleden begonnen, toen de baas net terug was van een seminar. Hij hield een speciale bijeenkomst in de kantine. Hij sprak erover dat ze allemaal hun krachten moesten bun-delen om het bedrijf groot te maken. Als het goed ging met het bedrijf, ging het goed met hen allemaal. De medewerkers juichten, maar toen de baas meedeelde dat er geen bonus aan de benoeming verbonden was, hield het gejuich op en luisterden ze niet meer. Wat heeft het voor zin om tot medewerker van de maand te worden verkozen als je geen francs krijgt om in de kroeg een paar biertjes te kopen voor je collega's?

Toch is Pito erg blij met die benoeming. Het is beter dan ontslagen worden.

Pito's verhaal is afgelopen. Hij kijkt Materena aan en wacht hoe ze op zijn mededeling zal reageren.

'Medewerker van de maand!' Materena wil de woorden al vijf minuten van het dak schreeuwen. Ze pakt nog een biertje voor Pito.

'Ik zal je vertellen, Materena,' zegt Pito. 'Toen mijn collega zei dat de baas me onmiddellijk wilde spreken, dacht ik echt dat hij zou zeggen: "Het spijt me, maar…"'

'Dus als je het woord "onmiddellijk" hoort, komt daar achteraan: "Het spijt me, maar…"'

'Ah oui,' zegt Pito. 'Maar de baas zei: "Het doet me plezier…"'

'Gelukkig maar.' Materena gaat verder met uien snijden.

'Ja, zeker,' beaamt Pito.

'Je hebt een goede baan, Pito,' vervolgt Materena.

'Ik ben die baan gewend.'

'Het is net als met mijn baan. Het huis van mijn baas is net mijn eigen huis. Ik ben gewend haar huis schoon te maken. Ik weet waar alles staat.'

Materena steekt het fornuis aan en zet de pan op het vuur. Ze wacht tot hij heet wordt en intussen denkt ze na over de benoeming van haar man tot medewerker van de maand. Hij is een goede medewerker als hij aan zijn machine staat – dat kan niet anders. Ja, hij is een goede medewerker als hij zin heeft om te werken. En als je zo'n benoeming krijgt – krijg je later meestal promotie, non? Er is geen enkele reden waarom Pito later geen baas zou kunnen worden. Niet de grote baas met het grote kantoor, maar de baas daaronder. De tweede leidinggevende. Zo'n benoeming is goed voor de toekomst. Als Pito ooit ontslagen wordt, kan hij zijn benoeming tot medewerker van de maand meenemen naar zijn sollicitatiegesprekken.

'Als de maand voorbij is,' zegt Materena. 'Wat gebeurt er dan met het formulier waar je benoeming op vermeld staat? Krijg jij dat dan?'

'Nee, dat gaat in het bedrijfsarchief.'

'Kun je geen kopie krijgen?'

'Er is er maar één en die gaat in het bedrijfsarchief.'

Materena doet olie in de pan en gooit de uien erbij. Wat raar dat Pito geen kopie kan krijgen. Stel dat hij het aan zijn familie wil laten zien, of in het familiealbum wil stoppen?

Ze krijgt een idee.

Ze gaat de vermelding op de foto zetten.

Dat is dan het bewijs.

De volgende dag, als Materena uit haar werk komt, loopt ze het kantoor van Pito's werk binnen. Het is daar fijn, met de airconditioning aan. Het kantoormeisje, Josephine, die altijd de telefoon aanneemt, glimlacht als ze Materena ziet. 'Eh, hallo, Materena.'

'Eh, hallo, Josephine.'

'Hoe is het met de kinderen?'

'Goed. En jouw Patrice, rent hij nog steeds zo hard?'

Patrice is Josephines zoon. Twee weken geleden heeft ze Materena verteld dat hij de hardloopcompetitie van zijn school had gewonnen.

'Dat kind is dol op hardlopen, echt waar.' Josephine straalt helemaal.

'Heb je nog meer hardlopers in je familie?' vraagt Materena.

'Niet in mijn familie, wel in die van mijn man. De vader van mijn man heeft aardig hardgelopen in de tijd dat hij postbode was. In zijn tijd gingen postbodes niet op de Vespa, maar liepen ze hard.'

'Nou, dan heeft Patrice het hardlopen van zijn grootvader geërfd.'

'Denk je dat je dat soort dingen kunt erven?'

'Ah oui.' Materena klinkt erg overtuigend. 'Het heeft met de vorm van de benen te maken. Mijn nicht Lily was vroeger hardloopkampioene en zij had haar snelheid van haar vader. Die was vroeger ook hardloopkampioen.'

Josephine zet grote ogen op. 'Nu je het zegt. Mijn man kon vroeger ook goed hardlopen.'

'Ah oui?'

'Oui, hij heeft een paar schoolmedailles gewonnen.'

'Eh, zie je wel. En wil Patrice later hardloper worden van beroep?'

'Dat heeft hij nooit tegen me gezegd.'

'Vraag het maar aan hem.'

'Oui, dat zal ik doen. Weet je, afgelopen zaterdag was er een competitie tussen de scholen van Tahiti in het Pater Stadion en Patrice heeft gewonnen.'

'Ah non!'

'Ah oui,' zegt Josephine.

'Welke afstand?'

'De achthonderd meter.'

'Wat een kampioen!'

Josephine zit nu zo breed te glimlachen dat je al haar tanden kunt zien. En Materena weet dat het niet lang meer zal duren voor ze weer een foto van Patrice te zien krijgt.

'Eh, Materena,' zegt Josephine. 'Ik schep niet graag op, maar... mijn zoon heeft in de krant gestaan. Heb je hem gezien? In *Les Nouvelles*.'

'Ik krijg *Le Journal*.'

'Nou, wacht even.' Josephine pakt haar rieten tas en haal *Les Nouvelles* eruit. Ze bladert er doorheen. 'Kijk, hier.'

Daar staat het hoofd van Josephines zoon – Materena herkent hem van de foto's die Josephine haar eerder heeft laten zien. De foto in de krant is waarschijnlijk kort na de wedstrijd genomen – Patrice ziet er afgepeigerd uit. Materena blijft bijna een halve minuut kijken. Als een moeder je een foto laat zien, kun je dat niet even oppervlakkig afdoen. Dan moet je ongeveer een halve minuut kijken en glimlachen.

Zo, nu is het wel genoeg. Materena slaat langzaam de krant dicht. Nog één blik op de foto, nog één glimlach – dan is hij dicht.

Josephine stopt hem terug in haar tas. 'En wat kom jij hier doen vandaag?'

Meestal komt Materena alleen op vrijdag naar kantoor om Pito's loonzakje te halen.

'Weet je, Pito is benoemd tot medewerker van de maand.' Nu is Materena één en al glimlach.

Maar Josephine glimlacht niet terug. 'Ja... en?'

Materena kijkt haar aan. 'Josephine, hoor je wel wat ik zeg? Medewerker van de maand!'

'Ah oui, dat is goed, eh?' zegt Josephine met een geforceerd glimlachje.

'Voel je je wel goed?' vraagt Materena stomverbaasd.

Josephine ziet een beetje bleek. 'Ik voel me opeens niet zo lekker. Het gaat zo wel over. Het komt door de airconditioning. Het gaat alweer.'

'Denk je dat ik een foto kan maken van het formulier met zijn benoeming?' vraagt Materena.

Josephine kijkt snel over haar schouder en knikt.

'Maar zeg niet tegen Pito dat ik hier vandaag ben geweest, oké,' zegt

Materena. 'Hij moet niet denken dat ik hem niet geloofde en het met mijn eigen ogen wilde zien.'

Fluisterend voegt ze eraan toe: 'Het is goed om een foto te hebben… voor als Pito een keer ontslagen wordt.'

'Ah oui.' Josephine fluistert nu ook. 'Nou, neem die foto maar. Ik ga weer aan mijn werk.'

Het formulier zit half verscholen achter een advertentie met: Suzuki motorfiets te koop – in goede staat, prijs nader overeen te komen. Materena schuift het een stukje op, zodat je het beter kunt zien. Ze doet twee stappen achteruit, haalt haar camera uit haar rieten tas en vereeuwigt Pito's benoeming drie keer.

Ze bedankt Josephine en loopt het kantoor uit. Maar eenmaal buiten bedenkt ze dat ze het rolletje net zo goed vol kan maken. Ze loopt weer naar binnen om nog een paar foto's te maken, voor het geval de andere onscherp zijn geworden.

Er is niemand in het kantoor. Materena denkt dat Josephine naar de wc is. Ze staat net op het punt af te drukken, als ze Josephine met iemand hoort praten. Ze wil graag horen wat er gezegd wordt, want ze hoort haar naam noemen.

'… Pito's vrouw, Materena, was hier net om een foto te maken van zijn benoeming tot medewerker van de maand. Ik kon geen nee zeggen, want ze is erg aardig.'

'Josephine!' Materena herkent de irritante neusstem van de secretaresse van de baas. Zo te horen kan ze er niet over uit dat Josephine haar die foto heeft laten maken.

Ze legt uit dat de benoeming helemaal niets inhoudt. De baas is er alleen mee begonnen omdat hij op zijn laatste seminar heeft gehoord dat hij luie medewerkers beter geen waarschuwingen meer kan geven. Dat is een negatieve benadering. Hij kon hen beter benoemen tot medewerker van de maand, want dat is een positieve benadering. De benoeming is alleen bedoeld om luie medewerkers het gevoel te geven dat ze meetellen, zodat ze harder gaan werken. De echt voorbeeldige werknemers krijgen salarisverhoging.

'Dat weet ik allemaal wel.' Josephine klinkt een beetje geërgerd. 'Maar ik kon niet tegen Materena zeggen dat die benoeming niets voorstelt.'

De secretaresse van de baas zegt dat de benoemingen in het vervolg niet meer gefotografeerd mogen worden. Aan het eind van de maand moeten ze vernietigd worden, want de baas wil niet dat er bewijs overblijft dat ze hebben bestaan.

Materena maakt nog even snel twee foto's van Pito's benoeming tot medewerker van de maand en glipt dan vliegensvlug de deur uit.

De foto's zijn allemaal goed gelukt. Je ziet duidelijk de woorden MEDE-WERKER VAN DE MAAND staan, met daaronder Pito's naam. Materena kiest de beste uit en stopt hem in het laatste familiealbum.

De radio

Er zijn in het huis geen regels over wat van Materena is en wat van Pito.

De spullen zijn niet verdeeld in Pito's bank, Pito's tv, Materena's grond, Materena's huis, Materena's koelkast enzovoort.

Maar de radio is belangrijk voor Materena, net zoals de ukelele belangrijk is voor Pito.

Materena kan als ze daar zin in heeft altijd oefenen op de ukelele. Ze hoeft Pito geen toestemming te vragen. Maar ze doet het maar zelden, ze luistert liever naar muziek op de radio – vooral naar liefdesliedjes.

Wat Materena's radio betreft: Pito kan hem altijd mee naar buiten nemen als hij daar zin in heeft. Hij hoeft Materena geen toestemming te vragen. Hij gebruikt de radio vaak. Hij vindt het fijn om naar muziek te luisteren als hij in zijn eentje naast de broodvruchtboom een biertje zit te drinken. Soms roept Materena dat hij de radio weer op de koelkast moet zetten, omdat ze onder het koken graag muziek aanheeft. Maar meestal vraagt ze Pito gewoon om de radio wat harder te zetten en een andere zender op te zoeken. Als Pito geen zin meer heeft om naar de radio te luisteren (als zijn bier op is) zet hij de radio terug waar hij hoort: op de koelkast.

Vanavond wil Pito Materena's radio meenemen naar zijn vrienden. Meestal neemt een van zijn vrienden een radio mee als ze bij elkaar komen, maar die radio is kapot. Pito heeft gezegd dat hij de volgende keer een radio zou meebrengen – en dat is vanavond.

'Ah, vragen we daar geen toestemming voor?' Materena is een beetje nijdig dat Pito haar zomaar komt vertellen dat hij haar radio meeneemt. Hij heeft het niet eens van tevoren met haar overlegd. Misschien was ze wel van plan om vanavond naar de radio te luisteren.

'Wat? Moeten we tegenwoordig toestemming vragen? Ik heb nog nooit toestemming gevraagd om de radio mee te nemen.'

'Oui, omdat je hem dan alleen maar meenam naar de tuin, niet naar je vrienden.'

'Dus ik mag de radio niet meenemen. Bedoel je dat?'

Materena vertelt hem dat er vanavond een speciaal programma op de radio is en dat ze mamie heeft beloofd dat ze daarnaar zou luisteren. Het gaat over het geloof.

'Ah, nu ik de radio nodig heb, is er opeens een programma over het geloof waar je naar moet luisteren.' Pito kijkt haar wantrouwig aan.

Materena herhaalt dat ze mamie heeft beloofd dat ze naar dat programma zou luisteren. Maar ze voelt zich er niet prettig bij. Ze heeft een beetje medelijden met Pito. Hij kijkt zo teleurgesteld.

Ze kan het hem bijna niet weigeren...

Loana heeft Materena de radio gegeven voor haar achttiende verjaardag. Ze zei: 'Iedere vrouw moet een radio hebben. Het is goed om onder het schoonmaken naar muziek te luisteren. Het is trouwens altijd goed om naar muziek te luisteren.' Loana verwacht dat die radio nog zeker dertig jaar in perfecte conditie blijft. Het is waarschijnlijk geen goedkoop ding geweest. Ze heeft hem gekocht in de hifi-zaak, niet in de tweedehandswinkel.

Materena is in tweestrijd.

Maar ze weet heel goed wat er tijdens de vriendenbijeenkomsten gebeurt. Er wordt een heleboel slap gekletst en gedronken en de kans is groot dat een van Pito's vrienden bier over haar radio morst, of het ding tegen de grond smijt omdat hij vindt dat hij te veel wordt tegengesproken, of...

Er kan van alles gebeuren met haar dure radio.

'Kom nou, Pito, eh?' zegt Materena smekend, in de hoop dat Pito de situatie zal begrijpen.

'Je mag die roestige kloteradio houden,' zegt hij.

Hij zou zich zelfs schamen om dat ouderwetse ding mee te nemen, zijn vrienden zouden hem er nog om uitlachen. Sterker nog, Pito wil vanaf nu niets meer met die roestige kloteradio te maken hebben en hij waarschuwt Materena dat als hij ooit zijn eigen stereo-installatie koopt – en dat gaat gebeuren – dat ze daar dan nooit aan mag komen.

'Ik vind het best, Pito,' zegt Materena.

Pito loopt stampend de keuken uit.

Hij is weg.

En Materena denkt: die heeft lef.

Ze gaat douchen. Ze is een beetje van streek, omdat ze het niet leuk vindt om ruzie te maken met Pito, maar hij heeft wel lef om haar radio een roestige kloteradio te noemen.

Dan hoort ze hem terugkomen. Hij is zeker iets vergeten. Ze roept: 'Pito! Was je iets vergeten?' Geen antwoord. 'Pito!' Dan schiet het opeens door haar heen dat Pito misschien is teruggekomen om haar radio op te halen.

Ze rent de badkamer uit. Ze heeft snel een handdoek om zich heen geslagen en haar haar zit vol schuim. Er staat geen radio op de koelkast. Als ze naar buiten rent, ziet ze nog net Pito met haar radio op zijn schouder wegrennen.

'Pito, mijn radio!'

Hij lacht en verdwijnt om de hoek.

Nu is Materena echt nijdig. Hier hoort hij meer van. Ja, ze zal het hem eens flink vertellen als hij thuiskomt. Haar radio is geen roestige kloteradio. Hij wil ermee opscheppen bij zijn vrienden. Hij gaat vast zeggen dat hij van hem is. Materena loopt terug naar de badkamer.

Nu zit ze op de bank met Pito's ukelele en de schaar... maar ze kan het niet over haar hart verkrijgen om de snaren door te knippen. Ze brengt hem terug naar de slaapkamer. Dan loopt ze de keuken in om iets te eten en iets om handen te hebben terwijl ze op Pito wacht.

Om een uur of elf komt Pito terug, maar hij heeft geen radio bij zich. Materene springt overeind. 'Waar is mijn radio!'

'Eh, rustig een beetje,' zegt Pito. 'Ik ga de titoi die je radio heeft gestolen wel zoeken.' 'Is mijn radio gestolen?' Materena kan haar oren niet geloven. Ja, en zó is het gegaan. Pito zweert dat hij haar de waarheid zal vertellen.

'Waarom moet je dat zweren?'

Omdat Pito weet dat ze hem anders niet zal geloven.

Pito is naar zijn vrienden gegaan en die waren hartstikke blij dat hij Materena's radio had meegenomen. Iemand had een splinternieuw bandje meegenomen van Bob Marley – de Greatest Hits. Dankzij Materena's radio hadden ze met z'n allen naar de Greatest Hits van Bob Marley kunnen luisteren.

Na zijn vierde biertje had Pito besloten naar huis te gaan, hij wilde naar bed. Hij had vandaag hard gewerkt. De vrienden waren een beetje pissig dat Pito zo vroeg wegging, omdat ze net zo lekker zaten te luisteren naar de Greatest Hits van Bob Marley, maar als je naar huis moet, moet je naar huis. Halverwege was Pito echter gestopt om even te gaan liggen bij een boom. Zijn benen wilden niet verder. Hij zette de radio onder zijn hoofd bij wijze van kussen en deed zijn ogen dicht. Maar hij viel in een heel diepe slaap en in die tijd heeft een gewetenloze schurk de radio onder zijn hoofd vandaan gehaald en er een baksteen voor in de plaats gelegd. Pito heeft er niets van gevoeld.

Pas toen hij wakker werd, zag hij wat er was gebeurd. Eerst dacht hij dat hij hallucineerde. Maar uiteindelijk drong het tot hem door dat hij echt een baksteen zag en geen radio.

Dus hier is hij nu, zonder radio.

Pito's verhaal klinkt Materena in de oren als één groot leugenverhaal. Ze schreeuwt tegen hem dat hij het maar beter kan toegeven als er iets anders met haar radio is gebeurd, want dat ze geen woord van zijn verzinsels gelooft.

Maar Pito zweert dat hij de waarheid heeft verteld. Hij zweert het op het graf van zijn grootmoeder. Nu moet Materena Pito wel geloven: je zweert niet op het graf van je geliefde grootmoeder als je zomaar iets verzint.

'Ik had je toch gezegd dat je mijn radio niet mee mocht nemen,' zegt ze. 'En kijk nu. Ik had het je gezegd.'

Ze is er kapot van. En tegelijkertijd is ze opgelucht.

Degene die dit heeft gedaan had nog wel meer kunnen zijn dan een gewetenloze schurk die slapende mensen besteelt. Het had wel een moordenaar kunnen zijn. Hij had met de baksteen Pito's hoofd kunnen inslaan. Materena huivert bij de gedachte.

'Waarom heb je trouwens langs de kant van de weg liggen slapen? Het lijkt wel of je geen huis hebt,' zegt ze.

Ze gaan naar bed.

Het duurt een poosje voor Materena inslaapt. Ze denkt aan haar radio. Ze heeft hem veertien jaar gehad. Ze zal hem missen.

Mijn arme radio, eh.

Het is nu drie dagen geleden dat Materena's radio is gestolen en nu ziet ze er een staan voor de Chinese winkel. Hij staat naast een rieten tas en een opgerold matje. Ze loopt erlangs, de winkel in. Ze pakt een boodschappenmandje van de stapel, maar... eerst wil ze buiten die radio nog eens bekijken.

Hij komt haar een beetje te bekend voor.

Ze zet het boodschappenmandje terug en loopt naar buiten. Ze staat ongeveer een meter bij de radio vandaan. Mensen moeten niet denken dat ze hem wil stelen.

Die radio ziet er wel erg bekend uit.

Hij is net zo groot als die van Materena. Eh, dat wil nog niet zeggen dat het haar radio is. Er zwerven duizenden van dat soort radio's over het eiland. Maar iets dat je veertien jaar gezien hebt, herken je zó. En Materena denkt dat ze haar radio herkent.

Iemand tikt haar op de schouder en ze draait zich om. Het is haar nicht Giselle. De nichten kussen elkaar op de wang.

'Wat sta jij daar stil als een kokosboom?' vraagt Giselle.

'Zie je die radio?' zegt Materena. 'Naast die rieten tas en dat opgerolde matje.'

Giselle werpt een blik op de radio en knikt.

'Ik denk dat hij van mij is.'

'Heeft iemand jouw radio gestolen?' Giselle bekijkt de radio nu met meer belangstelling.

'Eh oui,' zucht Materena.

'Weet je zeker dat hij niet is meegenomen door een neef of een nicht die hem een paar dagen wou lenen?'

Materena licht Giselle in over de situatie.

'Heeft Pito dat verhaal niet verzonnen?' Volgens Giselle is het één groot leugenverhaal.

Waarom is Pito's verhaal zo moeilijk te geloven? vraagt Materena zich af. Toen ze het aan haar moeder vertelde, zei Loana: 'Het lijkt mij dat hij het allemaal heeft verzonnen.' Zelfs toen ze hoorde dat Pito op het graf van zijn grootmoeder had gezworen dat hij de waarheid vertelde, zei Loana: 'Volgens mij heeft hij het allemaal verzonnen.'

Loana en Pito hebben woorden gehad en nu praten ze niet meer met elkaar. Materena vindt het niet prettig als haar moeder en haar man net doen alsof ze elkaar niet kennen. Pito zei: 'Als Loana niet meer met me wil praten, vind ik dat prima.' En Loana zei: 'Als ik Pito nooit meer spreek, vind ik het best.'

Materena wou maar dat Pito haar radio nooit had meegenomen. Kijk nu eens wat ervan komt. Aue.

'Hij heeft op het graf van zijn grootmoeder gezworen dat hij de waarheid vertelde,' zegt Materena tegen Giselle. Ze denkt eraan dat andere mensen altijd veel wantrouwiger zijn dan zij.

'Ah, nou, als hij het op het graf van zijn grootmoeder heeft gezworen, moet het wel waar zijn,' zegt Giselle twijfelachtig.

'Ik ben alleen maar blij dat degene die het heeft gedaan, de baksteen voor mijn radio in de plaats heeft gelegd.'

Giselle begrijpt het niet, dus Materena legt haar uit dat de dief met die baksteen net zo goed Pito's hoofd had kunnen inslaan.

'Ah oui,' zegt Giselle. 'Dat zou verschrikkelijk zijn. Denk je dat die radio van jou is?'

'Ik denk het wel, maar ik weet het niet zeker.'

'Heb je je naam er niet op gezet?'

'Non.' Het is nog nooit in Materena opgekomen om haar naam op haar radio te zetten. Ze zet nooit ergens haar naam op, behalve op haar huishoudboekje, maar dat is nog een gewoonte van school.

Giselle schudt haar hoofd. 'Je moet altijd je naam op je spullen zetten.' Ze bekent Materena dat ze haar naam zet op alles wat van haar is: haar tv, haar wasautomaat, haar koelkast, haar slippers. Ze zet zelfs haar naam op haar pareus. Vorige week kon ze haar slippers niet vinden – ze waren nota bene nog gloednieuw. Ze keek overal buiten. Ze dacht dat de hond ze misschien had meegenomen, maar toen bedacht ze dat haar hond dat niet zou doen, omdat ze hem van jongs af aan heeft geleerd van haar slippers af te blijven. Ze bedacht ook dat honden nooit twee slippers tegelijk meenemen. Ze pakken er altijd maar één.

Giselle zocht binnen – geen slippers. Een paar dagen later ging ze samen met haar mama naar een gebedsbijeenkomst bij iemand thuis. Bij de deur zette ze haar schoenen bij de andere schoenen en slippers, en wat zag ze? Een paar slippers die precies leken op de hare. Ze keek onder de zolen en daar zag ze haar naam staan. Toen heeft ze ze in haar tas gestopt. Als ze haar naam er niet op had gezet, had ze zich nu nóg afgevraagd of die slippers misschien toch waren van iemand die daar zat te bidden.

'Er zijn gewoon te veel neven en nichten zoals James die dingen lenen zonder toestemming te vragen,' zegt Giselle. 'Je moet op al je spullen je naam zetten.'

Materena wou maar dat ze haar naam op haar radio had gezet.

Giselle vraagt haar hoe lang ze hem heeft gehad.

'Veertien jaar.'

Volgens Giselle moet je iets wat je zo lang hebt gehad, meteen kunnen herkennen.

'Herken je je radio?' vraagt ze.

Materena kijkt ernaar. Ja, hij ziet er erg bekend uit, maar ze is niet honderd procent zeker.

'Ah oui, het is moeilijk om zeker te zijn als je geen herkenningspunten hebt,' zegt Giselle. 'En krassen? Zitten er geen krassen op waar je hem aan kunt herkennen?'

Nee, er zitten geen krassen op Materena's radio. Ze is er altijd heel voorzichtig mee geweest. Hij is in perfecte staat. Als je hem ziet, zou je zelfs zeggen dat hij gloednieuw is – dat hij net uit de winkel komt.

Ah, wat een ellende.

Maar wacht eens even, Materena heeft een inval. Haar radio heeft jarenlang in de keuken gestaan. Zou hij niet naar knoflook en uien ruiken? Ze vraagt wat Giselle ervan denkt.

'Ah oui,' stemt Giselle met haar in. 'Daar had ik nog niet aan gedacht. Ga maar ruiken.'

Materena gaat aan de radio ruiken. Ah, ja, hij ruikt naar knoflook en uien.

'Ja hoor!' roept Giselle. 'Hij ruikt naar knoflook en uien!'

'Ah, ja. Hij ruikt er heel erg naar. Zal ik hem nu meenemen?'

'Ja, natuurlijk! Waar wacht je nog op?'

Maar Materena aarzelt. Stel je voor dat ze hem meeneemt en dat het toch niet haar radio is. Dat zou stelen zijn. En stel dat de eigenaar van die radio net de winkel uit komt als zij hem oppakt. Dat zou gênant zijn.

Materena komt weer naast Giselle staan en kijkt ingespannen naar de radio. 'Ik kijk gewoon nog even.'

'Dat is goed, Materena,' zegt Giselle. 'Maar ik moet nu naar de winkel. Ik heb verschrikkelijke trek in augurken. Ik denk dat ik weer zwanger ben. Maar zet het nieuws nog niet op de kokosnotenradio, oké?'

'Oké, natuurlijk.' Materena hoopt voor Giselle dat ze niet zwanger is.

Het is nog een beetje te vroeg. Isidore Louis Junior is nog maar vier maanden.

Materena staat nog steeds naar de radio te staren als Giselle de winkel uit komt met een grote pot augurken.

'Sta je er nou nog steeds?' vraagt Giselle.

'Nou, oui.'

'Ik moet naar huis, nicht. Ik moet hoognodig naar de wc.'

'Oké.' Materena geeft Giselle een zoen. Ze zou tegen haar kunnen zeggen dat ze een zwangerschapstest moet gaan halen bij de drogist, maar als iemand je vraagt om het nieuws niet op de kokosnotenradio te zetten, hoor je eigenlijk meteen te vergeten wat je hebt gehoord.

Ze blijft ingespannen naar haar radio kijken. Ze vraagt zich af wanneer de eigenaar van de rieten tas en het matje (maar niet per se van de radio) zal komen opdagen.

'Ia'ora'na, nicht.' Het is Mori. Hij heeft een krat lege bierflesjes bij zich, die hij bij de winkel gaat inruilen voor een volle. 'Wat voer jij hier uit?'

Materena ruikt even terwijl ze Mori een zoen op zijn wang geeft. Ze heeft geen zin in een gesprek met een dronkeman. Maar Mori is nog niet dronken en dus brengt Materena hem van de situatie op de hoogte. Mori zegt niet dat Pito zijn verhaal waarschijnlijk heeft verzonnen. Hij luistert en knikt alleen maar.

En nu heeft hij een idee. 'Ik neem die radio wel mee de winkel in. Als niemand tegen me zegt: "Wat moet jij met mijn radio?" dan neem jij hem mee, nicht.'

Materena kijkt naar Mori, met zijn rastahaar tot op zijn rug en zijn zelfgemaakte tatoeages. Vooral die rood met groene vuurspuwende draak op zijn borst ziet er indrukwekkend uit. Mori heeft geen shirt aan.

'Oké dan, Mori. Neem jij die radio maar mee naar binnen.' Zelf wil ze dat in ieder geval niet doen.

Mori pakt met een nonchalant gebaar de radio op, zet een zender met een vrolijk reggaemuziekje aan en loopt dan met het ding op zijn schouder de winkel in.

Materena wacht. Ze hoort de muziek schetteren.

Een paar minuten later komt Mori weer naar buiten.

'Heeft niemand iets over die radio gezegd?' vraagt Materena.

'Non. Hier is je radio, ik moet nu mijn bier halen.'

Materena is weer thuis, met haar radio. Ze zet er meteen haar naam op en zet hem waar hij hoort – op de koelkast.

Ze vertelt Pito hoe ze hem heeft teruggekregen en hij komt niet meer bij van het lachen.

Een afscheidsbrief

Het is weken geleden dat Materena haar radio bijna was kwijt geweest. Maar op een zonnige zaterdagmorgen als deze, met een prachtig liefdesliedje op de radio, is ze nog steeds opgelucht dat ze hem terug heeft.

Het liefdesliedje dat nu op staat, heeft ze nog nooit gehoord. Het gaat over uit elkaar gaan – dat het soms moeilijk is, maar dat we verder moeten met ons leven, onze eigen weg moeten gaan. Dat je hoopt goede vrienden te blijven en dat je elkaar alle geluk toewenst.

Er ligt pen en papier op de keukentafel, dus Materena schrijft de woorden op. Ze vindt het een mooi liedje. Het koor zingt:

> *Ik moet mezelf vinden,*
> *ik kan niet langer met je leven.*
> *Ik moet mijn vleugels vinden…*
> *Mijn vleugels van vrijheid.*

Later op de dag gaat Materena bij Loana op bezoek.

Intussen komt Pito thuis. Hij ziet het papier op de keukentafel. 'Wat is dit?' Hij is niet echt geïnteresseerd. Hij pakt een biertje uit de koelkast en roept Materena. Ze geeft geen antwoord, dus hij vermoedt dat ze niet thuis is. Hij loopt de kamer in en maakt het zich gemakkelijk op de bank.

Wat is het stil, denkt hij. Precies zoals hij het prettig vindt. De kinderen zijn vandaag bij Mama Roti. Ze blijven bij haar slapen en Pito moet ze morgenochtend voor de zondagsmis weer ophalen. Maar waar is Materena?

'Waar is die Materena toch?' vraagt hij hardop.

Het is kwart over elf en hij heeft honger. Hij kijkt naar het plafond, maar hij heeft te veel honger om te blijven liggen. Hij staat op en loopt de keuken weer in. Hij trekt de koelkast open en kijkt wat erin staat, maar op het ogenblik heeft hij alleen maar trek in cornedbeef. Hij haalt een blik uit de kast, maakt het open en eet de cornedbeef zo uit het blik op. Hij kijkt naar het papier op tafel. Misschien moest Materena ergens naartoe en heeft ze een briefje voor hem achtergelaten. Hij pakt het papier en leest achteloos wat er staat.

Het wordt hem zwart voor de ogen, alsof hij een dreun met een hamer heeft gekregen.

Wat heb ik gedaan? Wat heb ik gedaan? Wat heb ik gedaan?

In Pito's ogen is het een afscheidsbrief. Materena wil haar vrijheid, met andere woorden, ze wil dat Pito het huis uit gaat, uit haar leven weggaat.

Wat heb ik gedaan? Is het om de radio? Dat felgekleurde overhemd?

Is het omdat hij haar heeft uitgelachen toen ze die vijver probeerde te maken?

Allerlei vragen schieten door Pito's geschokte geest en hij beantwoordt ze een voor een.

Het is waar dat iemand de radio onder mijn hoofd heeft weggehaald terwijl ik lag te slapen. Het is moeilijk te geloven, maar het is waar!

Ik kon dat overhemd dat ze voor mijn verjaardag had gekocht niet dragen. Het was gewoon mijn stijl niet.

Ik heb haar niet geholpen met die vijver, omdat je met tegels geen vijver kunt maken. Daar heb je beton voor nodig.

Pito leest de afscheidsbrief nog eens. Er zijn altijd voortekenen als een vrouw bij je weggaat, denkt hij. Meestal wel, tenminste. Toen een van zijn collega's vorige maand naar huis ging, ontdekte hij dat het hele huis leeg was. Zijn woman was weggegaan, zomaar, geen waarschuwing, niets. Ze had de kinderen, de stereo-installatie en zelfs het bed meegenomen. De ene dag had Pito's collega nog zijn woman om voor hem te koken en schoon te maken en de volgende dag moest zijn moeder het overnemen.

Pito verbergt zijn gezicht in zijn handen. Hij had dit niet verwacht. Hij heeft een brok in zijn keel. Net als toen zijn vader doodging. Hetzelfde diepe verdriet. Dat ondraaglijke gevoel dat je leven vanaf nu nooit meer hetzelfde zal zijn.

De tranen komen en Pito laat ze over zijn gezicht stromen. Hij denkt eraan hoe zijn collega heeft geprobeerd zijn woman terug te krijgen. Hij huilde en smeekte, maar ze zei: 'Het is te laat om te huilen. Ik heb een ander. Iemand die van me houdt.'

Pito snikt het uit. Maar al gauw maakt zijn verdriet plaats voor woede. Hij is kwaad dat Materena van hem af wil. Hij vindt dat ze het hem in ieder geval recht in zijn gezicht had kunnen zeggen. Ze zegt hem zo'n beetje alles recht in zijn gezicht. En hij vindt zichzelf een goede vent. Hij is soms misschien een beetje lui – dat komt omdat zijn mama altijd alles voor hem heeft gedaan – maar hij heeft in ieder geval een baan.

'En ik laat haar nog wel mijn loon ophalen! Wat wil ze nog meer?' Pito slaat met zijn vuist op tafel. 'En toen ze mijn bed aan haar neef Mori had gegeven, eh? Ze had niet eens gevraagd wat ik ervan vond en ik klaagde er niet over. Nou ja, ik schreeuwde tegen haar, maar ik klaag nergens over. Goed, dat nieuwe bed dat ze bij Conforama heeft gekocht is beter dan mijn oude bed, maar ze had het me toch kunnen vragen.'

Pito is zo kwaad op Materena.

'Ik heb haar ook nog mijn bonus gegeven! En wat heeft ze ermee gedaan? Eh, in plaats van een aardigheidje voor me te kopen, heeft ze alles aan haar neef Teva gegeven om de badkamer te betegelen. En hij heeft er een puinhoop van gemaakt! Je kunt het beton tussen de tegels door zien. Maar ik klaag niet. Ik zeg: "Van mijn bonus kan Teva nu tenminste fijn zijn terugreis naar Rangiroa betalen."'

Pito stormt het huis uit, met Materena's afscheidsbrief in zijn hand.

Materena zit met Loana te kletsen op het terras als Pito bij het hek verschijnt. Hij zwaait naar Materena. Zij zwaait terug en Loana zegt: 'Wat moet hij nou weer?'

Nou, Pito moet Materena spreken, dus Loana roept naar Pito: 'Eh, kom dan hier. Je weet toch wel hoe dat hek open moet?'

Maar Pito wil Materena alleen spreken. Materena loopt naar het hek en Loana gaat staan om beter te kunnen zien wat er gebeurt.

Pito vraagt zachtjes aan Materena of ze hem iets te zeggen heeft.

Materena kijkt naar zijn rode gezicht en het zweet op zijn voorhoofd. Ze vraagt zich af wat er aan de hand is. Ze haalt haar schouders op. Non.

'Je hebt me niets te zeggen?' vraagt Pito.

Dan zegt hij dat hij het fijn zou vinden als Materena hem nu zou vertellen wat ze van plan is, in plaats van te wachten tot het laatste moment.

'Wat bedoel je met wat ik van plan ben, Pito?'

'Weet je zeker dat er niets is dat ik moet weten?' Pito kijkt haar diep in de ogen.

Materena raakt steeds meer in verwarring. 'Ik begrijp het niet.'

Pito geeft haar nog één keer de kans om precies te zeggen hoe het zit, alles uit te leggen.

'Heb je *paka* gerookt of zo?' vraagt Materena wanhopig.

Nu gooit Pito Materena de brief in haar gezicht. 'Wat is dit, eh? Is dit een afscheidsbrief of niet?'

Materena leest de 'brief' en barst in lachen uit. Dan vertelt ze Pito hoe het zit.

Pito krabt op zijn hoofd. 'Het is gewoon zo dat ik die brief las...'

Hij maakt de zin niet af, maar Materena weet dat hij eindigt met 'en mijn hart brak in duizend stukken'.

Ze neemt afscheid van haar moeder en loopt met Pito naar huis.

Net als ze de weg willen oversteken, komt er een trouwauto voorbij. Hij toetert. Materena zwaait en roept: 'Veel geluk!'

Pito kijkt naar haar en zegt niets.

Maar nu denkt hij aan trouwen. Hij herinnert zich zijn huwelijksaanzoek aan Materena – maar dat was maanden geleden en hij was dronken. Hij wist niet wat hij zei en de avond ervoor was die gekke romantische film op tv geweest.

Nu is het erg laat en Pito wou maar dat er bier in de koelkast stond om hem weer in slaap te helpen. Hij rolt naar Materena's kant en trekt haar tegen zich aan. Ze is in diepe slaap. Hij houdt haar een poosje tegen zich aan en ruikt haar parfum. Het is een fijn gevoel, denkt hij, om iemand tegen je aan te houden om wie je geeft. Ze hebben vanmiddag gevrijd omdat de kinderen niet thuis waren en omdat ze in de stemming waren. Hij trekt Materena nog wat dichter tegen zich aan.

En hij denkt eraan dat het tijd wordt dat hij met deze goede vrouw gaat trouwen. Hij weet zeker dat ze dat graag wil. Zoals ze naar dat getrouwde stel in de trouwauto keek, de afgunst in haar ogen, de heimelijke wens om zelf bruid te zijn... Pito heeft het allemaal gezien.

Hij denkt eraan hoe zijn ouders zijn getrouwd. Zijn vader lag op sterven in een ziekenhuiskamer en zijn moeder zei steeds: 'Frank Tehana, waag het niet om dood te gaan voor je me die ring aan mijn vinger hebt gegeven.' De priester werkte razendsnel de plechtigheid af. Frank Tehana legde met moeite de huwelijkseed af. Hij maakte Roti tot zijn vrouw en overleed kort daarna. Pito, die toen veertien was, kon er niet over uit dat een vrouw zich drukker kon maken om een ring om haar vinger dan om het verlies van haar man. Hij maakte er ruzie over met zijn moeder. Hij schreeuwde: 'Je kon Papi niet in vrede laten sterven, eh! Jij moest die vervloekte ring hebben. Nou, hij heeft je die ring gegeven en daarna is hij doodgegaan. Ben je nu gelukkig?'

Mama Roti schreeuwde terug: 'Je vader was een gelukkig man toen hij doodging! Toen hij stierf, had hij mij, de moeder van zijn kinderen, tot zijn vrouw gemaakt. Hij heeft me niet alleen een ring gegeven. Hij heeft me zijn naam gegeven! Hij heeft me waardigheid gegeven.'

Pito denkt eraan dat het tijd wordt dat hij Materena zijn naam geeft, dat hij haar waardigheid geeft.

Want hij geeft om haar, zij is een belangrijk deel van zijn leven. Er is een tijd geweest dat hij niet in haar geïnteresseerd was. Hij was in geen enkele serieuze relatie geïnteresseerd. Maar toen werd Materena zwanger…

Hij was zo kwaad. Zijn moeder zei: 'Ah, dat is de oudste truc die er bestaat! Wat een rotstreek!' Toen zei ze: 'Je bent die meid niets verschuldigd, maar ik wil niet dat mijn kleinkind "vader onbekend" op zijn geboortecertificaat krijgt. Pito, je kunt maar beter doen wat het beste is voor je kind, anders heb je daar je hele leven spijt van.'

Dus vroeg Pito Materena om bij hem in te trekken, maar ze wilde niet bij haar moeder weg. Hij ging dus alleen bij haar op bezoek. Toen zag hij zijn zoon geboren worden en dat was een ommekeer. Hij pakte zijn spullen bij elkaar, nam een baan en trok in bij Materena.

Toen raakte hij eraan gewend om bij haar te zijn.

Maar ze is niet zomaar iemand aan wie hij gewend is.

Het is zondagmorgen. Pito en Materena zitten aan het ontbijt.

'Ga je zo de kinderen halen?' vraagt Materena. 'De mis begint over een uur.'

Pito knikt. 'Ik ga direct, maar ik moet je eerst iets vragen. Het is belangrijk.'

Ze kijkt hem aan en wacht.

Hij haalt diep adem. Nu gaat hij zich binden. Hij weet dat ze 'oui' gaat zeggen. Ze zal het woord waarschijnlijk uitschreeuwen. Tenslotte heeft ze vorige keer ook ja gezegd toen hij haar een aanzoek deed. Maar dat aanzoek heeft ze vast niet serieus genomen, want toen was hij dronken.

Maar nu is hij nuchter en hij meent het serieus. Als hij het vraagt, is hij zo goed als getrouwd. Materena zal het aan haar moeder vertellen en aan haar neven en nichten en voor Pito het weet is alles geregeld, van zijn trouwpak tot de trouwauto.

'Nou?' zegt Materena. 'Kom, zeg op.'

'Materena Mahi,' begint Pito. 'Wil je met me trouwen?'

Materena zet grote ogen op. 'Met jou trouwen?' Ze staat op en gaat de tafel afruimen. 'Met jou trouwen.' Ze brengt de kopjes naar de gootsteen.

'Non.' Ze lacht zelfgenoegzaam.

'Het is veel te veel gedoe als je uit elkaar wilt. Ik wil gewoon je spullen kunnen pakken en je naar je mama terugsturen als ik je fiu ben.' Ze zet de kraan open en begint af te wassen.

Pito komt langzaam overeind. 'Ik ga de kinderen halen,' zegt hij.

Hoe Materena trouwde

'Waar blijft die Mama Teta?' De bruid begint zenuwachtig te worden. 'Ze is al bijna een halfuur te laat.'

'Kom, Materena,' zegt Rita. 'Laten we naar de kerk lopen. Zo ver is het niet.'

'We wachten nog even.' Materena wil echt in een trouwauto bij de kerk aankomen.

'Ik ga niet lopen,' zegt Giselle. 'Kijk eens naar me, Rita. Wil je dat ik onderweg de baby krijg?' Giselles tweede kind wordt over twee weken verwacht.

Materena kan niet uit over Mama Teta. Ze heeft haar gisteren nog herinnerd aan de datum en de tijd en Mama Teta zei: 'Kind, het staat allemaal in mijn hoofd gegrift. Ik haal je peetoom op en dan zijn we om een uur of elf bij je thuis.'

'Misschien is het een teken dat je niet moet trouwen,' zegt Giselle, terwijl ze een boterham naar binnen werkt.

'Giselle!' Rita kijkt haar kwaad aan. Dan zegt ze tegen Materena: 'Nicht, dat Mama Teta laat is, moet je niet zien als een teken. Ze heeft vast een probleempje met een gendarme. Ze komt zo.'

Intussen staat Pito bij het altaar te wachten. Hij kijkt voor de zoveelste keer om naar de ingang van de kerk, maar Materena is er nog steeds niet.

'Ze is zeker van gedachten veranderd,' zegt Ati voor de grap. Maar Pito lacht niet. Hij vraagt zich af waar Materena blijft. Alle andere mensen in de kerk vragen zich dat ook af. Ze hebben medelijden met Pito, die er zo bezorgd uitziet.

'Hij kijkt bezorgd,' zegt Loana tegen Imelda, die naast haar zit.

'God stelt hem op de proef,' zegt Imelda.

Loana knikt. Ze weet niet hoe het zo is gekomen met dit huwelijk. Materena kwam twee maanden geleden naar haar toe en zei: 'Pito en ik gaan trouwen, Mamie.' Loana wilde haar bijna vragen hoe ze Pito zover had gekregen, maar nu ziet ze dat hij waarschijnlijk zelf wilde. Ze staat op en loopt naar hem toe. 'Zal ik gaan kijken wat er aan de hand is?' vraagt ze.

Pito glimlacht. 'Non, Loana, dat hoeft niet. Je weet hoe vrouwen zijn, ze komen altijd te laat.' Hij probeert de situatie van de positieve kant te bekijken.

'Ze is van gedachten veranderd,' zegt Ati voor de tiende keer. Pito heeft zin om hem bij zijn nek te grijpen en een beetje door elkaar te schudden, maar hij draait zich alleen maar om om naar de ingang van de kerk te kijken.

Hij denkt eraan dat Materena misschien echt van gedachten is veranderd. Ze heeft zijn huwelijksaanzoek tenslotte al heel wat keren afgeslagen.

'Trouw met me,' zei hij steeds weer.

'Non.'

'Trouw met me.'

'Laat nou maar.'

'Trouw met me.'

'Ik word dat gevraag van je fiu!'

'Trouw met me.'

'Waarom?'

'Daarom!'

'Non.'

'Trouw met me.'

Ten slotte zei Materena: 'Oké.'

Pito had maar zes maanden hoeven wachten.

In het huis achter de benzinepomp heeft Materena besloten dat ze niet langer blijft wachten op de chauffeur. Ze is bang dat de priester het voor gezien houdt, en wat moet er dan gebeuren met al het eten waar haar peettante voor heeft betaald?

'Ik ga naar de kerk lopen,' zegt ze en roept haar jongste bruidsmeisje, Leilani, bij zich.

'En oom Hotu dan?' vraagt Rita.

Die is Materena helemaal vergeten. 'Laten we hopen dat hij in de kerk zit.'

'En als dat nou niet zo is?' Giselle wil het gewoon weten.

'Nou, dat beschouw ik dan als een teken,' antwoordt Materena.

Dus loopt de bruid samen met haar bruidsmeisjes, allemaal gekleed in een witte jurk met een broodvruchtprint, naar de kerk. Ze zijn bijna bij de kerk als er een vrachtwagen langs de kant van de weg stil blijft staan. Daar springt Hotu naar buiten.

'Peetoom!' Materena rent op hem af. Ze is zo blij hem te zien.

Hij geeft haar een dikke zoen op haar voorhoofd. 'Zo, zijn we klaar?' Hij vraagt niet eens waar Mama Teta uithangt.

En Materena pakt hem bij de arm.

Het is nu elf uur 's avonds en het feest achter de benzinepomp is in volle gang. De dansvloer staat stampvol, want Georgette zet steeds weer een lekker dansnummer op. Vanavond is haar muziek een huwelijksgeschenk voor het pasgetrouwde stel. Net als de heerlijke chocoladetaart. En de trouwauto, hoewel die niet is komen opdagen.

Toen het op de kokosnotenradio kwam dat Materena ging trouwen, kwam iedereen met geschenken aandragen.

Rita nam het op zich om de jurken te verzorgen. Tapeta bood aan voor Materena te zingen bij het binnenkomen van de kerk. Hoewel Tepua nog steeds verdrietig was om het verlies van haar dochtertje aan dat popa'a-echtpaar, was ze een hele dag bezig om het huis van Materena en Pito te versieren met rode plastic rozen. En Mori heeft de dansvloer gebouwd in de achtertuin.

Materena is zo blij dat iedereen een fijne avond heeft.

Mori is aan het flirten met een nicht van Pito, die net zo dik is als hij. Rita en Coco zijn ergens achterin de tuin. Loana en Mama Roti zitten samen te praten en te lachen! Leilani danst met haar broer. Moana danst met Materena's peettante Imelda.

En daar is Pito. Hij heeft nog steeds zijn trouwpak aan en hij ziet er zo knap uit. Hij staat te praten met Ati en met die vriend die voor het eerst sinds zeventien jaar naar huis is gekomen om bij Pito's bruiloft te zijn: kolonel Tihoti Ranuira in eigen persoon. Lily en Loma zijn zeer onder de indruk van alle eremedailles die hij op zijn uniform heeft gespeld.

Materena loopt de keuken in om nog wat eten te halen. Ze staat net brood te snijden als ze hoort kreunen in haar slaapkamer. Het klinkt als gekreun van pijn, maar het kan ook gekreun van genot zijn. Materena loopt op haar tenen naar de slaapkamer om te kijken wat er aan de hand is.

Daar ligt Giselle met weeën op Materena en Pito's nieuwe bed. 'Ah, ben jij het, nicht,' zegt Giselle kreunend. 'Mijn baby komt eraan.'

'Voel je het hoofdje al?' vraagt Materena. Ze probeert niet aan haar nieuwe bed te denken.

Giselle kreunt nog harder. Materena rent weg om tante Stella te halen. Zij is de beste vroedvrouw op het eiland, maar ze is stomdronken. Materena heeft iemand nodig met een auto en een rijbewijs. Iemand die nuchter is.

Precies op dat moment komt Mama Teta luid toeterend aanrijden. Ze zet de motor uit, maar ze is nog niet eens uitgestapt als Materena het achterportier opent. Mama Teta begint zich meteen te verontschuldigen, maar Materena valt haar in de rede. 'Gisella heeft weeën. U moet haar naar het ziekenhuis brengen.'

'Oui, oké, oké, oké.' Mama Teta zet de motor weer aan. Materena rent weg om Giselles vriend Ramona te halen, die ook op het feest is, maar die is al te ver heen. Daar heeft niemand iets aan in de verloskamer.

Dus springt Materena naast Giselle in de auto. Giselle huilt inmiddels tranen met tuiten, maar Materena moet toch eerst iemand op de hoogte brengen, voor het geval mensen zich gaan afvragen waar de bruid is. Ze kan niet blijven verdwijnen.

'Wacht even.' Materena is de auto uit. Daar staat Rita, met haar haar helemaal in de war.

'Ah, Rita!' roept Materena uit. 'Jij bent mijn redding! Ik moet met Giselle naar het ziekenhuis. Ze krijgt vanavond haar baby. Geef het even door.'

Maar Rita wil ook mee naar het ziekenhuis. De boodschap wordt dus doorgegeven aan een van de kinderen die in het donker tikkertje aan het spelen zijn. Materena springt bij Mama Teta voorin in de auto en Rita knijpt Giselle achterin zachtjes in haar hand.

Mama Teta rijdt met vliegende vaart naar de stad. Giselle heeft een zware wee en Rita fluistert tegen haar dat ze nog even moet wachten, omdat ze anders een dochter krijgt die Mama Teta Junior heet. Giselle kan nog net even grinniken voor ze weer een zware wee krijgt.

'Wat een dag,' zegt Mama Teta tegen Materena. 'Vandaag is niets gegaan zoals ik had gepland. Het spijt me zo, Materena.'

Materena glimlacht. 'Het geeft niet, Mama Teta.'

'Maar ik heb je gelukscadeautje,' zegt Mama Teta. Materena was het helemaal vergeten. 'Hier.'

Materena maakt het doosje, dat in wit papier is verpakt, langzaam open. Er komt een cassettebandje tevoorschijn.

'Is dit een bandje met liefdesliedjes?' vraagt ze. Ze had iets anders verwacht.

'Nou, geef me dat bandje maar eens hier,' zegt Mama Teta grinnikend. 'Je kunt het net zo goed nu horen.' Ze zet het op.

Daar komt Mama Teta's stem uit de luidsprekers. 'Zo, Pito,' zegt ze. 'Ik heb gehoord dat Materena en jij gaan trouwen.'

'Dat is zo.' Pito klinkt een beetje verlegen.

'En waarom ga je met Materena trouwen?'

Er valt een lange stilte en Materena hoort Pito zwaar ademen. 'Mama Teta,' zegt hij ten slotte, 'is dit niet een beetje…'

'Geef gewoon antwoord op de vraag,' onderbreekt Mama Teta hem.

'Waarom ik met Materena ga trouwen?' vraagt Pito. 'Eh, nou, gewoon, omdat… omdat ze een goede vrouw is.'

'Heeft ze je gedwongen met haar te trouwen?'

'Ah non!' grinnikt Pito. 'Ik heb haar gedwongen. Ik heb haar net zolang gevraagd tot ze ja zei.'

'Ah oui?' Mama Teta klinkt verbaasd. 'Waarom heb je dat gedaan? Je had toch gewoon kunnen accepteren dat ze nee zei.'

'Ik wilde echt met haar trouwen,' antwoordt Pito.

'Om de zaak officieel te regelen?'

'Oui, ook wel een beetje, maar dat is niet de voornaamste reden.'

'Waarom dan?'

Er valt weer een lange stilte en de drie vrouwen in Mama Teta's auto houden allemaal hun adem in – zelfs Giselle.

'Was je bang dat Materena met iemand anders zou trouwen?'

Pito grinnikt weer. 'Oui, misschien wel, maar daar dacht ik niet aan toen ik haar vroeg.'

'Waar dacht je dan aan?'

'Ik dacht eraan…' Pito schijnt te aarzelen. 'Ik dacht eraan… dat… dat ik… dat ik zoveel van Materena hou. Ik heb het nooit tegen haar gezegd, omdat…'

'Hé, mensen!' schreeuwt Giselle plotseling. 'De baby komt nú!'

Rita en Materena gillen van schrik, Mama Teta stuurt de auto naar de kant en in de verwarring wordt het bandje helemaal vergeten.

Dankwoord

Ik heb deze roman te danken aan veel goede mensen...

Mijn man en trouwste vriend – dank je wel, Michael, dat je je eigen dromen opzij hebt gezet om mij de mijne te laten vervullen.

Mijn kleine bende: Genji, Turia, Heimanu en Toriki – bedankt voor de kopjes thee, voor het afwassen en voor jullie begrip voor het feit dat moeders ook dromen hebben. Dank jullie wel voor de knuffels.

Bedankt, Sati Mack, Tracy Marshall, Lisa McKeown en Terri Janke... vriendinnen en fantastische vrouwen in vele opzichten.

Laura Patterson – dank je wel voor je bemoedigende woorden toen ik je mijn eerste drie korte verhalen stuurde. Je hebt me enorm geïnspireerd.

Louise Thurtell, redactrice met een geweldig oog voor detail – dank je wel voor je fantastische werk.

En niet te vergeten: dank je wel, Katie Stackhouse, dat je zo perfectionistisch was dat je de glazen wijn telde en je afvroeg wat er was gebeurd met de schelpenketting van de heldin van dit boek.

Voor jullie allemaal... *Maururu*.

Célestine Hitiura Vaite is in 1966 op Tahiti geboren. In 1982 werd ze verliefd op een Australische surfer, trouwde met hem en verhuisde naar
Australië. Célestine en haar man wonen met hun
vier kinderen aan de zuidkust van New South Wa-
les. Van Célestine zijn verhalen gepubliceerd in
Australian Short Stories en *Australian Multicultur-
al Book Review*. *Tropisch fruit* is haar eerste roman.